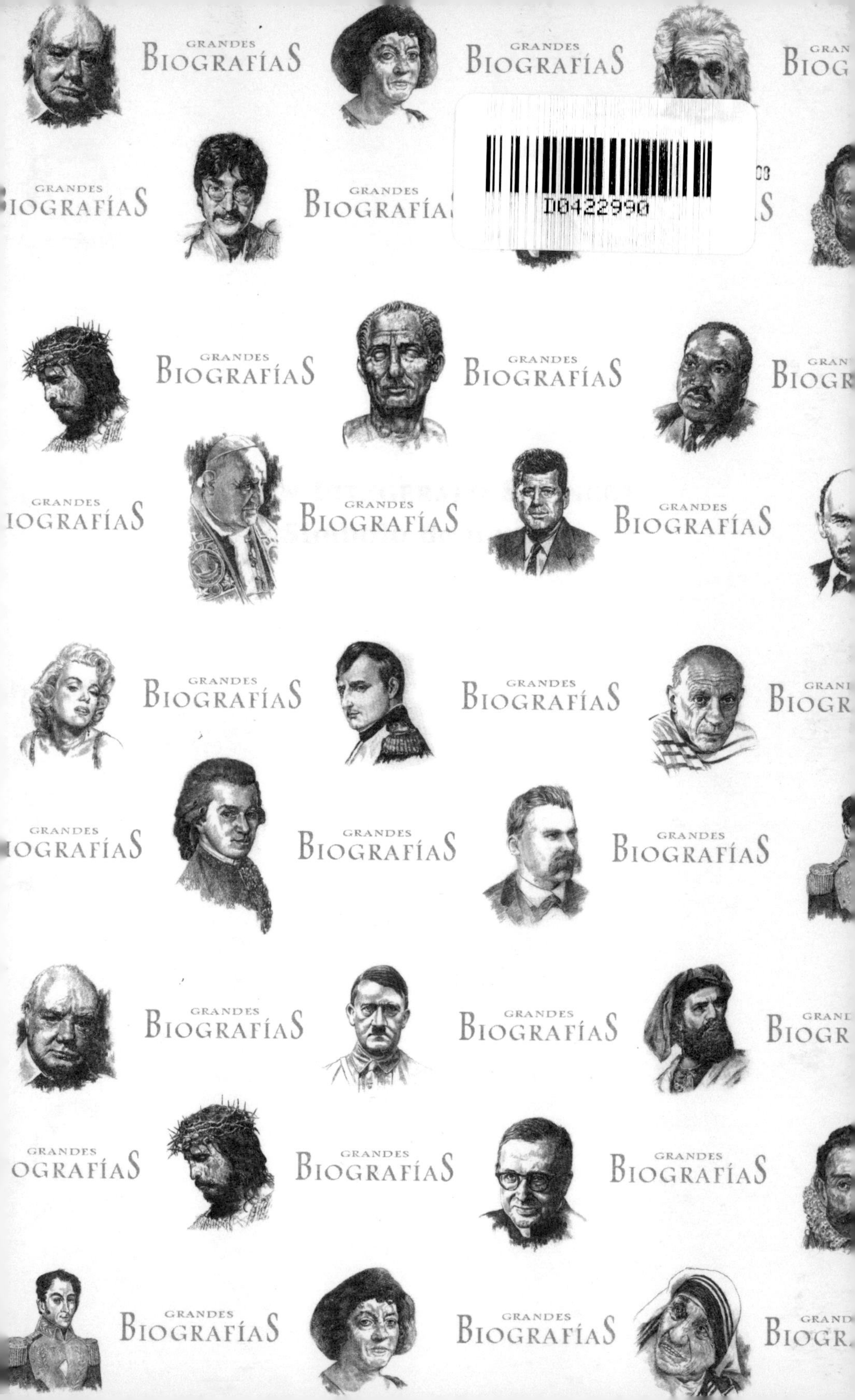
GRANDES
BIOGRAFÍAS
D0422990

John Fitzgerald Kennedy

Símbolo de un clan

Julia F. Moreno García
Augusto E. Benítez Fleites

ROUND LAKE AREA
LIBRARY
906 HART ROAD
ROUND LAKE, IL 60073
(847) 546-7060

DASTIN EXPORT
EDICIONES

Autores: Julia F. Moreno y Augusto E. Benítez
Ilustración de cubierta: Ramón López
Director de colección: Felipe Sen
Dirección editorial: Raul Gómez
Edición y producción: José Mª Fernández

© **DASTIN EXPORT, S.L.**
c/ M nº 9 Pol. Ind. Europolis
28230 Las Rozas (Madrid)
Telf.: (+34) 916 375 254
Fax: (+34) 916 361 256
e-mail: dastinexport@dastin.es
www.dastin.es

I.S.B.N.: 84-96249-70-0
Depósito legal: M-29.649-2004

Tanto la editorial como el director de colección no se hacen responsables de las opiniones vertidas por el autor.

Todos los derechos reservados. Bajo las sanciones establecidas en las leyes, queda rigurosamente prohibida, sin autorización escrita de los propietaros del copyright, la reproducción total o parcial de esta obra por cualquier medio o procedimiento, comprendidos la reprografía y el tratamiento informático, así como la distribución de ejemplares mediante alquiler o préstamos públicos.

Impreso en España - Printed in Spain

A mis cuatro maravillosos hijos:
Rodolfo, Juliette, Beatriz y Daniel Benítez.
Recordad siempre que las diferencias
son reflejo de la individualidad:
hagamos de ella los cimientos de la fortaleza familiar.

JULIA F. MORENO GARCÍA, *historiadora y profesora de Historia. Sus investigaciones y docencia se han orientado hacia los Países de África y Asia, así como al estudio de su evolución y de sus personalidades más significativas. Ha publicado diversos artículos sobre esta temática en revistas especializadas de España y América. Ha colaborado en la edición y elaboración de una* Historia Universal, *así como una serie de libros como* China en el siglo XX; Japón Contemporáneo; Extremo Oriente *y* El Próximo Oriente.

AUGUSTO E. BENÍTEZ FLEITES, *historiador y periodista. Desde hace más de tres décadas se dedica al estudio de la Historia de los Estados Unidos, sobre la cual ha publicado numerosos ensayos y artículos en revistas especializadas de Argentina, Cuba, México, España y Venezuela. En los últimos años se ha centrado en investigar el periodo comprendido entre 1783 y 1963, mostrando especial interés en el desarrollo y evolución de personalidades norteamericanas y latinoamericanas:* F. D. Roosevelt: carisma de un líder; Lázaro Cárdenas: un sexenio prodigioso; Simón Bolivar: un genio americano; José Martí: su valoración de la sociedad norteamericana.

ÍNDICE

Capítulo Primero

LOS COMIENZOS

John Fitzgerald Kennedy tenía muchas bazas para triunfar y triunfó: un padre que llegó a ser uno de los hombres más ricos de su tiempo con habilidad, constancia y falta de escrúpulos; un propio pasado heroico forjado en el transcurso de la Segunda Guerra Mundial y elevado al cenit por las relaciones paternales con publicistas influyentes; una familia siempre dispuesta a ayudarle con sus consejos; un clan familiar a su servicio; un grupo prestigioso de jóvenes intelectuales integrados sin reserva a su proyecto. Tales premisas le permitieron convertirse rápidamente en un líder local del Partido Demócrata, en una personalidad importante del Estado de Massachusetts y, finalmente, en el presidente de Estados Unidos. Si bien no fue un *self-made-man,* pues desde su nacimiento se benefició de la herencia político-económica de sus abuelos, ello no minimiza su propio aporte a la formación y solidez de su personalidad. Tuvo que franquear obstáculos que, en su tiempo, parecieron inexpugnables y los venció.

Su vida (1917-1963) abarca un período histórico de trascendental importancia para su país y el mundo en general: dos guerras mundiales, la ruptura de un mundo unipolar y el nacimiento del sistema comunista; la creación de armas nucleares, los viajes interespaciales; la fractura total de los antiguos imperios coloniales; en fin, un ambiente, unas circunstancias ricas en matices que él, desde sus días de estudiante universitario, fue aprehendiendo hasta que, llegado a la primera magistratura, pretendió ajustarlas a su tiempo, a los fundamentos democráticos emanados de la sociedad norteamericana, aunque para ello fuera necesario la agresión militar, el chantaje atómico o el espaldarazo a grupos o gobiernos corruptos, bajo el pretexto de evitar el avance del comunismo. Sin entrar en los valores éticos de tal política, si es que los tiene, podemos asegurar que John Fitzgerald Kennedy fue fiel reflejo de una época y que, más allá de intenciones permeadas o no de buenas intenciones, lo cierto es que su mandato quedó truncado por su asesinato.

¿Fue un liberal, que soñó un mundo más igualitario, o un hombre que aspiró a hacer de los Estados Unidos el centro determinante de la correlación de fuerzas, a escala internacional? ¿Cómo llegó este católico, de origen irlandés, a la Casa Blanca para ser, hasta ahora, el único presidente que se identifica con esa fe? ¿Qué hizo posible que dos humildes familias, llegadas a costas norteamericanas en la segunda mitad del siglo XIX, unieran sus destinos y conformaran un poderoso clan político-económico?

Resulta, pues, imprescindible rememorar aquellos terribles años en que miles y miles de irlandeses buscaron nuevos horizontes espoleados por el hambre y la represión política del gobierno británico, por entonces dueño absoluto de la vida y conciencia de los católicos, declarados enemigos del *protestantismo colonizador*. Esa falsa dicotomía antagónica —entre religiones— fue el basamento ideológico que Gran Bretaña esgrimió y utilizó para mantener las cadenas opresivas sobre Irlanda. Resultó la piedra de toque para que la hambruna de mediados del siglo XIX afectara en mayor medida a los seguidores de Roma. ¿Por qué? ¿Fueron la falta de recursos materiales, de comida, de vestidos, los factores que obligaron a marchar, a Inglaterra o a los Estados Unidos, a cientos de miles de hombres y mujeres? ¿O también aspiraban a tener libertad de pensamiento, aherrojado por el poder discriminatorio de la *Pérfida Albión*?

A responder a esas y otras preguntas dedicaremos las páginas siguientes, pues sólo así podremos entender el comportamiento de las familias que llegaron a tierra norteamericana —entre ellas los Kennedy y los Fitzgerald— y crearon verdaderos cotos cerrados, impenetrables e impermeables por las demás culturas, incluyendo la del propio lugar en que se asentaron.

En su defensa debemos acotar que también en los Estados Unidos sufrieron vejámenes, aunque no de la magnitud recibida en su tierra natal. No doblegaron jamás su espíritu. La mayoría permaneció en el anonimato, pero aquella minoría que logró imponerse al medio —Kennedy/Fitzgerald, entre otros— luchó con denuedo para alcanzar cotas elevadas en la pirámide social y reafirmar que los irlandeses católicos, en igualdad de condiciones, merecían ser considerados hombres capaces para desempeñar cualquier labor social, económica o política

El hambre de Irlanda

Según el censo de 1841, Irlanda tenía 8.175.124 habitantes, los cuales podían ubicarse en varias categorías económicas: propietarios y granjeros con más de 20 hectáreas de tierra; artesanos y granjeros con terrenos de entre 2 y 20 hectáreas; jornaleros y pequeños arrendatarios con parcelas de menos de dos hectáreas (más del 70 por 100 de la población rural, entraba en esa categoría), y la cuarta sin propiedad alguna. Su distribución geográfica era visible: agricultores prósperos y jornaleros pobres, en el centro y el sur; pequeños arrendatarios prósperos en el este y el norte, y otro grupo, extremadamente pobre y numeroso, de pequeños arrendatarios, en el oeste y en los condados costeros suroccidentales. Los efectos de la gran hambruna reflejaron este esquema, pues el oeste y sudoeste del país fueron las zonas más duramente golpeadas, en tanto que los jornaleros y los pequeños arrendatarios empobrecidos sufrieron el embate más fuerte del hambre, la enfermedad y la muerte. *A la hambruna*, señala Ranelagh en su libro *Historia de* Irlanda, *siguió la fiebre, por la cual muchas personas murieron en todo el país, pero en lo que se refiere a la muerte por inanición, fue la población trabajadora la más afectada, casi con exclusión de los otros grupos. Así, en el centro y el sur, la clase de los agricultores prósperos no se murió de hambre durante los años de la «Gran Hambruna». Ésta nunca se generalizó por todas las comunidades rurales.*

Entre 1841 y 1851, la población disminuyó un 20 por 100, hasta quedar en poco más de 6,5 millones de habitantes. La aterradora cifra de muertos se estimó, en el mismo período, en más de 1,5 millones. El propio censo recogió que cerca de 1,6 millones emigraron, en su mayoría a los Estados Unidos.

La causa directa de la hambruna y de las consiguientes repercusiones que tuvo en el descenso de la población fueron las pésimas cosechas de patata de los años 1845 y 1846, así como las no malas del todo, pero tampoco buena cosechas de los cinco años siguientes, tal como recuerda Ranelagh: *La tradición recoge que fue sir Walter Raleigh quien introdujo en Irlanda la patata, que llevó de América en 1586. En dos siglos se convirtió en el primer alimento vegetal de los campesinos. Poco trabajo se necesitaba para plantarla y recogerla. De un terreno pequeño podía obtenerse una gran cantidad, por lo cual representaba la mejor opción para el pequeño arrendatario. Junto con el suero de la manteca, proporcionaba sustancias nutritivas suficientes para poder vivir con relativa salud. Para 1845, se había convertido en el único alimento de aproximadamente un tercio de la población, y el pan, la carne, el cereal o la harina de maíz sólo adornaban las mesas de los más acomodados. Así pues, una mala cosecha de patata podía tener efectos devastadores, pero una serie de malas cosechas podía convertirse en una hambruna destructora a escala muy considerable.*

El hambre ya había golpeado a Irlanda muchas veces durante el siglo XIX: en 1807, 1817, 1821-1822, 1830-1834, 1836 y 1839. No obstante, a pesar de que las malas cosechas y el hambre siempre estuvieron acompañadas de muerte y emigración, también siempre fueron males localizados. En 1845, la primera señal de que la cosecha de patata se estaba arruinando se manifestó en septiembre, con la decoloración de las hojas de la planta. Cuando en octubre se cosechó el producto, desaparecieron las esperanzas de que pudiera tratarse de una enfermedad en pequeña escala y localizada, como las de los años previos, ya que de la mayor parte del país llegaban informes sobre el fracaso total de las cosechas. Éste se debía al añublo de la patata. Al año siguiente, el hongo se había extendido por todas partes, y a principios de 1847 no había duda alguna de que se estaba gestando un desastre de magnitud sin precedentes. Aunque en 1847 no hubo plaga, debido a la escasez de semillas, la cosecha de ese año, que fue buena, apenas logró abatir un poco la hambruna, mas no por ello terminó con la inanición masiva. El tifus, la disentería, el escorbuto, la hinchazón por hambre y la fiebre recurrente (fiebre amarilla) llevaron la muerte a zonas del país que se habían librado de lo peor en años anteriores.

En diciembre, estalló un brote de cólera asiático, que duró hasta julio de 1849. Cientos de miles de personas, con diversos niveles de inanición, murieron a causa de esta y otras fiebres, durante la etapa álgida de la hambruna, la mayoría de ellas pertenecientes al sector social más pobre, el de los pequeños arrendatarios y los jornaleros sin tierra. Tanta gente murió en tan corto tiempo, que a menudo se excavaron fosas comunes en terrenos especialmente consagrados para ese fin. La emigración se disparó: de 75.000 personas en 1845 a 250.000 en 1851. Miles de emigrantes murieron durante la travesía por el Atlántico (en 1847 se registraron 17.465 decesos), en los llamados *barcos ataúdes*, que practicaban el comercio de especulación y que casi siempre eran barcos viejos en pésimas condiciones; Varios miles más murieron, por diversas enfermedades, en los centros de desembarco.

La hambruna duró en el país, ya fuera en una región u otra, desde 1845 hasta 1849, pero sus efectos duraron mucho más tiempo. El censo de 1851 reveló que la población de las ciudades había aumentado considerablemente y que eran muchos los recogidos en hospicios o casas de caridad, y los que vivían gracias a la beneficencia social, sobre todo en el oeste y en las zonas más pobres del país. Fue en el oeste donde la hambruna se hizo sentir más. En los distritos más densamente poblados, las enfermedades causadas por la hambruna se extendieron con la rapidez del rayo. La respuesta del Gobierno de Londres presidido por sir Robert Peel, en 1845-1846, no fue todo lo expedita y eficaz que requería la delicada situación.

A finales de 1845, los crecientes problemas causados por el hambre lo habían convencido de que era necesario abolir inmediatamente las *Leyes sobre el Maíz* (es decir, las tarifas que pesaban sobre los cereales importados por el Reino Unido y que subsidiaban a sus granjeros), para que bajara el precio de este cereal y, por tanto, del pan. Los fuertes intereses de los granjeros y propietarios de tierras que eran miembros del *Partido Tory* (conservador) se opusieron a esta medida de su dirigente. Peel no cedió, rompió con su partido y perdió el puesto al año siguiente, cuando, con el apoyo de la oposición *Whig* (liberal), logró que el Parlamento aboliese las *Leyes sobre el Maíz*: Benjamín Disraeli, el joven diputado tory por Maidenhead, se convirtió en una figura de relieve y, finalmente, en el jefe máximo del Partido Conservador, cuando encabezó la revuelta contra la medida por la que propugnaba Peel.

La abolición de las *Leyes sobre el Maíz* fue sólo una de las varias medidas que Peel puso en vigor, para tratar de aliviar los efectos de la hambruna. En noviembre de 1845, designó una comisión de científicos, para que decidiera lo que había que hacer: se equivocaron al diagnosticar la naturaleza de la plaga que afectó a la planta, así que el tratamiento sugerido no detuvo la plaga. Para proporcionar empleos, y con ellos dinero con el que los irlandeses hambrientos pudieran comprar alimentos, aprobó a principios de 1846 unas leyes que autorizaban obras de mejoramiento de puertos y carreteras en Irlanda; alentó la formación de comités voluntarios de auxilio y abrió depósitos especiales de alimentos, que ponían en el libre mercado las reservas alimenticias, para de esa forma garantizar que los comerciantes no especularan con los precios. Su actitud evitó que se incrementaran, aún más, las pérdidas humanas. En junio de 1846 le sustituyó como primer ministro lord John Russell, del partido opositor *(whig)*. Parte de los éxitos que Peel había logrado sobre la hambruna se debían al hecho de que la cosecha de 1845 no fue mala en su totalidad, pero a mediados de 1846 Irlanda se enfrentaba a una hambruna de proporciones muchísimo mayores, y Russell la complicó aún más. A diferencia de Peel, que dirigió su intervención preferentemente a que hubiera suficiente comida para alimentar a los más necesitados, Russell no comulgó totalmente con la política de Peel. En plena hambruna, se desmarcó de la ayuda alimentaria y declaró: *Hay que entender cabalmente que no pode-*

mos alimentar al pueblo. [...] Lo máximo que podemos hacer es mantener bajos los precios en aquellas zonas en donde no haya un mercado regular e impedir que los comerciantes establecidos suban los precios muy por encima de lo justo, y obtengan ganancias por encima de las normales. Como se puede observar, el representante mayor de la metrópoli, acorde a sus criterios arraigados en el *laissez faire*, sustentó su quehacer en la creación de empleos que, sin quitar un ápice de su importancia, no resultaba suficiente. Para Russell era un sacrilegio gubernamental distribuir comida a las víctimas del hambre, por cuanto entendía que ello era responsabilidad de la iniciativa privada, no del Gobierno; y los gastos por concepto de obras de auxilio social para los irlandeses debían pagarlos ellos mismos. De ahí que la *Comisión de Auxilio* fundada por Peel dejara de funcionar, y todo el trabajo social gubernamental fue puesto en las manos de los doce mil funcionarios de la *Junta de Obras*, quienes, además de todas sus responsabilidades normales, incorporaron la encomienda de encontrar empleo a casi un millón de personas hambrientas. Se construyeron casas de asistencia, en las que a cambio de su trabajo (pesado y con frecuencia inútil) los campesinos recibieron salarios de hambre. La muerte de decenas de miles de personas, durante el invierno de 1846, obligó al Gobierno a reconocer que sus medidas no estaban funcionando y que la política de Peel, intervención del Estado en el abastecimiento y la distribución de alimentos, era la única opción. En marzo de 1847, Russell autorizó una distribución general de alimentos entre los pobres. No obstante, no podrían recibir nada quienes tuviesen una parcela o terreno de cien metros cuadrados, por lo cual cientos de miles de pequeños propietarios y arrendatarios entregaron las tierras con tal de no morirse de hambre.

La iniciativa privada también contribuyó, de manera significativa, a aliviar la miseria. Muchos terratenientes hacían cuanto estaba en sus manos para ayudar a sus arrendatarios. Ellos, y sobre todo la *Sociedad de Amigos* y la *Asociación Británica de Auxilio*, abrieron unos comedores en donde proporcionaban algún alimento. No faltaron algunos ministros de la Iglesia anglicana evangélica, en especial del oeste de Irlanda, que ofrecieron alimentos a cambio de que abjurasen de su fe católica. Pero Russell y su gabinete nunca pensaron en cambiar la estructura de la economía irlandesa, a fin de impedir —o atenuar— los peores efectos de esta y futuras hambrunas, sobre todo en lo referente al sistema de tenencia de la tierra y la monoproducción agrícola. Antes al contrario, los terratenientes (que, por tener sus tierras en arrendamiento, debían pagar contribuciones de cuatro libras o menos, aun cuando no les pagaran la renta) en algunos casos expulsaron a los arrendatarios o inquilinos, como forma de reducir sus gastos por contribuciones (en 1850 fueron desalojadas 104.000 personas), y granjeros y comerciantes pudieron seguir exportando cereales y ganado sin que el Gobierno les pusiera ningún obstáculo. Uno de los hechos más notables acerca de la hambruna es que, mientras duró, cada mes se exportaban alimentos de Irlanda por un valor aproximado de cien mil libras: casi desde que empezaron los años de escasez, hasta que ésta terminó, Irlanda fue un neto exportador de alimentos.

Hay que decir que el Gobierno de Londres nunca captó la verdadera magnitud de la hambruna. Pero esa insensibilidad oficial también la sufrieron otros súbditos de la corona en el Reino Unido: entre junio y octubre de 1848, por ejemplo, 72.000 personas murieron de cólera en Inglaterra y Gales, sin que el Gobierno hiciera nada al respecto: *La paciencia del campesino de Irlanda* —declaró la comisión encargada de levantar el censo de 1851— *y la resignada sumisión con que soportó las enfermedades más mortales* [sic] *que puedan caer sobre el hombre, difícilmente tienen paralelo en los anales de ninguna nación.*

A largo plazo, la hambruna trajo consecuencias diversas y terribles. La más notable fue la emigración a otros países, sobre todo a los Estados Unidos. Entre 1845 y 1855, casi dos millones de personas viajaron a los Estados Unidos y Australia, y otras 750.000, a Inglaterra. Para el año 1900, más de cuatro millones de irlandeses habían cruzado el Atlántico; también puso fin al uso generalizado del gaélico, lengua madre de cuatro millones de irlandeses: *La hambruna* —escribió Douglas Hayde en 1891— *dio un golpe fulminante en el corazón de la lengua irlandesa.* Hablar irlandés se identificaba completamente con la pobreza y los campesinos, con el hambre y la muerte. En las últimas décadas del siglo XIX, los padres se unieron, de todo corazón, a los sacerdotes y maestros de sus hijos, en su intento por obligarles a que sólo hablaran inglés. Hablar inglés era sinónimo de éxito y bienestar.

Los emigrantes llevaron consigo otro efecto importante de la hambruna: su odio a Inglaterra, causante de sus pesares y sufrimientos. Los que se radicaron en Estados Unidos conformaron un grupo de opinión política, incansablemente hostil a los intereses británicos. Durante las dos guerras mundiales, los norteamericano-irlandeses defendieron con energía el aislacionismo.

El inicio del clan

Los hombres y mujeres del campo sólo vieron una salida a sus penurias: emigrar. La mayor parte buscó los recursos monetarios mínimos para emprender viaje hacia el país que identificaban como la tierra prometida, pero que pocos conocían: los Estados Unidos, tierra donde, se aseguraba, podían labrarse un destino por sus propias manos y donde no serían discriminados por sus ideas políticas o religiosas. Cientos de miles de irlandeses, sobre todo católicos, embarcan con objetivos disímiles, pero sólo unos pocos logran encarnar el sueño americano. Se trataba, como hemos apuntado, de una emigración económica masiva. Las cifras son altamente elocuentes: 1.200.000 irlandeses llegan a Estados Unidos entre 1847 y 1854, lo que significa el 45 por 100 de los emigrantes. Entre ellos un tal Patrick Kennedy, campesino de New Ross, a orillas del río Barrow, a cincuenta millas al este de Lismore, en la costa sudeste de Irlanda, una de las zonas más afectadas por la hambruna. Era una aldea de labriegos, de casuchas con techos de paja, paredes encaladas y suelo de tierra apisonado. Desembarcó en la isla de Noddle, en East Boston. Fue uno de los afortunados que pudo conseguir los veinte dólares del pasaje —provisiones incluidas— y también uno de los tantos que no sufrió una de las variadas epidemias mortíferas que diezmaban a los pasajeros en estas largas travesías.

Patrick se quedó en Boston, por entonces una mísera villa portuaria calificada como dantesca por los inmigrantes, que en la mayoría de los casos se alojaban en desvanes o en subterráneos que se inundaban cada vez que llovía. Cientos de sótanos albergaban de cinco a quince personas cada uno. Había un vertedero por casa, una letrina por vecindad. Los desechos y las aguas albañales corrían por patios y calles. Enfermedades como la tuberculosis, el cólera, la viruela eran habituales entre los distritos más pobres, donde vivían los irlandeses, a quienes se les consideraba en la escala social lo más bajo entre lo bajo de aquella población multinacional integrada mayormente por alemanes, escandinavos y negros. No por azar, esta comunidad irlandesa, con el paso del tiempo, afianzó los lazos de la nacionalidad: crearon sus propias iglesias, sus sacerdotes (católicos), sus costumbres familiares; lugares de ocio y diversión, sobre todo tabernas, las cuales se convirtieron en centro de reunión en las pocas horas libres que tenían y en las que la nostalgia de su tierra era el sentimiento predominante. Crearon su propia sociedad, dentro de la cosmopolita sociedad norteamericana. Sus vivencias en la añorada Irlanda les impulsaron a crearse una especie de escudo protector. Las nuevas generaciones tendrían a su cargo el salir de esos límites primarios, pero no sin enfrentarse a los serios escollos que la nueva sociedad les impuso.

Los más reconocidos estudiosos de la familia Kennedy poco aportan sobre ésta en Irlanda y de los primeros avatares de uno de sus fundadores en los Estados Unidos: Patrick Kennedy. Apenas se conoce su *modus vivendi*, aunque se coincide en que su actividad fundamental fue la industria de la tonelería y que, gracias a ella, pudo labrarse una cierta posición social. Se casó con una conterránea y tuvo cuatro hijos. El benjamín nacería en enero de 1862 y se le bautizó como Patrick J. Kennedy (Pat), el abuelo del futuro presidente norteamericano, cien años después.

Son los años de la guerra civil norteamericana (1860-1865) en la que los estados del Sur defienden su derecho a seguir explotando la fuerza de trabajo esclava, especialmente negra, traída de África. Era tiempo de incertidumbre política. Se trataba de dilucidar la existencia o no de una gran nación. Bajo la dirección del presidente Abraham Lincoln, los potentes estados del Norte, representantes de la modernización industrial y el trabajo *libre*, se impusieron en el cruento conflicto bélico. Aparentemente, los negros obtuvieron su libertad.

Cien años después, cuando John F. Kennedy presidía la máxima instancia política de la nación, uno de los principales puntos de su agenda era lograr la auténtica igualdad de los negros. Ahora, en las circunstancias de su abuelo, la problemática estaba germinando.

La infancia y juventud de Patrick J. Kennedy también es bastante desconocida, empero se afirma que ayudaba a su padre y que gozaba de una precoz inteligencia y una innata habilidad para los negocios. Desde muy temprano se planteó un objetivo: sobrepasar la escala social a la que había llegado su progenitor. Pero ¿qué debía hacer un irlandés católico de los barrios bajos para imponerse y sobresalir en una sociedad que les marginaba y menospreciaba? El camino se vislumbraba difícil. Sin embargo, él estaba decidido. En un primer momento ocupó su tiempo en granjearse una clientela para su propia taberna, en el corazón de los astilleros bostonianos. El local pronto gozó de una afluencia masiva de compatriotas, gracias sobre todo a las relaciones de su padre. Entre cerveza y cerveza, los parroquianos irlandeses hablaban sobre los últimos acontecimientos políticos, especialmente cuando coincidían con algún tipo de comicios, ya en lo estatal o nacional. Se convirtió en un comerciante próspero, afable, sin ser expansivo, simpático, abierto a los problemas ajenos, una figura célebre en su barrio. Su local llegó a ser centro de reunión y de cuartel general en las campañas electorales.

Para finales de 1880 su influencia se hizo patente. De manera natural también, el Partido Demócrata, bien implantado entre los medios irlandeses, lo integró a sus filas y le convirtió en su delegado local, un *boss* (especie de cacique) de East Boston. En ese período, Patrick J. se presentó para diferentes cargos municipales: delegado de incendios, de calles y comisión electoral. Durante cinco años consecutivos, entre 1885 y 1890, obtuvo la reelección como diputado del Estado de Massachusetts. Tiempo después integró, de forma extraoficial, la Board of Strategy, compuesta por los caciques políticos demócratas que tenían a su cargo la selección de sus candidatos. Pero su popularidad no traspasa los límites de la comunidad irlandesa.

En 1893, conoció a un joven político irlandés, John F. Fitzgerald, cuyos padres habían emigrado poco antes de la Guerra de Secesión. Sus conciudadanos le aplicaron el sobrenombre de *Honey Fitz (Fitz el Meloso)*. Mote que nunca aceptó de buen grado, pero que en esencia lo definió gráficamente: sus palabras eran, según testimonios, como un torrente avasallador. No importaba el tema, siempre tenía un criterio. No callaba. A esa oratoria locuaz se le unía una sonrisa y semblante atractivos, que impartía una dulzura reconfortante para sus contertulios. A su arribo a Boston, entre los miles de irlandeses que seguían llegando, el padre de Fitzgerald se desenvolvió como jornalero agrícola y más tarde logró comprar una pequeña tienda de comestibles en la zona norte de Boston. Se sacrificó en aras de que sus hijos recibieran una buena educación; por ello *Honey Fitz* siguió durante algunos meses los cursos de la escuela de medicina de Harvard. Más tarde, John Fitzgerald decidió incorporarse a la administración aduanera, bajo las órdenes de Leverett Saltonstall, cacique político de vieja estirpe yanqui. La lectura de los periódicos era su desayuno cotidiano. Leía ávidamente las informaciones que le interesaban y en ocasiones las recortaba. Le apasionaba la historia referida a la guerra de Independencia de las Trece Colonias (1776-1783) y, naturalmente, se planteó cómo participar en los cabildeos políticos, pues no le era desconocida la extraordinaria importancia de esa vía para ejercer influencia y admiración entre sus conciudadanos, así como sobre el resto de la comunidad que le circundaba. Y lo logró, gracias a su talento, perseverancia y tacto para relacionarse con su gente. Sus biógrafos resaltan que fue él quien mejoró la llamada práctica de la *transferencia irlandesa:* apretar la mano de un elector al tiempo de dirigirse a otro. *Honey Fitz* logró estrechar la mano de uno, sonreír a otro y hablar con un tercero, todo a la vez. Otra de sus habilidades fue el canto, la cual ejercía en una taberna, en un cumpleaños, en un banquete de bodas o en un encuentro político. Su preferida: *Sweet Adeline.* El propio Franklin D. Roosevelt, siendo ya presidente (1933-1945), aseguraba que gracias a Honey esa canción se hizo célebre incluso en América del Sur.

Pronto comenzó su carrera política: concejal, regidor, representante de la Cámara federal de representantes (1896) y finalmente, en 1910, participó en la campaña para las elecciones municipales y logró obtener el sillón de alcalde de Boston. Él, el hijo de un pobre inmigrante irlandés, electo como primer magistrado de una de las ciudades más aristocráticas y segregacionistas de la Nueva Inglaterra, la cuna de los Adams, de James Otis, de Daniel Webster. Pareció el clímax de su meteórica carrera política.

Por esa época, coincidía que el reino de Pat Kennedy en East Boston era más fuerte que nunca. Ambos formaban parte de los llamados *irlandeses con cristalería fina*, o primeras familias. En el siempre variable calidoscopio de las fracciones del Partido Demócrata en Boston, Kennedy y Fitzgerald a veces eran aliados y otras oponentes, pero llegaron a ser dos buenos amigos, a pesar de que sus caracteres eran muy diferentes.

A través de la historia de Patrick J. Kennedy y de John. F. Fitzgerald se puede tener una idea parcial de la evolución de la comunidad irlandesa en Estados Unidos. Ambos eran hijos de pobres campesinos irlandeses católicos, cuyos padres emigraron de su tierra no sólo por cuestiones económicas, que las había, sino también por buscar nuevos horizontes de paz y concordia en el país que se definía cuna de la democracia, y en el que la religión no resultaba un elemento discriminatorio para ascender en la pirámide social tal como venía aconteciendo, desde siglos, en la Irlanda colonizada por los británicos. Ambas familias confirmaban que el sistema imperante en los Estados Unidos, independientemente de sus múltiples desigualdades, permitía salir de la nada por disímiles medios: la inteligencia, la capacidad de maniobra, las relaciones personales, el conocimiento del medio, la osadía, la falta de escrúpulos, la honradez, la coincidencia de estar en el momento oportuno en el lugar adecuado, la oratoria, el rostro, la sonrisa, el palmero adulador o la actitud viril que, entre otros condicionamientos, aderezaban el surgimiento de personajes que ratificaban esa idea del *sueño americano*, tan arraigado en los que llegaban y en los que estaban. Sus historias —visto el producto final— son idílicas, como una novela rosa, pero la cruda realidad fue que ellos eran meros granos de arena, en el inmenso mar migratorio, y resultaban excepción de un triste y conmovedor paisaje social. Millares y millares de hombres, mujeres y niños tuvieron que vivir hacinados en covachas insalubres, sin trabajo, sin alimentos, sin médicos, dependiendo de la caridad pública; otros ganándose un mísero salario, apenas suficiente para mantener a la familia; los menos ascendían, como los Kennedy y los Fitzgerald.

Trabajo, igualdad de derechos respecto a los demás ciudadanos del país, sí. Pero si la conciencia de nacionalidad era muy difusa en los Estados Unidos del siglo XIX, no ocurría así con la conciencia étnica. Los emigrantes recién llegados —no importaba su origen— debieron ocupar los empleos más despreciados, que son los peor pagados. En el Norte, los viejos americanos, aquellos que se vanagloriaban de mostrar cómo sus antepasados procedían de los míticos pasajeros del *Mayflower* o entre los primeros colonos, eran de origen inglés y escocés y pertenecían a la Iglesia episcopaliana o presbiteriana o congregacionista. Rechazaban a los papistas, a la Iglesia católica y romana.

En contraposición, los irlandeses pertenecían a la Iglesia católica y romana. Esa diferencia de cómo profesar una fe se ha utilizado de recurso político para marginar a una de las partes, que, no por azar la más afectada, es la de menor poder económico y político. Pero la realidad es menos torcida. El problema, en primera instancia, no es ideológico, sino de quién o quiénes deben ocupar el nivel mayor en la estratificación de una determinada formación económico-social. El asentamiento de miles y miles de católicos en una localidad, en un distrito o en un Estado de la Unión Americana produjo incertidumbre en los acomodados puritanos de Boston, por citar un ejemplo, y ello fue la verdadera razón de ejercer sobre esa nacionalidad mezquinas discriminaciones. Eran considerados advenedizos, extraños y carentes de los valores morales de las generaciones fundadoras de los idílicos United States of América. Mientras más ascendía —o asciende— cualquier miembro de la comunidad irlandesa católica o de otras importantes minorías nacionales que conviven en los Estados Unidos, por ejemplo afronorteamericano, denominación eufemística que reciben los descendientes de esclavos negros, cuyo trabajo enriqueció a muchas familias blancas del Sur y tan norteamericanos como el más rancio puritano; los puertorriqueños, cuya isla natal fue integrada a la poderosa nación del Norte, como Estado Libre Asociado..., más hostilidad, más desprecio, más obstáculos encuentran en su camino.

De ahí que no estemos de acuerdo en magnificar, desde una supuesta excepcionalidad, los escollos y avatares de una familia que se impuso paulatinamente hasta ocupar una relevancia indiscutible. No, no. Dentro de ese mosaico multinacional que son los Estados Unidos la discriminación llega a ser esencia de su propia existencia. El poder, es cierto, lo proporciona el dinero, pero si lo acumula un blanco puritano... mucho mejor.

Fitzgerald, a pesar de haberse enriquecido, seguía siendo irlandés. Y precisamente por ser marginados socialmente, los irlandeses siguieron formando una comunidad viva. Kaspi en su libro *Kennedy* describe con pinceladas maestras, lo genérico de dicha comunidad: *Su centro de reunión, la iglesia. El obispo o el arzobispo desempeñan un papel primordial. Participar activamente en las cuestiones parroquiales, hacer obras de beneficencia, tener influencia entre sus correligionarios, son las reglas que todo irlandés radicado en los Estados Unidos debe cumplir. Algunos aspiraban a trascender esa escala social que se les imponía; por ello aprenden el funcionamiento del régimen, las sutilezas de las campañas electorales y las argucias indispensables para poner en situación a los electores. La vía es la política o los negocios. Con sus dotes de organizadores, y su facilidad hacia los contactos personales, saben adaptarse muy bien y se convierten sin esfuerzo en líderes en el ámbito de los distritos, de las ciudades y de los estados, aunque no todo es color de rosa. Las querellas entre los bosses irlandeses son continuas. Ejemplo de ello son Honey Fitz y Curley, quienes a pesar de ser dos líderes nacidos en Boston y afiliados al Partido Demócrata se detestan, de lo que se acordará el joven John F. Kennedy. Algunas veces se alían con los brahmanes. Fitzgerald es el aliado de Saltonstall. Cabe señalar, además, que los irlandeses son demócratas por inclinación, como los brahmanes son republicanos por tradición.*

El éxito económico resultaba más difícil por los propios obstáculos que les colocaban los yanquis, si bien los irlandeses de la segunda generación a menudo ya se hallaban situados. Pero la banca, por citar un sector esencial del desarrollo económico, se les abre a medias. John Fitzgerald le hizo un día a un banquero de Boston la siguiente observación: *Tenéis muchos depositantes irlandeses. ¿Por qué no tenéis algunos en el consejo de administración?* Y el banquero le contestó: *¡Oh! Ya tenemos algunos detrás de las ventanillas.* Lo que no impide que los irlandeses experimenten, ante negros, judíos o latinos, sentimientos de desprecio, de odio y de celos. El antisemitismo y el racismo son la expresión de una intensa rivalidad económica y, más aún, de la voluntad de elevarse en una sociedad en la cual la regla es la competición encarnizada. Todo lo cual no deja de ser chocante entre los miembros de una comunidad que a su vez se siente perseguida y oprimida.

La neutralidad: un negocio provechoso

El 28 de julio de 1914 se disparó un tiro que inauguró una época de guerra, destrucción, levantamientos revolucionarios y dictaduras. El archiduque Francisco Fernando, heredero al trono de Austria-Hungría, fue asesinado en Sarajevo, en la provincia de Bosnia. Un mes más tarde, Austria declaraba la guerra a Serbia, y para principios de agosto todas las grandes potencias de Europa habían sido arrastradas a lo que ha llegado a conocerse como la Primera Guerra Mundial. El presidente Woodrow Wilson se acogió inmediatamente a la socorrida *Ley de Neutralidad* de los Estados Unidos, la cual fue utilizada, una vez más, como escudo protector para mantener sus relaciones comerciales con todos los beligerantes. A modo de ejemplo recordamos su invocación cuando las guerras de independencia en hispanoamericana o la guerra de Cuba (1868-1898). Sólo se involucró directamente —en aquellas, ésta o la venidera Segunda Guerra Mundial— cuando sus particulares y abundantes pretensiones políticas o económicas, esparcidas por el mundo, pudieran ser afectadas por una de las partes.

No obstante, desde el principio mismo, la opinión pública norteamericana se inclinó a favorecer predominantemente a los aliados. La mayoría de los norteamericanos eran de habla inglesa y una gran mayoría consideraba alguna parte del Imperio Británico como su madre patria. Nexos de idioma y literatura, de ley y de costumbre, así como otros de carácter más personal, unían de mil maneras a los Estados Unidos con Inglaterra. Con Francia las relaciones eran más sentimentales que íntimas, por aquello de la ayuda en la guerra de independencia. En cambio, con Alemania y sus aliados las relaciones eran amistosas pero no cordiales. El propio Wilson ilustra esta actitud. De antepasados escoceses e ingleses, empapado en la historia y la literatura de Inglaterra, y admirador de las instituciones políticas británicas, estaba dispuesto a soportar casi cualquier provocación antes que arriesgarse a una guerra con Inglaterra.

Desde antes de 1914, gran parte del comercio norteamericano había sido con las naciones aliadas, y cuando éstas bloquearon a las potencias centrales, el comercio con Alemania se volvió insignificante, mientras que con Gran Bretaña y Francia aumentó de manera impresionante, de tal modo que a mediados de 1915 rescató a los Estados Unidos de una depresión comercial que arrastraba desde meses atrás. Apenas transcurrido un año del conflicto, la vida económica estadounidense dependía en un gran porcentaje del intercambio con los aliados. Todo cambio en ese balance podía significar una debacle de consecuencias imprevisibles. Fue la comprensión de esto, además de la simpatía a los aliados, la que persuadió a Wilson y a su gabinete de rechazar un embargo a las municiones de guerra, que exigían los alemanes.

Estas ventas estaban abiertas a todos los beligerantes; pero, en realidad, fueron los aliados los que obtuvieron todas las que deseaban, y las exportaciones pasaron de cerca de 40 millones de dólares en 1914 a 1.290 millones en 1916, y el comercio total con los aliados de 825 millones a 3.214 millones. Alemania protestó, pues su naturaleza unilateral violaba el espíritu de la neutralidad. Washington replicó que no podía cambiar las reglas de neutralidad para ventaja de uno de los beligerantes, mientras la guerra estaba en pleno desarrollo. Como justificación era válida, más conocedores que el Congreso y la mayor parte de la nación deseaba hacerlo.

Sin crédito, las naciones europeas no podían comprar artículos norteamericanos. Al comenzar la guerra, reseñan los historiadores Morrison, Commanger y Leuchttenburg, en su valiosa *Historia de Estados Unidos*, la nación americana era una nación deudora: esta situación pronto cambiaría cuando los inversionistas extranjeros colocaron sus acciones en el mercado norteamericano. Pronto los aliados europeos encontraron recomendable financiar sus compras en los Estados Unidos mediante préstamos obtenidos en Wall Street, plan al que se opuso Bryan cuando dijo: *El dinero es el peor de todos los contrabandos, porque manda en todo lo demás*. En agosto de 1914, el Departamento de Estado anunció que, *a juicio de este Gobierno, los préstamos de banqueros norteamericanos a cualquier nación extranjera que esté en guerra violan el verdadero espíritu de la neutralidad.* Sin embargo, en menos de un mes esta posición se modificó para permitir créditos bancarios a los beligerantes; a finales del verano de 1915, Bryan ya no estaba en el gabinete, y en septiembre de 1915 el Departamento de Estado suprimió toda oposición a los préstamos. Para cuando los Estados Unidos entraron en la guerra el público norteamericano había prestado más de dos mil millones de dólares a los gobiernos aliados, en contraste con sólo 27 millones a las potencias centrales.

En 1916 se iniciaba la campaña presidencial y Wilson se presentó para un segundo mandato. El Partido Demócrata dirigió un mensaje a la preparación de la defensa nacional. No querían la guerra pero si, llegado el caso, debían intervenir ésta no les encontraría indefensos. Esa premisa debilitó a los republicanos. De ahí que en plena campaña el Congreso aprobara una serie de medidas reforzando las fuerzas militares y navales de la nación: La *Ley de Defensa Nacional* aumentó el ejército regular, reforzó la guardia nacional y estableció un cuerpo de oficiales de reserva; la *Ley de Presupuestos Navales* de 29 de agosto autorizó la construcción de un gran número de nuevos acorazados y cruceros, y la *Ley de la Junta de Embarque* destinó cincuenta millones de dólares a la compra o construcción de barcos mercantes.

Los republicanos depositaron su confianza en el juez de la Corte Suprema, Charles Evans Hughes. Los sondeos previos daban una victoria republicana. Forjando una nueva alianza del Sur y del Oeste, Wilson superó la fuerza del reunido Partido Republicano, pero la existencia de la coalición era incierta. Su futuro se basaba en que el presidente no comprometiese directamente al país en la guerra. Así que, asegurada la reelección, se decidió a renovar su apelación a los beligerantes en favor de una paz negociada.

En un discurso memorable, el 22 de enero de 1917, formuló una anticipación general de los famosos *Catorce Puntos*: el gobierno por el consentimiento de los gobernados, la libertad de los mares, la limitación de los armamentos militares y navales, una Liga para garantizar la paz y, el más fundamental de todos, que la paz debía ser una *paz sin victoria*. Su mensaje no sería escuchado en tiempos de guerra.

Por otra parte, Alemania decidió emprender una guerra submarina ilimitada, sabedores de que esto haría entrar en guerra a los Estados Unidos. Las relaciones diplomáticas cesaron entre ambos países. Si bien Wilson no esperaba actos de agresión contra los Estados Unidos, ello no fue óbice para preparar la defensa. Los acontecimientos se precipitaron. A finales de febrero, el servicio secreto británico entregó al Departamento de Estado norteamericano una copia de la *nota Zimmermann*. En ella el Gobierno alemán hacía saber un plan tenebroso y alarmante: si los Estados Unidos declaraban la guerra, Méjico entraría en una alianza ofensiva —con Alemania y Japón— y a cambio recuperaría el territorio ocupado por los Estados de Texas, Nuevo México y Arizona, antaño perteneciente a México y del que fue despojado por los Estados Unidos en la guerra de 1846-1848. La nota fue hecha publica el 1 de marzo y fortaleció enormemente el sentimiento popular en favor de la guerra. A mediados de ese mes submarinos alemanes torpedearon cinco buques mercantes norteamericanos. El 2 de abril de 1917, un preocupado Wilson compareció ante el Congreso:

Es cosa terrible llevar a este gran pueblo pacífico a la guerra, a la más terrible y desastrosa de todas las guerras, que parece poner en juego la suerte de la civilización misma. Pero el derecho es más precioso que la paz y nosotros lucharemos por aquello que nos ha sido siempre caro: por la democracia; por el derecho de los que se someten a la autoridad, para tener voz en su propio gobierno; por los derechos y libertades de las pequeñas naciones; por el dominio universal del derecho realizado por un tal concierto de pueblos libres, que traiga paz y seguridad a todas las naciones y haga por fin, libre al mundo mismo. A semejante tarea podemos dedicar nuestras vidas y nuestras fortunas, todo lo que somos y lo que tenemos, con el orgullo de los que saben que ha llegado el día en que América tiene el privilegio de dar su fuerza y su sangre por los principios que le dieron la vida, la felicidad y la paz que ha atesorado. Con la ayuda de Dios, no puede hacer otra cosa.

La madrugada del Viernes Santo, 6 de abril de 1917, el Congreso adoptó una resolución conjunta declarando la guerra al Imperio Alemán.

Las potencias aliadas estimaron que la ayuda norteamericana fuera mínima, y acaso nula. El primer año de la declaración de guerra fue así, pero en la misma medida que la industria bélica perfeccionaba la confección de armamentos y municiones, y que el reclutamiento y aprendizaje de miles de soldados fue en ascenso, la participación norteamericana iba convirtiéndose en decisiva.

En el plazo de veinte meses los Estados Unidos prepararon un ejército efectivo de cuatro millones de hombres, de ellos dos millones fueron enviados a Francia y el resto a los diferentes frentes que por toda Europa había diseminados. Finalmente, fue la marina de Estados Unidos la que realizó la delicada tarea de minar, en forma de barrera, el mar del Norte, lo que permitió desde mediados de 1918 que los submarinos alemanes no pudieran continuar sus incursiones. Existe mucha literatura de estos meses, extensos análisis de cada combate naval o terrestre pero, para nuestro interés, nos basta conocer que, el 3 de octubre de ese año, el príncipe Max de Baden ofreció al presidente Wilson entablar conversaciones de paz sobre la base de sus *Catorce Puntos.* Durante más de un mes los negociadores perfilaron lo que sería la rendición. El 9 de noviembre el káiser Guillermo II abdica y huye a Holanda. Cuarenta y ocho horas después se firmaba el armisticio. Había concluido la guerra más cruenta, amplia y costosa que hasta ese momento había conocido la Humanidad.

Las consideraciones de Wilson sobre la paz o la *Sociedad de Naciones* las había esbozado en una alocución al Congreso de enero de 1915, en la que daba cuerpo a los famosos *Catorce Puntos.* Ocho trataban de cuestiones territoriales específicas, como la evacuación de Bélgica, Rumania, Servia y las partes ocupadas de Francia, la devolución de Alsacia y Lorena a Francia, la creación de una Polonia independiente y la concesión de una oportunidad para el desarrollo autónomo a los pueblos de Austria-Hungría y las nacionalidades no turcas del Imperio Otomano. Otros cinco establecían los principios generales de la conducta internacional: libertad de navegación, diplomacia abierta, igualdad de oportunidades económicas, reducción de armamentos y el ajuste de las pretensiones coloniales. El punto decimocuarto, el más importante para Wilson, estipulaba la creación de una Sociedad de Naciones que mantuviera la paz mediante el arbitrio de las disputas internacionales y la concesión de garantías mutuas de independencia política e integridad territorial a todos los estados miembros. Sus ideas no iban más allá de estructurar un mundo en armonía con el viejo sueño de sus predecesores en la Casa Blanca: que los Estados Unidos fueran centro donde giraran todos los hilos del nuevo orden internacional en que pudiera prosperar el capitalismo liberal.

Los *Catorce Puntos* se habían promulgado sin consultar con los dirigentes aliados y de hecho se enfrentaban con sus propósitos. Los aliados pretendían una paz punitiva; querían conseguir ingentes indemnizaciones de sus enemigos y anexionarse parte de sus territorios, como se había establecido en los tratados secretos pactados entre ellos. Las divergencias se pusieron de manifiesto durante las negociaciones que llevaron al fin de las hostilidades.

La política exterior no había sido el tema principal en las elecciones para el Congreso en 1918.

Los norteamericanos fueron a las urnas y eligieron una mayoría republicana para ambas Cámaras del Congreso. Al obtener el control del Senado por dos votos, los republicanos pudieron colocar a Henry Cabot Lodge, uno de los opositores más vehementes de Wilson, como presidente del Comité de Relaciones Exteriores del Senado, de vital importancia.

Cuando el 13 de diciembre el presidente partió rumbo a Francia, el ex presidente T. Roosevelt advirtió a nuestros aliados, a nuestros enemigos y al mismo Mr. Wilson [...] que Mr. Wilson no tiene actualmente ninguna autoridad para hablar en nombre del pueblo norteamericano. Los norteamericanos acaban de repudiar enfáticamente su jefatura.

En la Conferencia de la Paz, que celebró su primera sesión solemne el 18 de enero de 1919, estuvieron representadas todas las potencias aliadas y asociadas; pero las decisiones importantes las tomaron las *Cuatro Grandes*: Inglaterra, Francia, Italia y los Estados Unidos. No tomaron parte los vencidos; sólo se les dejó entrar cuando el Tratado estuvo listo, y con el único objetivo de firmarlo. Muchos europeos habían sido ofendidos, empobrecidos o heridos por una guerra que consideraban como absolutamente atribuible a Alemania, y no estaban dispuestos a apoyar la clase de paz que deseaba Wilson.

El *Tratado de Versalles*, firmado el 28 de junio, exigió a Alemania que se declarase culpable de la guerra, le arrebataba sus colonias y sus derechos comerciales en África y en el Extremo Oriente; le quitaba Alsacia-Lorena, Posnania y partes del Schleswig y Silesia; confiscaba las minas de carbón de la cuenca del Sarre, le imponía el desarme y le fijaba una indemnización inmediata de cinco mil millones de dólares; creaba una cuenta futura indeterminada por reparaciones; y, finalmente, colocaba todo su sistema económico bajo el control temporal aliado.

El *Tratado de Versalles* y otros acuerdos colaterales también sancionaban la creación de varíos estados nuevos, como Checoslovaquia, Yugoslavia y Polonia. Wilson resistió con éxito algunas de las demandas más extremas de los aliados. Evitó que Francia se anexase la Renania, negó Fiume a Italia, motivo por el cual Orlando se retiró aparatosamente de la Conferencia, y, finalmente, obtuvo de Japón la promesa de evacuar pronto Shantung. No permitió que los aliados cargaran sobre Alemania el costo total de la guerra. Y, finalmente, hizo incorporar al *Tratado* el *Convenio de la Sociedad de Naciones*. A su juicio, éste era el meollo del Tratado: la parte que justificaba el resto.

La *Sociedad de Naciones* daba a cada nación miembro un voto igual en la Asamblea deliberativa, mientras que los Estados Unidos, Gran Bretaña, Francia, Italia y Japón eran miembros permanentes, y otras cuatro naciones miembros temporales del Consejo, que era en general un cuerpo ejecutivo. En La Haya se estableció un *Tribunal Permanente de Justicia Internacional*. Los miembros de la Sociedad se obligaban a *respetar y proteger contra agresiones externas la integridad territorial y la independencia política de todos los miembros de la Sociedad* (Art. X); a dar publicidad a tratados y armamentos; a someter a investigación y arbitraje toda disputa que amenazara la paz internacional, quebrantamientos de tratados y cuestiones de derecho internacional, y a no recurrir a la guerra hasta tres meses después de fracasado el arbitraje y nunca contra naciones que cumpliesen las instrucciones de la Sociedad, así como a hacer efectivas, por recomendación del Consejo, sanciones militares, navales, financieras y económicas contra las naciones que fuesen a la guerra en desacuerdo con los convenios amparados por la Sociedad. Se autorizaba, además, al Consejo a ejercer mandatos sobre antiguas colonias de Alemania y Turquía; establecer un *Tribunal Permanente Internacional de Justicia* y una *Oficina Internacional del Trabajo* con jurisdicción sobre las condiciones del trabajo, el tráfico de mujeres y niños, drogas, armas, municiones y control sanitario. El convenio reconocía de manera especial *la validez de acuerdos regionales, como la doctrina Monroe.*

El presidente había convocado al Congreso en sesión especial para considerar la ratificación del Tratado y de la *Sociedad de Naciones*, pero cuando llegó a los Estados Unidos a principios de junio, se encontró con que existía un enconado debate y que el Senado estaba muy mal predispuesto. La oposición a la Sociedad la integraban elementos muy diversos: hostilidad personal contra Wilson, partidismo y puntillismo senatorial; resentimiento por el hecho de que la delegación norteamericana a Versalles no incluía ningún senador ni ningún republicano destacado; indignación de los germano-norteamericanos que consideraban traicionado su país de origen, descontento de los italo-norteamericanos por lo de Fiume; oposición de los norteamericanos irlandeses contra Inglaterra, que estaba en aquellos momentos resistiendo la revolución de los Sinn Fein; repulsa conservadora contra la supuesta lenidad de Alemania; desaprobación de los liberales por la severidad con que se trataba a Alemania y el sentimiento general de que Wilson y Norteamérica habían sido engañados y de que lo mejor era desentenderse de los futuros líos europeos.

Convencido de que el Senado no le apoyaría, Wilson apeló a las grandes masas. El 4 de septiembre inició una gira de propaganda a través del Medio y Lejano Oeste. Habló con elocuencia y apasionada convicción. En Omaha advirtió: *Os digo, conciudadanos, que puedo prever con absoluta certeza que dentro de otra generación habrá otra guerra mundial, si las naciones del mundo no crean el método para prevenirla.* Pero poco adelantó contra la alta marea del aislacionismo y del antiliberalismo.

El 19 de noviembre de 1919, el *Tratado de Versalles* fue derrotado en el Senado, con y sin reservas. Cuando el Tratado volvió a salir, para su reconsideración, el 19 de marzo de 1920, 23 demócratas se unieron a los 12 irreconciliables republicanos para oponerse a la ratificación, con reservas, por una votación de 49 a 35, siete votos menos de los dos tercios requeridos. Ya en 1922 los Estados Unidos empezaron a enviar *observadores extraoficiales* a las conferencias de la Sociedad, pero nunca tomaron parte directa en la maquinaria de una Sociedad que estaba en busca de la paz.

Capítulo II

SE FORMA EL CLAN

El clan Kennedy-Fitzgerald

Apenas tres meses de iniciada la Primera Guerra Mundial, las familias Kennedy y Fitzgerald se vincularon con lazos matrimoniales. Los jóvenes Joseph P. Kennedy y Rose Fitzgerald, de 25 y 24 años respectivamente, decidieron unir sus vidas. La ceremonia tuvo lugar en octubre de 1914, en la capilla privada del cardenal O'Donnell. El enlace, si bien no resultó del todo sorprendente, sí concitó variados comentarios y murmuraciones nada favorables al futuro yerno del alcalde de Boston. Rose era considerada un excelente partido entre los católicos irlandeses de Boston; no sólo por su prestigio familiar y patrimonio económico, sino también por su amplia cultura y maneras, aunque los Kennedy no eran de segunda fila.

A Joseph se le auguraba, sin ningún género de duda, un brillante porvenir. Sus primeros estudios los realizó en una de las mejores escuelas de Boston, la *Latin School*, y sus estudios universitarios en la prestigiosa Harvard donde se diplomó de abogado. Ya desde 1913 ejercía como inspector de banca. Esa experiencia le serviría, meses más tarde, para asumir la presidencia de la entidad bancaria *Columbia Trust Company*, fundada por su padre y otros capitalistas de origen irlandés un año antes, y que operaba en los barrios del este bostoniano. ¿La coyuntura? El temor de la mayoría de los accionistas a perder sus inversiones, por las imprevistas fluctuaciones del mercado o por la presión y competencia de bancos más poderosos. Eran los meses previos a la Primera Guerra Mundial. Esa incertidumbre, estimulada básicamente por la inestabilidad en el mundo bursátil y la tendencia creciente del cierre de mercados, permitió al especulador Joe Kennedy comprar la mayoría de las acciones. Era el hombre más joven —25 años— que ostentaba tan importante cargo. Era un buen partido.

Los recién casados compraron una casa en un arrabal de Boston, en Brookline, respetable barrio de baja clase media. Allí nacieron, en el transcurso de cinco años, sus cuatro primeros hijos. Al primogénito se le inscribió con el mismo nombre de su padre, con la mención *Jr.* (Júnior). El segundo fue John F. Kennedy, que nació el 29 de mayo de 1917, pero familiarmente le llamaron *Jack*. Luego siguieron dos niñas: Rosemary y Kathleen. La vivienda, por razones obvias, quedó pequeña. Decidieron cambiar de domicilio. En el nuevo nacieron Eunice, Patricia, Robert (en 1925) y Jean. Edward, nacido en 1932, será el benjamín de la familia. Las familias numerosas no eran algo excepcional. Rose era una entre los once hijos de *Honey Fitzgerald*.

La profusa descendencia mantuvo muy ocupada a Rose Kennedy, según ella misma describió con simplicidad y ternura en su libro de recuerdos, *Times to Remember*, publicado en 1974. A pesar de que la fortuna de la familia le permitió siempre contar con varios empleados, disfrutaba organizando personalmente la dirección del hogar; una enorme casa con quince habitaciones, animada constantemente por los gritos y las actividades de los hijos o de sus amigos. En sus citadas memorias refería cómo confeccionaba fichas para cada uno de sus hijos, en las que anotaba hasta la más mínima incidencia que les afectara, incluyendo las enfermedades y las vacunaciones. Se definió a sí misma como extremadamente autoritaria, pues la situación se lo impuso. Su esposo las más de las veces estaba ausente por asuntos de negocios y el papel de Joe, según su criterio, se circunscribió a decidir sobre cuestiones que afectasen al futuro de la familia y a ella decidir sobre los múltiples y variados detalles de la vida cotidiana. Su voz se consideró ley interna, la cual ni su marido ni sus hijos pusieron en entredicho. De creer a sus memorias, jamás se lamentó por la clase de vida que tenía que llevar, separada a menudo del esposo, obligada a mantener relaciones en el mundo de los negocios o a participar activamente en la vida de la embajada de Estados Unidos en Londres, o como anfitriona de reuniones electoralistas.

Mujer de indiscutible talento, que ejercitaba sobre todo cuando tomaba la palabra ante auditorios muy diferentes, a la hora de defender la candidatura de sus hijos. Sobre un punto, sin embargo, no transigió jamás: la práctica religiosa. Siempre muy devota, sus hijas, cuya educación le correspondía por entero, frecuentaron las iglesias. Para todos constituyen obligaciones la asistencia a la misa de los domingos, el respeto al día de Viernes Santo y los demás días sagrados, las acciones de gracias antes de las comidas. Los niños frecuentan, evidentemente, la escuela parroquial del domingo para aprender el catecismo.

Tal como apuntamos John Fitzgerald Kennedy nació el 29 de mayo de 1917 en Brockline, un suburbio de Boston. América acababa de entrar en la guerra, y por aquella época su padre había pasado a ocupar el cargo de director general auxiliar en los astilleros de Fore River, perteneciente a la Bethlehem Steel. La familia residió unos años en el número 83 de Beals Street, en una casa grande con jardín, algo retirada de la acera. Era un tranquilo barrio de clase media, al extremo opuesto de East Boston. Allí pasó *Jack* su primera infancia.

Como señala Burns, según su padre iba prosperando, la familia se mudaba a casas y barrios cada vez de más elevada categoría, en el vecindario de yanquis de sangre azul, que aún seguían aventajándoles en prestigio social. El salto siguiente lo hicieron mudándose a la esquina de Naples Road y de Abbotsford Road, a una casa mayor con doce dormitorios. Allí Jack y su hermano mayor, Joe, correteaban por la terraza que rodeaba la casa, miraban libros de imágenes junto al hogar en el anticuado salón de elevado techo y corrían en pugna bajo los árboles frondosos. Allí también asistió Jack por vez primera a un colegio: Dexter School, a unas seis manzanas de su hogar; era una academia particular, no católica; Joe y Jack fueron quizá en aquel momento sus únicos alumnos católicos.

A veces el abuelo *Honey Fitz* venía a buscar a los chicos y los llevaba a Red Sox o a remar en el lago entre cisnes en el parque público de Boston. Uno de los recuerdos más tempranos de *Jack* es el de haber recorrido la ciudad con su abuelo cuando *Honey Fitz* se presentaba como candidato al gobierno del Estado en 1922. Fitz había llegado a ensayar algunos de sus discursos ante aquel niño de seis años. Rose lleva a los mayores a ver monumentos históricos —Plymouth Rock, Concord Bridge, Bunker Hill—, reforzando así los vínculos de la familia hacia su patria adoptiva. En las tardes de los domingos la familia visitaba al viejo Pat Kennedy, que ahora tenía más de sesenta años y se iba retirando de la política. El abuelo Kennedy, aunque bondadoso, inspiraba temor a los chiquillos.

Durante la tarde del domingo, no nos dejaba ni hacer travesuras, ni guiñar un ojo, ni siquiera pestañear en su presencia, recuerda Kennedy.

Pero los tranquilos días de Boston se acabaron pronto. Su ciudad natal resultaba ya estrecha a Joseph Kennedy, y la familia se instaló cerca del centro de su imperio financiero de Nueva York; primero en Riverdale, luego en Bronxville. La casa de Bronxville estaba entonces en un sitio, aunque de bastante tráfico, rodeado de solares donde los chiquillos jugaban al rugby y al fútbol. Jack siguió los cursos cuarto, quinto y sexto en la vecina Riverdale School; los maestros le recordarían con el tiempo como un chiquillo flaco, cortés, trabajador, simpático, aficionado sobre todo a la historia inglesa, y de carácter irascible. Su madre iba a menudo al colegio para averiguar cómo le iban los estudios a Jack; su padre invitaba a veces a los maestros a sesiones privadas de cine en su casa.

Recordando aquellos tiempos, Kennedy intenta en vano traer a la memoria algún mal recuerdo. Era una vida fácil, próspera, bajo la supervisión de niñeras y doncellas, con nuevas hermanitas cada año con quienes jugar y a quienes dar órdenes. La que le seguía en edad, Rosemary, era una niña dulce, retraída, a quien no agradaban demasiado los juegos violentos y las competiciones de sus hermanos. La favorita de *Jack* era la segunda, Kathleen, alias *Kick*, a quien gustaban mucho los juegos y deportes; y a veces aventajaba en ellos a su hermano mayor.

Ya desde la infancia, *Jack* mostró las dotes de persuasión que le distinguirían en su carrera política. Dirigió una vez a su padre una estratégica *Instancia suplicando aumento de sueldo*:

Mi sueldo actual es de 40 centavos. Con esto solía comprarme aviones y otros juguetes propios de la infancia, pero ahora soy un boy scout y debo abandonar las niñerías. Antes, gastaba 20 centavos y me veía en cinco minutos con los bolsillos vacíos y sin nada. Ahora, como boy scout, debo comprar cantimploras, mochilas, mantas, linternas y cosas por el estilo que durarán años y siempre servirán, pero en cambio no puedo comprar helados los domingos, ni chocolate, y por eso solicito aumento de sueldo de treinta centavos para poder comprar los antedichos objetos y para poder invitar a veces... Ignoramos si la instancia fue atendida afirmativamente o no.

El joven John Fitzgerald Kennedy

A los trece años, 1930, *Jack* dejó su casa en Bronxville para ingresar en un internado, la Canterbury School de New Milford, Connecticut. Ésta fue la única escuela católica a que asistió, y estuvo en ella un año solamente. Al principio echaba mucho de menos a su familia, pero se adaptó con el tiempo. En aquella época, le caracterizaba el contraste entre su prodigiosa memoria para hechos históricos, conversaciones y cartas, y su casi total distracción en lo referente a ropas, libros y papeles, que dejaba olvidados por todas partes. *Estamos leyendo* Ivanhoe *en clase de literatura*, escribía a su padre desde el colegio, *y aunque yo tengo muy mala memoria con los bi-*

lletes, los guantes y demás cosas, puedo recordar cosas como Ivanhoe, *y en el último examen saqué noventa y ocho puntos.* Siempre dispuesto a competir en lo que fuera, probó el fútbol, el rugby y otros deportes con bastante éxito. Escribió que podía recorrer a nado cincuenta yardas en treinta segundos, habilidad que le habría de salvar la vida años después.

En el otoño, en plena crisis económica, *Jack* seguía con interés desde el colegio las noticias del mundo exterior. Sus estudios en Canterbury no fueron brillantes. Lo más difícil era el latín. Un ataque de apendicitis en Pascua interrumpió violentamente el curso; una vez restablecido, ya no regresó.

Al curso siguiente fue a Choate, colegio particular muy selectivo, de cierta tónica anglicana en Wallingford, también en Connecticut, donde habían estudiado años antes Adlai Stevenson y Chester Bowles. Su padre escogió por motivos muy definidos aquella escuela secundaria: quería que los chicos conocieran horizontes más amplios que los ofrecidos por una escuela católica. Allí convivió en pie de igualdad con la aristocracia yanqui, según refiere el propio Kennedy, quien aseguraba no haber sido víctima de burla o desaire alguno en el colegio a causa de su catolicismo. Debemos matizar que ya su padre era considerado un millonario respetable y, por tanto, la fe pasaba a un segundo plano. Ésa fue la razón básica para que fuera bien acogido. Por su parte, él cumplió siempre escrupulosamente con sus deberes religiosos para complacer a su madre. *He ido a comulgar esta mañana y volveré a la iglesia el martes,* escribía a sus padres en su primer invierno en Choate, cuyo paisaje era muy típico de Nueva Inglaterra, con sus extensos prados, sombreados caminos y altos olmos.

Jack, según reseña Burns en su obra citada, se alojaba en una vieja casona de madera, en una habitación contigua al departamento del subdirector. Los inconvenientes, que ofrecía la vecindad del subdirector, venían compensados los domingos por la noche, cuando la esposa de aquél cocía sus famosos pasteles. El subdirector era al mismo tiempo entrenador de fútbol e imponía el orden entre los jugadores con un remo. Años más tarde, Kennedy volvió cierta vez a Choate como ex alumno y le recordó riendo a su antiguo entrenador: *Nunca pudo usted alcanzarme con el remo, ¿se acuerda?*

De cuando en cuando, como la mayoría de los jóvenes, *Jack* tomaba parte en alguna pillería colectiva, junto a su pandilla conocida por los *Mucebers,* como rebelarse por la calidad-cantidad de la comida u otras indisciplinas, pero en general no fue un alumno difícil.

Siempre estaba pidiendo a sus padres que le mandaran trajes, pelotas de golf, discos y pasteles de chocolate y nata. Como en Canterbury, jugaba a media docena de deportes distintos. Los entrenadores le consideraban un jugador con buenas condiciones, pero poco constante en entrenarse. En los estudios, seguía flojo en latín y francés y regular en gramática, literatura e historia. En una clase de 112 alumnos era el número 64. Pero si no mostró sus aptitudes a los profesores, debió revelarlas a los compañeros, quienes le eligieron como *el que tiene más posibilidades de triunfar en la vida.* Se dijo entonces que el joven John F. Kennedy no escatimó algunos dólares para comprar los votos que certificaron su victoria.

En la misma medida que su padre incrementaba el patrimonio familiar en los años 20, *Jack* tuvo más alternativas para disfrutar de sus vacaciones: en invierno en la nueva villa familiar en Palm Beach, y en verano en otra casa en Hyannisport, en Cape Cod, que le atraía particularmente porque proporcionaba una hermosa vista sobre la larga playa, además de una pista de tenis, terrenos de golf y campos para otros juegos, cubiertos de bien cuidado césped. Un rompeolas perpendicular a la playa protegía los yates de los veraneantes. Su arraigado espíritu de emulación lo plasmó una vez más en el nombre con que bautizó su primer velero: *Victura*, que, según él, *significaba en latín algo así como triunfar.*

Pero la vida no siempre era una victoria. Dondequiera que estuviese, en casa o en el colegio, *Jack* sintió el peso de la constante preocupación-presión de su padre, que le exigía superarse siempre, especialmente en sus estudios. Las cartas a sus progenitores resaltan por sus constantes excusas, buscando siempre ingenuas justificaciones por sus mediocres calificaciones. En su último curso le comunicó a su padre que, junto a su mejor amigo, Le Moyne Billings, había sometido a un riguroso análisis la común actitud ante los estudios y que ambos *hemos decidido firmemente cambiar. Me doy cuenta de la importancia de trabajar bien este año si quiero ir a Inglaterra. Pensándolo bien, veo que me he engañado a mí mismo hasta ahora y he creído que trabajaba más y mejor que en realidad.*

Desde Washington, donde Kennedy padre acababa de ser nombrado director del Securities Exchange Comision (Comisión sobre Operaciones Bursátiles), éste respondió con gran satisfacción acerca de esa sinceridad y objetividad, que, generalmente, no solía practicar y le felicitó también por sus progresos en redacción: *De todos modos, Jack, no quisiera hacerme pesado, porque creo que es lo peor que un padre puede hacer*, añadía. *Con mi larga experiencia en valorar a la gente, sé bien lo que tú vales y sé que puedes ir lejos. No cometas la tontería de desaprovechar ninguna de las cualidades que Dios te ha dado. No podría considerarme siquiera un simple amigo tuyo si no insistiera para que sacaras el máximo provecho de tus cualidades. Muy difícil resultará sacar en claro qué desaprovechaste cuando eras pequeño, y por eso insisto tanto para que hagas las cosas lo mejor que puedas ahora. No soy demasiado ambicioso y no me sentiré decepcionado si no resultas ser un verdadero genio, pero creo que puedes llegar a ser un buen ciudadano, provisto de cierta dosis de sentido común y entendimiento...*

A Joseph le disgustaba el fracaso escolar o de cualquier tipo de sus hijos, pero más aún la falta de carácter para acometer cualquier acción. Reconocía los éxitos de manera muy tangible; premiaba las buenas calificaciones con un velero, un pony, un viaje a Inglaterra. Cuando Eddie Moore, ayudante y confidente de su padre, y antiguo secretario del alcalde Fitz, su abuelo materno, visitaba el colegio y encontraba al chico demasiado flaco, le prometía dinero si engordaba, a razón de un dólar por libra (460 gramos) de peso adquirido. *Jack* tenía una cuenta corriente y una suma fija para gastos en Choate, pero, como a todos los chicos, a veces se le iba el dinero muy deprisa y esperaba con ilusión los extras que pudiesen caer.

Para *Jack* la competencia no era un concepto abstracto impuesto por su padre, sino un miembro de la familia llamado Joe. Asegura Burns que, *durante las largas ausencias del jefe de la familia, quien mandaba era el hermano mayor de Jack. Joe era más alto, más corpulento, más ruidoso y decidido que Jack. Joe exigía obediencia absoluta de los demás hermanos a cambio de su protección. Aun ahora, cuando se le pregunta si algo le torturó realmente durante la infancia, a Kennedy no se le ocurre más que pensar en su hermano mayor: «Tenía una personalidad siempre a punto de imponerse. Con el tiempo se suavizó, pero en mi infancia era una lata.»*

Jack era el único rival que le disputaba su corona a Joe: le seguían las niñas, y los otros chicos eran demasiado pequeños para servir de nada excepto de estorbo. Los dos mayores peleaban constantemente, y Jack parecía llevar siempre las de perder. Cuando los dos daban vueltas a la manzana en sus bicicletas en direcciones contrarias y chocaban, era a Jack a quien tenían que coserle veintiocho puntos, mientras que Joe salía indemne, sin un rasguño siquiera. Joe a veces tiraba a un chico al agua por no maniobrar bien en las regatas; si un hermano se le insubordinaba, se escondía y acechaba su llegada, en la punta del rompeolas, para echarlo al agua. Bobby Kennedy recuerda aún ahora cómo él y sus hermanas se escondían atemorizados en el piso de arriba mientras los dos mayores se peleaban encarnizadamente en la planta baja.

El padre no fue ajeno a esa rivalidad, pero no solía inmiscuirse a menos que las cosas pasaran de un límite aceptable. Siempre estimuló el espíritu de competencia entre los chicos, y les exigió la mayor unidad de cara a los forasteros. Sabía además que si bien Joe era violento y rudo, era también cariñoso y generoso con sus hermanos menores. El mismo *Jack*, a pesar de los malos ratos pasados a causa de su hermano, consideraba —años después— que el carácter dominante de Joe, al suavizarse con el tiempo, contribuyó a sus triunfos en el colegio y en la guerra.

Joseph P. Kennedy: De los negocios a la política

A manera de pincelada de este bosquejo familiar del clan Kennedy, esbocemos someramente cómo J. P. Kennedy fue sentando las bases para convertirse en el hombre temido que fue, por su riqueza y por la habilidad en manejar los entresijos de la política. Por ello su retrato es mucho más complejo que el de su mujer. El hombre —no hay manera de ocultarlo— nunca gozó de buena reputación en los medios donde desarrolló su actividad: negocios y política, quizá porque se le consideró un advenedizo, un fullero o un racista. Las razones pudieron ser muchas. Se le echaba en cara haber transmitido a sus hijos sus inclinaciones conservadoras, haberlos manipulado para satisfacer ambiciones personales; haber, en resumen, estorbado más que favorecido sus carreras políticas. Sus más acérrimos críticos, entre ellos Harry Truman, solían comentar en la campaña presidencialista de 1960 lo que más preocupaba en el caso de *Jack* Kennedy no es el Papa, sino el papá.

¿Puede alguien objetivo dudar de sus logros como hombre de negocios? La posición alcanzada en esa sociedad tan competitiva fue fruto de sus dotes personales. Para la mayoría de sus conterráneos él también formó parte del grupo minoritario que ratificaba el sueño americano de llegar a los planos más altos desde niveles bajos. Al igual que otros especuladores, supo sacar provecho de la guerra.

Al ingresar los Estados Unidos en la Primera Guerra Mundial en 1917, J. P. Kennedy movió los hilos de sus relaciones y dejó su cargo de director del banco Columbia Trust Company por el de director general auxiliar de los enormes astilleros de la Bethlehem Steel en Quincy. Estados Unidos y la Entente necesitan buques. Kennedy fue uno de los tantos que hicieron de la guerra un acontecimiento propicio para incrementar su patrimonio, expandir sus vínculos con figuras de influencia y tener en cartera información privilegiada.

No por azar se fijó y estableció relaciones con el prometedor y carismático secretario adjunto de la marina, aún muy joven pero bien integrado en la maquinaria política del Partido Demócrata. Su nombre: Franklin Delano Roosevelt. Con la vuelta a la paz, se reincorporó a las actividades bancarias, pero ya no a la pequeña banca irlandesa de Boston, sino a la gran banca de los *brahmanes*, o caciques yanquis, gracias a Galen Stone, quien le nombró director de su empresa bancaria Hayden, Stone & Company, empleo con el que pudo introducirse en el mundo de la Bolsa y la especulación.

En cuanto terminó la guerra, el Gobierno estadounidense exigió el pago de la cuantiosa deuda —más de diez mil millones de dólares— que los aliados habían acumulado desde 1914. La insistencia de los Estados Unidos en que se pagaran las deudas mostró descarnadamente que la guerra fue un negocio más, y en los negocios hay que pagar, aunque tengas que hipotecar la vida. A la euforia, cordialidad y disposición de los aliados para mancomunar esfuerzos y derrotar al enemigo común, le siguió una década de tensiones y desacuerdos entre Europa y los Estados Unidos. No fue sólo el dinero sino también los temores que provocaba la intromisión de la potencia allende el Atlántico en los asuntos internos de la convaleciente Europa.

A las consolidadas pérdidas humanas y materiales de todo conflicto bélico, los años de posguerra serían testigos de la reactivación de la discriminación racial contra el negro, denominado eufemísticamente afroamericano. Miles y miles de estos ciudadanos habían participado directamente en la contienda; muchos murieron o quedaron mutilados, pero seguían siendo considerados ciudadanos de segunda clase, especialmente con mayor dureza en los Estados del Sur, donde aún se aplicaban leyes draconianas para evitar la integración de sus *antiguos esclavos*. Exigían respeto, consideración, un trato más humano. ¡Paradójico! La nación autotitulada meca del respeto a los derechos humanos, de ejemplo de democracia, mostraba su cara más amarga y real: no todos sus ciudadanos disfrutaban de los mismos derechos. Problemática, por demás, factible de ser ampliada a los millones de inmigrantes europeos o latinoamericanos que hasta ese momento arribaban a las costas estadounidenses.

Entre 1917 y 1925 más de medio millón de negros se desplazaron del Sur al Norte en busca de horizontes más democráticos. Los que quedaron se manifestaban en protesta por el secular mal trato: viajar en autobús de línea en la parte trasera y obligados a *ceder* su asiento si un blanco lo pedía, no tener acceso a la mayoría de los bares o restaurantes, carecer de una seguridad social, estudiar en escuelas sólo para negros, no mirar o piropear a una mujer blanca o ser, entre otras cosas, vejado sin pudor en cualquier lugar.

Los blancos racistas respondían con virulencia tamaña tentativa. En 1918 más de setenta negros fueron linchados, algunos con su uniforme del Ejército. Los enfrentamientos callejeros, inclusive intercambiando disparos, se hicieron cotidianos y cada vez más encarnizados. La problemática del negro y su circunstancia abarca toda una época, aún no concluida. Publicistas, historiadores, periodistas, gobernantes —incluido el propio J. F. Kennedy en su período presidencial— pretenderán cambiar esta dinámica que enloda hasta el cuello la concepción de que los Estados Unidos son la panacea de la democracia.

Algunos analistas consideran que la represión contra las ideas no convergentes con el *American way of life,* recogidas todas bajo la falaz denominación de *comunistas,* tiene su génesis en los años posteriores a la Segunda Guerra Mundial. Incierto. El histerismo comenzó bajo el mandato de Woodrow Wilson: el pacifista, el soñador de una Sociedad de Naciones, el demócrata inigualable. Él fue quien amparó y estimuló a su procurador general, A. Mitchell Palmer, para que ejecutase sus célebres redadas ilegales contra los supuestos radicales que dirigían sindicatos, organizaciones sociales o que simplemente manifestasen su desacuerdo contra la política exterior e interior.

La base jurídica en que se amparaba la administración era la *Ley sobre la Sedición,* que imponía fuertes multas a quien desalentara la venta de bonos de guerra, o expresara o publicara un lenguaje desleal, profano y procaz sobre el Gobierno, la Constitución o los diferentes ejércitos, y la *Ley sobre el Espionaje,* que consideraba delito obstruir el reclutamiento militar o intentar fomentar la deslealtad.

Cientos de extranjeros fueron sometidos a resonantes procesos. Más de 500, deportados ilegalmente. Los gobiernos de los estados también persiguieron a los *disidentes.* En 1920, el Estado de Nueva York fue más allá y expulsó de su legislatura estatal a cinco miembros socialistas. Nadie dijo que el partido fuera ilegal, o que los miembros socialistas fueran culpables de algún delito, sino solamente que el socialismo era *absolutamente hostil a los mejores intereses del Estado de Nueva York y de los Estados Unidos.* Charles Evans Hughes, que después llegaría a ser presidente de la Suprema Corte, fue uno de los muchos que rechazaron esa palpable violación de los más elementales derechos de la Constitución, pero su llamada a la cordura cayó en oídos sordos.

Esa hostilidad no era fruto del azar o de una vesania paranoica. Era el miedo al fantasma del comunismo, que ya tenía cuerpo tangible: Rusia, donde una revolución, que estremecía los cimientos del capitalismo, había logrado derrocar a la dinastía de los Romanov y puesto en práctica las ideas del marxismo. Su repercusión sobre muchos pueblos atrasados y dependientes se estaba haciendo sentir desde China a la Argentina. Obreros, campesinos, estudiantes, intelectuales, pequeños propietarios y una gama variada de personajes se habían identificado de inmediato con Lenin y su Partido Bolchevique. Pensaban que era el ejemplo a seguir para acabar con el colonialismo y la explotación de las grandes potencias.

Asia, África y América Latina fueron, desde entonces, verdaderos volcanes sociales prestos a erupcionar en cualquier momento. Pero no siempre eran las ideas socialistas el pensamiento predominante en sus dirigentes. Ello no importó. Para los gobernantes norteamericanos, desde Wilson a Bush, resultaba más rentable acuñarlos bajo un rótulo: comunistas, palabra que les autorizaba a intervenir, presionar, colocar gobiernos dóciles en nombre de la libertad, de la democracia. Tal política represiva la continuaron los gobiernos republicanos que salieron triunfantes en las elecciones de 1920, 1924 y 1928.

El caso más sensacional de asesinato desde el de los anarquistas de Chicago fue el proceso a Sacco y Vanzetti. Extranjeros y anarquistas teóricos, Nicola Sacco y Bartolomeo Vanzetti fueron acusados de haber asesinado a un pagador en South Braintree, Massachusetts. Una vez condenados a muerte, se creyó generalmente que el jurado se había dejado influir menos por las pruebas que por las ideas radicales y la evasión del servicio militar de los acusados. Aun cuando un comité investigador, nombrado por el gobernador de ese Estado, señaló al juez que había dirigido el proceso como culpable de *grave quebrantamiento del decoro oficial*, ambos serían electrocutados el 23 de agosto de 1927. Un grito de horror y de repulsa se levantó en todo el mundo. Los amantes ciudadanos de la justicia se avergonzaron.

Las elecciones presidenciales de 1920, como señala el historiador W. Jones, demostraron que el país estaba cansado de estar siempre en vilo. Confiando en que la suerte estaba de su parte, la cúpula dirigente que controlaba el Partido Republicano insistió en un candidato completamente conservador y manejable. Su elección recayó en uno de sus colegas menos prominente, Warren G. Harding, de Ohío. Como vicepresidente escogió a Calvin Coolidge que, como gobernador de Massachusetts, tenía en su haber la ruptura de la huelga de policías de Boston, por lo que se había convertido en el símbolo de la ley y el orden. Los demócratas, escindidos a causa de los debates sobre la Sociedad de Naciones y por la *Ley Seca*, postularon para presidente a otro personaje de Ohío: el gobernador James M. Cox y a Franklin D. Roosevelt, como su segundo. El mensaje principal de su campaña se centró en la pertenencia a la Sociedad de Naciones. Sería un fracaso, pues a los votantes les preocupaban más la galopante inflación, el coste de la vida, las constantes huelgas, la represión y la recesión posbélica. Harding, en contrapartida, señalaba que *la necesidad presente de América no son heroicidades, sino salud; no son panaceas, sino normalidad; no cirugía, sino serenidad; [...] no experimentos, sino equilibrio; no la inmersión en el internacionalismo, sino el sostenimiento de un nacionalismo triunfante.* Pese a la ambigüedad del discurso, sus palabras reconfortaban a los electores. Ganó por un margen mayor que el de todos los candidatos presidenciales anteriores, aunque sólo votó un 49 por 100 del electorado, en comparación con el 71 por 100 de 1916.

Su gobierno adelantó un paso más el tipo de legislación agraria progresista —créditos agrícolas y regulación de los mercados— adoptada durante el primer mandato de Wilson. También su flexibilidad tuvo límites: desafió al poderoso grupo de presión de la Legión Americana en 1922, al vetar un proyecto de ley sobre primas militares. Tuvo la habilidad de nombrar a hombres distinguidos y experimentados para los puestos clave del gabinete. El eminente jurista y antiguo gobernador de Nueva York, Charles Evans Hughes, se convirtió en secretario de Estado; Herbert Hoover, ingeniero de minas que había dirigido el auxilio a Bélgica durante la guerra y encabezó la Administración de Alimentos, fue secretario de Comercio; Henry C. Wallace, el respetado editor de un periódico agrario de Iowa, fue nombrado secretario de Agricultura; el multimillonario banquero e industrial de Pittsburg Andrew Mellon se convirtió en secretario del Tesoro, y el ex presidente William Howard Taft asumió la presidencia del Tribunal Supremo. Pero Harding, en pago a las ayudas recibidas, designó para otros puestos importantes a sus compinches, conocidos como la Banda de Ohío, la cual mostraría la cara oscura del gobierno, pues se caracterizarían por su inclinación al juego, la bebida, la corrupción e irresponsabilidad política.

Muchos que aborrecían al Ku Klux Klan compartían su convicción de que los viejos americanos de cepa anglosajona eran los poseedores de los Estados Unidos, así como su temor a que estuviesen siendo socavadas las instituciones republicanas por la oleada de inmigrantes europeos. Durante los años 20, el Congreso aprobó leyes que drásticamente limitaron la inmigración e implantaron un sistema de cuotas que cometía discriminación en favor de la inmigración *antigua* contra la *nueva*. Como resultado de esta legislación, y aún más de la Gran Depresión, la inmigración del Viejo Mundo disminuyó cerca de 35.000 durante la década de los 30, mientras que en esta década retornaron a sus hogares diez mil extranjeros más de los que llegaron al país.

J. P. Kennedy era uno de los muchos que apoyaban a Wilson, pero aprovechó, como pocos, la esplendorosa década de los años 20, en lo económico, que los gobiernos republicanos reflejaron desde su triunfo en 1920. La corrupción, el soborno y la especulación fueron el comer diario. Él estuvo como pez en el agua. Su olfato infalible para descubrir los nuevos y provechosos campos de la especulación le rindieron pingües ganancias en breve tiempo. Se lanzó al mundo de los negocios inmobiliarios, muy particularmente en Florida, que por aquel tiempo germinaba como paraíso del turismo. Se percató, igualmente, del futuro prometedor de una nueva industria que, en el transcurso de la guerra, se arraigó en el consumo social: el cine. En sociedad con un grupo de importantes capitalistas bostonianos se aseguró el control de una cadena de treinta y una salas repartidas por toda Nueva Inglaterra. A mediados de la década de los 20 se introdujo en la naciente, pero pujante, industria cinematográfica. Eludió, mucho mejor que otros, todo tipo de obstáculos, pues no le eran desconocidas las sutilezas del mundo bursátil. Llegó a controlar tres estudios que, en brillante operación, se fusionaron con la *Radio Corporation of America* para formar la *RKO*, productora que llegó a competir con las grandes compañías de la época: la *Paramount*, la *Metro-Goldwyn-Mayer*, la *Fox*, la *Warner* o la *Universal*. Tuvo a su cargo la producción de algunos filmes, entre ellos dos que revelaron a Gloria Swanson, íntima amiga de la familia, como gran estrella. Revendió las productoras con enormes beneficios. Hollywood le proporcionó ganancias por más de cinco millones de dólares.

Decidió dejar Boston y, con su numerosa familia, se trasladó al centro de los negocios, Nueva York, en Bronxville, al norte de Manhattan. Era el año 1926 y, apenas cumplidos treinta y siete años, su patrimonio millonario era conocido por todos: cuenta bancaria espléndida, mansiones en Boston, Bronxville, Hyannis Port, Florida (Palm Beach), Cannes; piscinas, pistas de tenis, yates; coches, entre ellos dos Rolls Royce, etc.

Para las elecciones de 1924, los republicanos ya habían vuelto a postular a Coolidge, quien había desempeñado la presidencia desde 1923 por la muerte repentina de Harding; y los demócratas a John

W. Davis, abogado de Nueva York. Ahora había dos candidatos presidenciales conservadores con programas casi idénticos.

Durante la mayor parte de los años 20, la complaciente actitud republicana hacia las empresas pareció estar espectacularmente justificada. Una vez que la breve depresión de 1921-1922 terminó, el país entró en una era de prosperidad sin paralelo. Las empresas lograron ganancias exorbitantes, se rebajó el índice de desempleo considerablemente y disminuyeron los niveles de los artículos de consumo. La clave fue un tremendo incremento de la productividad. El producto nacional bruto pasó de 72.400 millones de dólares en 1919 a 104.000 millones en 1929 y la renta per cápita anual ascendió de 710 dólares a 857.

Los productos de seda artificial (rayón), baquelita y celulosa, como el celuloide y el celofán, se convirtieron en industrias importantes. La industria eléctrica impulsó el desarrollo de nuevas fuentes de energía, como las turbinas de vapor y las plantas hidroeléctricas, las mejoras en el diseño de los generadores y en los métodos de transmitir la energía, la adopción del sistema de parrilla. El consumo familiar también dio un gran salto. Como los precios de la electricidad iban cayendo de forma constante, los electrodomésticos se hicieron de uso general. Por primera vez, cazuelas, planchas, frigoríficos, ventiladores, tostadoras u otros artefactos eléctricos se fabricaron de forma masiva. Otra importante industria nueva fue la radio. El 2 de noviembre de 1920, la primera emisora de radio de los Estados Unidos, la KDKA en el este de Pittsburgh, comenzó su servicio regular con los recuentos de las elecciones presidenciales.

Capítulo III

CRISIS Y DEPRESIÓN

El crack del 29

En 1928, los demócratas decidieron apoyarse en las fuerzas del urbanismo, postulando al muy capaz gobernador de Nueva York, Alfred E. Smith, y bien aceptado por los nuevos norteamericanos de las barriadas de las grandes ciudades. Producto de las *aceras de Nueva York*, era un miembro de Tammany Hall, totalmente *húmedo* (aficionado a la bebida) y primer morador de una gran ciudad en recibir la candidatura presidencial de uno de los grandes partidos. El *Nueva Republic* observó: *Por primera vez un representante de los recién llegados a la escena norteamericana, sin pedigrí, nacidos en el extranjero, criados en las ciudades, con varios idiomas, ha llamado a la puerta y ha aspirado seriamente a la silla presidencial en la Cámara del Consejo Nacional.*

Por primera vez en la historia del país, un gran partido había postulado como presidente a un católico. Los detractores de Smith, como después padecería Kennedy, argumentaban las más variadas descalificaciones y, algunas, carentes de toda lógica: que si resultaba elegido, todos los hijos de protestantes serían declarados bastardos, que convertiría a la Casa Blanca en una avalancha del Vaticano, que era un *húmedo*, y ello era una afrenta religiosa a los protestantes de los campos. Si el *voto cristiano* no iba a las urnas, advertía el Christian Endeavor World, *veremos nuestros poblados y aldeas llenos de ron en el futuro cercano, y destruida toda una generación de nuestros hijos.* Un clérigo del sur declaró: *Sí elegís a Al Smith para la presidencia, se abrirán las puertas a la inmigración, y nuestra civilización se volverá como la de Europa continental. Elegid a Al Smith, y entregaréis este país al dominio de una secta religiosa extranjera, a la que podría yo nombrar, y la Iglesia y el Estado volverán a quedar unidos.*

Los flashes que nos proporcionaron la propaganda de los republicanos sólo resultaron destellos. La cruda y compleja situación de estos comicios figura como la inflexión de una sociedad aherrojada por antiquísimos mecanismos marginales. La nueva hornada de políticos como Smith, J. F. Kennedy u otros, hijos de inmigrantes, sin vínculo con el caciquismo de los barones mayflowerianos, de creencias religiosas en apariencia divergentes del protestantismo imperante, emergían con gran fuerza en la estratificación del poder. ¡Y exigían su parte! La virulenta oposición, encubierta bajo un falso velo religioso, se dirigía a obstaculizar esa evolución, esa demanda, a evitar perder parte de sus privilegios seculares.

En cambio, su oponente, Herbert Hoover, tenía la ventaja de poder evocar la imagen de los Estados Unidos tradicionales. Escribió memorias en que recordaba haber recogido nueces durante el otoño, haber llevado granos al molino, haber pescado bagres y haber encontrado *gemas de ágata y coral fósil* en el camino de Burlington. Recordaba que en su familia se tejían sus propios tapetes; hacían su propia ropa, conservaban *carne, fruta y legumbres, y se hacían sus dulces de sorgo y miel.* ¡Y aceptaba la *Ley Seca*! Porque la entendía, honestamente o no, como una medida válida para rescatar los valores que los *extranjeros* pretendían olvidar. El mensaje caló en los electores, más si prometía mantener la protección arancelaria, los recortes tributarios y ayuda a los agricultores.

Hoover ganó de manera decisiva con más del 58 por 100 del voto popular, contra menos del 41 por 100 de Smith. Por primera vez desde la reconstrucción, los republicanos avanzaron firmemente por el sólido Sur. Smith, que recibió una proporción muy superior del voto popular a la de Davis o de Cox, no lo hizo mal en las grandes ciudades, habitadas por nuevos norteamericanos; en los barrios irlandeses del sur de Boston, obtuvo hasta el 90 por 100 del voto. Hoover ganó porque se presentó como el candidato del partido mayoritario, en una época de prosperidad, pero Smith pagó caro sus antecedentes. *El país aún no está dominado por sus grandes ciudades*, concluyó un periódico de Minnesota después de la elección. *La calle mayor sigue siendo la principal carretera de la nación.*

Herbert Hoover ocupó la Casa Blanca con una brillante reputación. Su acertada administración de las organizaciones de ayuda, en Bélgica, en Rusia y el valle del Mississipi le habían valido una reputación de gran humanitario. Su vigorosa administración del Departamento de Comercio le valió la confianza de los hombres de negocios, aunque no de Wall Street. Parecía un nuevo tipo de dirigente político: un experto en eficiencia, con inquietudes sociales, un ingeniero de minas de fama mundial. *En los Estados Unidos estamos más cerca del triunfo final sobre la pobreza que nunca en la historia de ningún país proclamó durante su campaña; no hemos alcanzado la meta, pero si se nos da una oportunidad de seguir adelante con la política de los últimos ocho años, pronto, con la ayuda de Dios, llegará el día en que la pobreza será abolida de esta nación.*

Su designación provocó un auge en la Bolsa de valores. El valor medio de las acciones comunes subió de 117 en diciembre de 1928 a 225 en el siguiente mes de septiembre. Inspirados por deslumbrantes ganancias, los prestamistas aumentaron sus préstamos de 3.500 millones en 1927 a 8.500 millones dos años después. Tan sólo en el mes de enero de 1929, no menos de mil millones de dólares en valores salieron a la Bolsa. El empleo en las fábricas, las cargas de los ferrocarriles, los contratos de la construcción, los préstamos de los bancos, casi todos los índices de los negocios mostraron una marcada tendencia ascendente.

Y, sin embargo, precisamente mientras el presidente anunciaba en su discurso de toma de posesión que *en ninguna nación están más seguros los frutos del trabajo*, los inversionistas sagaces estaban retirándose del mercado. La Junta de la Reserva Federal no hizo gran cosa por invertir la política de créditos fáciles que había inaugurado en 1927, pero había muchas razones para preocuparse. La situación económica mundial era desalentadora. Las deudas de guerra no se podían cobrar, el comercio exterior había declinado precipitadamente, y tampoco se cobraban los intereses de los miles de millones de dólares de las inversiones privadas. La agricultura se hallaba en depresión, y las industrias como la del carbón y los textiles no habían participado del bienestar general. Gran parte de la nueva riqueza había ido a parar a unos pocos privilegiados. El 5 por 100 de la población disfrutaba de un tercio del ingreso total. Los hombres de negocios cosechaban una cantidad desproporcionada de las ganancias de la productividad de las nuevas fábricas, o las registraban como dividendos y no como salarios. Y mientras la industria produjera montañas de artículos pero negara a los trabajadores el poder adquisitivo para comprarlas, era inevitable un desplome. Mientras tanto, las deudas públicas y privadas habían alcanzado cifras estratosféricas; para 1930, la carga de la deuda total fue calculada, aproximadamente, en un tercio de la deuda nacional. Demasiados norteamericanos estaban viviendo del futuro. Y cuando se esfumó la confianza en el futuro, el sistema se desplomó.

La quiebra ocurrió en octubre de 1929. En menos de un mes, los valores sufrieron una baja media del 40 por 100. Al principio, muchos supusieron que la quiebra de Wall Street, aunque devastadora, tan sólo era el último de esos pánicos financieros familiares, que el país ya había experimentado antes. En realidad ayudó a causar una depresión que dejaría una enorme falla en los Estados Unidos. *La quiebra del mercado de valores*—escribió el crítico literario Edmund Wilson— *sería para nosotros casi como si la tierra se abriera en preparación del Día del Juicio*. Antes de que terminara la gran depresión, unos trece años después, alteraría todo el panorama de la sociedad norteamericana, daría fin al largo reinado de los republicanos como partido de la mayoría, acabaría con la carrera política de Herbert Hoover y enterraría bajo sus ruinas las brillantes perspectivas de la Nueva Época.

Todo podría haberse desmoronado con la crisis de 1929, pero Joseph P. Kennedy evadió la catástrofe. Poco antes de los terribles días de octubre, retiró sus inversiones de las especulaciones con las que se había comprometido. ¿Intuición o información privilegiada? Sea lo que fuere su patrimonio no se resintió. El nieto de aquellos pobres inmigrantes llegados a mediados del siglo XIX aún no ha culminado su meta pese a su brillante éxito material. Quiere llegar a más. Sabía que la riqueza sólo le proporcionaba bienes materiales y una posición social importante, pero insuficiente. Era un peldaño para llegar al vértice de la pirámide del poder total: la política. He ahí el paso imprescindible. Mientras no se convirtiera en un personaje influyente o decisivo en la política no tendría el verdadero poder, ni tampoco sería temido o respetado por aquellos que le discriminaban por su origen y creencias.

El economista norteamericano V. Perlo, en su obra *El Imperio de las Altas Finanzas*, describió con sagaz visión lo que fue aquel negro período:

Durante tres años sombríos la economía siguió un despiadado curso descendente. La pobreza y la necesidad merodearon por todo el país. La recuperación también fue lenta y titubeante. Pasó una década entera antes de que retornara la prosperidad. La depresión acabó afectando a todos los países industrializados menos a la Unión Soviética, así como a todas las partes del mundo de economía dependiente. Pero el derrumbamiento estadounidense fue más precipitado y completo que en los demás lugares y su daño psicológico fue mayor debido al contraste con lo que había sido antes. Durante los años 20 los estadounidenses habían disfrutado los niveles de vida más elevados alcanzados en ningún lugar. Luego, casi de la noche a la mañana, el país más rico del mundo se vio sumergido en la miseria (...).

La quiebra de Wall Street supuso un derrumbamiento económico devastador. Se evaporó la confianza en las empresas, se multiplicaron las bancarrotas y los fracasos bancarios, las familias perdieron sus ahorros y sus casas, las ruedas de la industria y el comercio aminoraron su marcha de forma progresiva y los precios agrícolas cayeron una y otra vez. En el verano de 1932 la producción industrial ya había descendido a la mitad del nivel de 1929; las importaciones y exportaciones, a sólo un tercio. Quienes tuvieron la suerte de conservar sus empleos sufrieron enormes recortes salariales. Los granjeros, que ya se encontraban bastante deteriorados, iniciaron una nueva era de adversidad. El desempleo alcanzó los cuatro millones en abril de 1930, casi siete millones en octubre de 1931 y entre 12 y 15 millones —aproximadamente un cuarto de la población laboral— en julio de 1932. No había subsidio de desempleo como en la mayoría de los países europeos y los pagos de la beneficencia eran muy reducidos —con frecuencia sólo dos o tres dólares semanales por familia— y en algunas zonas, como el Sur rural, no existían. En todas partes había largas colas de desocupados y los pobres buscaban alimentos en los cubos de basura. Los hombres sin trabajo deambulaban por el campo en busca de alguna ocupación o se congregaban en las afueras de las grandes ciudades en colonias de chabolas de cartón conocidas irónicamente como *hoovervilles*.

Roosevelt, a la Presidencia

En el verano de 1932, la desesperación y la amargura eran ya casi universales. La incapacidad de Hoover para liquidar la depresión colocó a los republicanos en una situación extremadamente vulnerable e iluminó las expectativas de los demócratas, que escogieron como su candidato presidencial para 1932 al gobernador de Nueva York, Franklin D. Roosevelt. Pariente lejano de Teodoro Roosevelt y casado con una sobrina del ex presidente, Franklin D. Roosevelt había nacido en el seno de una familia acomodada y antigua de Nueva York. Hizo sus estudios superiores en Harvard. Su carrera había sido meteórica. En tiempos de la Primera Guerra Mundial ocupó el cargo de subsecretario de la Marina a las órdenes de Wilson, y en 1920 fue elegido para compañero de planilla de Cox. Su prometedora carrera política pareció llegar a su fin en 1921, por un grave ataque de parálisis infantil, pero durante los siete años siguientes volvió a la lucha, aún cuando quedó permanentemente lisiado. En 1928, los votantes de Nueva York lo eligieron gobernador y en 1932, después de una reñida lucha, en las primarias, fue escogido como candidato presidencial de su partido. Con una cómoda delantera, F. D. Roosevelt abordó buen numero de cuestiones importantes y guardó silencio en otras, y censuró a Hoover, a quien tachó de manirroto, pero también dejó en claro que él estaba en pro de la ayuda al desempleo, la legislación de las granjas y *una experimentación audaz y persistente*, para dar un *Nuevo Trato* al *hombre olvidado*. Además, mostró buena disposición a buscar consejo en las universidades, ya que su *trust de cerebros* de consejeros y escritores de discursos incluía a tres profesores de la Universidad de Columbia: Raymond Moley, Rexford Guy Tugwell y Adolf A. Beerle, Jr.

Hoover, bajo el peso muerto de la mala época, se enfrentaba a una tarea imposible. Empeoró más las cosas cuando, en el verano de 1932, recurrió a la fuerza para oponerse al *ejército de bonos* que había marchado a Washington para exigir el pago inmediato de los bonos asignados a los veteranos de la Primera Guerra Mundial. Espada en mano, soldados de caballería atropellaron a los manifestantes y a sus esposas e hijos, quemaron sus barracas y esparcieron sus míseras posesiones. Las humeantes ruinas de las barracas de Anacostia sirvieron para confirmar la impresión de que el presidente era hostil a los desposeídos, y que el país necesitaba un cambio. Roosevelt recibió casi 23 millones de votos, contra menos de 16 millones de votos para Hoover, y su victoria fue aun más decisiva en el Colegio Electoral, donde triunfó en todos los estados salvo en seis. Hoover, con menos del 40 por 100 del voto, sufrió la peor derrota jamás infligida a un candidato presidencial republicano en una competencia entre dos. Los demócratas también lograron su más grande mayoría en la Cámara desde 1890, y su margen más grande en el Senado desde antes de la Guerra Civil. La Gran Depresión había puesto fin al reino de los republicanos como partido mayoritario de la nación, y les dio la turbia reputación de ser el partido de los malos tiempos.

El 4 de marzo de 1933 se inició en la historia norteamericana la llamada *Era Roosveliana*. En esa fecha asumía la presidencia de los Estados Unidos Franklin Delano Roosevelt, único que desempeñará esa función por cuatro períodos consecutivos, aunque el último truncado por su muerte, en abril de 1945.

Los primeros años de su mandato coinciden con la etapa de la recuperación de Estados Unidos. No sólo maniobró con eficacia para superar la mayor crisis económica que asolara el sistema capitalista y que tuvo como epicentro su propio país, sino que elaboró una estrategia sustentada en dos planos: uno, dirigido al exterior y que denominó *Good Neighbor Policy* o del *Buen vecino*, dirigido con especial interés hacia su área tradicional de dominación: América Latina, inmersa en una crisis política, económica y social de consecuencias imprevisibles para la estabilidad del sistema americano; el otro, conocido como *New Deal o Nuevo Trato*, encaminado a restañar las heridas de la Gran Depresión.

Muchos de los desajustes, ahora visibles con mayor fuerza, tenían su origen en la política intervencionista de los anteriores gobernantes estadounidenses. Roosevelt trataría de cambiar esa imagen, pero los acontecimientos le desbordaron. Los intereses de los grandes monopolios, arraigados en esas tierras, demostraron tener más poder en el Congreso norteamericano que el bien intencionado presidente.

Sin lugar a dudas, ha sido uno de los hombres más hábiles que han pasado por la Casa Blanca. Auscultó con objetividad la problemática de su tiempo y comprendió, también, la exigencia histórica de reformar la estructura interna de la sociedad norteamericana. No se trataba, como bien señala William Appleman Williams en su obra *La Tragedia de la Diplomacia Norteamericana*, de una revolución sino de un movimiento para evitar una revolución. Ésa es la médula del nacimiento del *New Deal* o *Nuevo Trato*. Por razones injustificadas se tiende a identificar el *New Deal* con la *Good Neighbor Policy*. Ello no excluye ni mucho menos que formen parte inseparable de un todo.

¿Logra Delano emerger satisfactoriamente de la difícil prueba que le toca pasar? ¿Fue en realidad un *Buen vecino*? ¿Qué condiciones históricas concretas impulsaron a los estrategas del Departamento de Estado, con Roosevelt a la cabeza, a variar las formas de sometimiento en el plano internacional? ¿Y en los Estados Unidos qué ocurría en esos años? Las respuestas no son fáciles, porque sus contenidos reflejarán necesariamente una amalgama de elementos en contra del juicio a priori que puede hacernos ver las cosas en blanco y negro.

El factor principal que obligó a Estados Unidos a realizar cambios fue la crisis de superproducción de 1929, generada por el incremento desmedido y caótico de los años precedentes. Los mercados europeos se habían ampliado considerablemente a causa de la guerra de 1914-1918 que se libró en el Viejo Continente. Los Estados Unidos participaron directamente en ella, tardíamente escudados en el principio de neutralidad proclamado por el presidente W. Wilson y apoyado vehementemente por los círculos monopolistas. Este reducido sector de la burguesía aprovechó la coyuntura para inundar los mercados aliados... y no aliados. Sólo cuando la Alemania imperial puso en peligro la navegación de sus buques, atentando contra los intereses y el principio de la libre navegación, declararon la guerra.

Su participación en la conflagración bélica no fue, como hemos señalado, para salvaguardar la democracia en peligro sino para evitar una derrota de Inglaterra, Francia... países que le adeudaban millones de dólares por concepto de compras de armamentos y productos alimenticios.

Derrotada Alemania, Estados Unidos prosiguió su política de avituallamiento a las devastadas naciones, inclusive Alemania.

¿Por qué Alemania también? Recuérdese que en octubre de 1917 —en medio de la guerra— los comunistas rusos, guiados por V. I. Lenin y su organización, el Partido Bolchevique, asumieron el poder en la Rusia zarista. Con ello emergió una nueva formación económico-social: el socialismo. De ahora en adelante el capitalismo —perdida ya su universalidad— intentará ahogar al joven estado de campesinos y proletarios. Y ¿qué mejor aliado que la cercana Alemania herida?

El período de entreguerras resultó de ahí una preparación para una nueva guerra o *cruzada contra el comunismo*. La punta de lanza del capitalismo yanqui en Europa —Alemania— se recuperó a la par que Inglaterra y Francia.

Llegado el año 29, aflora la crisis más violenta que recuerde la historia del capitalismo. Sobre ella autores especializados han dedicado vastos volúmenes y han analizado exhaustivamente sus causas. Bástenos a nosotros señalar algunas de sus consecuencias.

Según cifras ofrecidas por M. Draguilev, en su ensayo *El crack del 29*, la producción de las naciones capitalistas sufre un retroceso tal que el volumen de ésta llega al nivel de 1908-1909. En lo referente a la industria, Inglaterra disminuye su producción un 24 por 100, Francia un 33 por 100, Alemania un 40,6 y un 46,2 los Estados Unidos.

En los Estados Unidos el ingreso nacional mermó aproximadamente un 50 por 100 entre 1929 y 1932 (de 81.000 a 40.000 millones de dólares). El desempleo hizo presa de los grandes contingentes de obreros, sobre los que los capitalistas dejaron caer el pesado fardo; el hambre, la miseria, el descontento ensombrecerán las sociedades industrializadas. Sus ideólogos no habían escatimado frases apologéticas proclamando que la prosperidad de años anteriores reflejaba la esencia del sistema: la bonanza.

A partir del año clave dirigirán sus críticas al gobierno republicano, haciéndole máximo responsable de la debacle. Nos parece obvio demostrar la falsedad encerrada en dichas acusaciones, por cuanto la crisis la engendraba el propio sistema. Ello no excluye la participación del hombre como factor importante, ya sea para retardarla o acelerarla. Pero al pueblo norteamericano y a la opinión pública en general había que mostrarle un culpable.

No es de extrañar entonces que los demócratas arreciaran su campaña y en las elecciones del 1932 saliera electo su candidato Franklin Delano Roosevelt.

En su discurso inaugural del 4 de marzo F. D. Roosevelt expondría: «Solicitaré del Congreso [...] que otorgue un amplio poder al ejecutivo para conducir la guerra contra la crisis. Un poder tan grande como el que se me daría si fuésemos invadidos por un enemigo extranjero.» Roosevelt no lo dijo, pero sabía que doce millones de hombres permanecían sin trabajo: un trabajador de cada cuatro. Que el descontento crecía por doquier... En fin que había que buscar soluciones que salvaran el american way of life *(modo americano de vida).*

Para su labor el Roosevelt de *Guantes Blancos* se rodeó de una serie de personajes, algunos de extracción universitaria, conocidos por el *Trust de los Cerebros.* Descollarán de él Dean Acheson, Averell Harriman, Donald M. Nelson, John Foster Dulles, Eric Jonson, Summer Welles, Harry Hopkins, conocido como la eminencia gris y consejero principal de Franklin.

El *New Deal* prometido por el presidente abarcaba diferentes aspectos; entre ellos: realizar un gran programa de obras públicas, subsidios federales para atenuar la miseria provocada por el desempleo, creación de instituciones de pensiones de vejez, hacer reformas en el sistema bancario, elaborar programas de ayuda agrícola, lograr un equilibrio en el presupuesto, así como la reducción de un 25 por 100 de los gastos gubernamentales.

H. U. Faulkner reconoce que el *New Deal* no se proponía realizar ningún cambio fundamental en el sistema económico. Opinión compartida por Williams *(La Tragedia de la Diplomacia Norteamericana)* y otros historiadores y publicistas norteamericanos. Empero, en sus años de gobierno Delano fue en más de una oportunidad catalogado como socialista por los sectores norteños más conservadores (Kennedy presidente sufriría parecida acusación). Vociferaban angustiosamente que sus medidas llevarían al desastre las normas de vida norteamericana, que la propiedad privada estaba siendo reemplazada por la estatal.

Sobre el último aspecto es bueno destacar que, ciertamente, el capitalismo monopolista de Estado cobró fuerza inusitada. La fusión de los intereses de los grandes consorcios con los de la Administración gubernamental tuvieron su clímax en el período comprendido del 33 al 45, o era rooseveliana.

La legislación principal del *New Deal*, tal como la ley bancaria de 1933, confirió poderes emergentes al presidente para regular las transacciones en créditos, moneda corriente, oro y plata, y cambios extranjeros. [...] Disponía también que los bancos nacionales y estatales que fueran miembros del Sistema de Reserva Federal podrían abrir sus puertas con un permiso especial. [...]. Para ayudar a resolver la difícil cuestión de los créditos, se amplió el poder de emitir billetes de los bancos de Reserva Federal.

Roosevelt había prometido durante su campaña que nadie moriría de hambre, y durante los Cien Días de 1933 acribilló, literalmente, al Congreso con mensajes, exhortaciones y proposiciones de leyes. La instancia legislativa respondió a sus recomendaciones en bien de los desempleados, creando el Cuerpo de Conservación Civil y aprobando la creación de la Administración Federal de Alivio de Emergencia (FERA), para conceder fondos a los gobiernos estatales y locales para obras públicas y, cuando fuera necesario, préstamos directos a los necesitados. A las órdenes del experimentado administrador social Harry Hopkins, el Gobierno en los dos años siguientes desembolsó cuatro mil millones de dólares para ayuda, tres cuartas partes procedentes de fondos federales, y una cuarta parte de fondos locales. Para 1934, más de veinte millones de personas, uno de cada seis norteamericanos, estaban recibiendo ayuda pública.

Las alegaciones contemporáneas de que Roosevelt intentaba introducir el socialismo eran absurdas, aunque no cabe duda de que su programa suponía un monto sin precedentes de planificación económica nacional. También conllevaba gasto público en una escala tan grande que sus promesas de campaña de equilibrar el presupuesto no pudieron mantenerse.

A diferencia de su predecesor, Roosevelt aceptó de forma directa que el subsidio de desempleo era una responsabilidad nacional. Por ello, la *Ley sobre el Subsidio Federal de Emergencia* autorizó una asignación de 500 millones de dólares para el subsidio directo en forma de concesiones a los estados. Hubo otra clase de proyectos para ello: reparación de carreteras, mejoras en las escuelas, jardines y zonas de juegos.

Una innovación aún más espectacular fue el organismo gestor del Valle del Tennessee (*Tennessee Valley Authority*, TVA), destinado a convertirse en el logro mejor conocido y más admirado del *Nuevo Trato*. La idea, si bien había tenido sus inicios en 1916, se convirtió ahora en la base de un plan mucho más extenso para desarrollar la cuenca del Tennessee, una zona retrasada que abarcaba siete Estados. El TVA construyó presas y plantas hidroeléctricas para proporcionar electricidad barata y se embarcó en un programa de control de inundaciones, reclamaciones de tierra, reforestación, realojamiento, educación y recreo. Aunque la electricidad barata no atrajo a la industria en la medida que se había esperado, el TVA elevó de forma espectacular los niveles de vida de toda la región.

Otro aspecto a destacar es la *Ley de Adaptación Agrícola* (*AAA*). Su fin era disminuir los excedentes e incrementar los ingresos de los agricultores. Para viabilizarlo se instrumentaron tres métodos: a) conceder opciones a los productores de algodón, quienes debían reducir cuando menos un treinta por ciento del área tradicionalmente cultivada; recibirán igual cantidad a la dejada de obtener; b) conceder estipendios a los agricultores que dejasen de cultivar temporalmente un número de hectáreas; el monto del *beneficio* se daba por cantidades de éstas, y c) concertar convenios de compras que evitasen el derroche.

En el primer año de la aplicación de la AAA se redujo el área de cultivo del algodón, trigo, maíz, tabaco, nueces, el centeno, la cebada, el lino, los granos de sorgo, las remolachas azucareras y la caña de azúcar, así como la cría de cerdos y carne de vaca.

Este plan por lógica natural sólo beneficiaba a los poseedores de los bienes de producción, a la clase capitalista agraria-industrial. Mientras millones de hombres, mujeres y niños, que no tenían un bocado que comer en los propios Estados Unidos, debían ver con pasividad la aplicación de una *economía de escasez*, cuando lo que necesitaban eran alimentos para aliviar su hambre.

La Ley sufriría algunos cambios tras la reelección de Roosevelt en 1936. Una segunda versión de la AAA fue aprobada en el 38. Al igual que la anterior, su finalidad consistió en mantener los precios en función del control de la producción. Un nuevo rasgo consistió en que, *si el precio descendiera por debajo del nivel deseado, el Gobierno compensará al agricultor por la diferencia entre el precio que efectivamente se recibiera y el precio paritario.*

Con referencia a la industria el *New Deal,* programó medidas tendentes al desarrollo, en tanto y en cuanto el capitalismo monopolista de Estado es un peldaño superior en la maduración del capitalismo. Su principal expresión estuvo en la aprobación de la *Ley de Recuperación Industrial* (*NIRA*). Su objeto, según el propio Roosevelt: *asegurar un beneficio razonable a la industria y salario que permitan la subsistencia a los trabajadores, eliminando métodos y prácticas piráticas que, no sólo habían hostigado a los negocios honestos, sino también los males que sufrían los trabajadores.*

¿Pudieron restringirse, en verdad, las ganancias de los monopolios? Aun admitiendo como sinceras las apreciaciones y proyecciones de Roosevelt, su carisma, su personalidad, su influencia sobre poderosos sectores de la economía, el propio decursar histórico demuestra que no fue posible llevarlo con la efectividad deseada.

En 1935 la NIRA fue declarada anticonstitucional por el Tribunal Supremo al estimar que las disposiciones codificadoras de ésta constituían una indebida transferencia del poder legislativo desde el Congreso al presidente. Se comprende este imprevisto si sabemos que tanto en el Congreso como en otros puestos claves de gobierno los demócratas o partidarios de Franklin no gozaban de mayoría. Fuerza que se tendrá a partir del segundo período (1936).

El temor hizo que el presidente Hoover confesara en los días de la campaña presidencial del 32: *Dicen los de la oposición que nosotros tenemos que cambiar; debemos dar una nueva oportunidad. No es a un cambio procedente del desarrollo normal de la vida de la nación a lo que yo me opongo, sino al propósito de alterar todos los cimientos de la vida nacional que han sido forjados a través de generaciones de ensayos y de luchas, y de los principios sobre los cuales hemos levantado esta nación...* Pretendía restar votos a Franklin Delano Roosevelt.

Ese año, en agosto, el Congreso aprobó la ley del Seguro Social, medida general que establecía el seguro para la vejez, el seguro para el desempleo, los pagos de beneficio a los impedidos, la ayuda a los hijos dependientes y a sus madres, pensiones para los ancianos necesitados y extensas asignaciones para la salubridad pública.

Los Estados Unidos aún tenían que recorrer un largo camino para velar adecuadamente por los pobres y los impedidos, pero el *Nuevo Trato* había dado pasos gigantescos en esa dirección. No sólo se comprometió en una gama de actividades sin precedentes, grandes programas de ayuda, limpia de barrios bajos, ayuda a los aparceros, combate al trabajo infantil y el taller explotador, condiciones mínimas de trabajo, un sistema de seguro social, sino que había establecido el principio de la responsabilidad federal por las víctimas de la sociedad. Declaró Roosevelt: *El Gobierno tiene una responsabilidad final por el bienestar de sus ciudadanos. Si el esfuerzo cooperativo privado no da trabajo a las manos bien dispuestas ni alivio a los desventurados, quienes padecen miseria sin que sea culpa de ellos tienen el derecho de pedir ayuda al Gobierno. Y un gobierno digno de ese nombre debe darles una respuesta.*

La *Gran Depresión* ejerció una repercusión más profunda sobre la política norteamericana que ningún acontecimiento desde la Guerra Civil. Al identificar al Partido Republicano con el desplome, los votantes en 1932 habían dado a los demócratas una oportunidad de establecerse como el partido mayoritario durante la siguiente generación, y Roosevelt le sacó a esto el máximo partido. Para 1936, había forjado una nueva coalición del partido, que prevalecería no sólo durante toda la vida del presidente, sino muchos años después. De 1930 a 1976, los republicanos lograrían el control de la Cámara tan sólo en dos elecciones.

Aun cuando el presidente no quiso ganarse la enemistad de los presidentes de los comités sureños apoyando una legislación en pro de los derechos civiles, Eleanor Roosevelt intervino repetidas veces en nombre de los negros. Para 1934, los votantes negros estaban pasándose en grandes números a apoyar a los demócratas, y en 1936 dieron una enorme mayoría a Roosevelt.

En su campaña por la reelección, Roosevelt se enfrentó a dos desafíos de los republicanos y de un tercer partido. El Partido Republicano escogió como candidato a Alfred M. Landon, de Kansas, que había sido un gobernador de tonos liberales. Pero Landon se encontró ante el ala hooveriana del partido, que le arrancó la campaña de las manos. Su única esperanza estaba en la posibilidad de que el candidato de un tercer partido arrancara suficientes votos a FDR para que un republicano pudiera colarse. Durante un tiempo, el senador de Luisiana, Huey Long, partidario de un muy gustado programa de *compartan las riquezas,* planteó la formidable amenaza de una alianza de sus fuerzas con las del doctor Townsend y el padre Coughlin, sacerdote que enardecía a las masas por radio. Pero en septiembre de 1935, Long fue asesinado y el padre Coughlin fue visitado por J. P. Kennedy y casualmente aplacó su oratoria contra F. D. Roosevelt. No fue rival electoral. Con 523 votos contra 8 de Landon, Roosevelt obtuvo el mayor margen electoral de cualquier candidatura presidencial desde Monroe. Nunca antes uno de los dos grandes partidos había sufrido una derrota tan aplastante como la de los republicanos (1936-1940). Alentado por este voto de confianza, Roosevelt comenzó su segundo período con grandes esperanzas.

El entusiasmo de la clase media por Roosevelt se debía mucho al hecho de que el presidente parecía estar sacando al país de la depresión, pues en la primavera de 1931, finalmente, la nación había alcanzado sus niveles de 1929. Pero en agosto la economía súbitamente se desplomó. Desde septiembre de 1937 hasta julio de 1938, en una declinación de gravedad sin paralelo, la producción industrial decayó en un 33 por 100. El apoyo de la clase media al presidente, ya reducido por la Corte Suprema y por los episodios de las huelgas, sufrió entonces una prueba aún más severa, pues FDR ya no parecía el mago con una fórmula capaz de dar fin a la depresión.

A comienzos de la primavera de 1938, Roosevelt había concluido que la recesión estaba causando grandes estragos sobre el empleo y que había que gastar. Pidió al Congreso que aprobara un programa a gran escala de préstamos y gastos, y el Congreso respondió aprobando la asignación de cerca de mil millones de dólares para obras públicas y casi tres mil millones de dólares más para otras actividades federales.

En el resto del segundo régimen de Roosevelt, la economía subió trabajosamente hacia sus niveles anteriores, pero los hombres del *Nuevo Trato* tuvieron que enfrentarse al hecho de que lo que habían efectuado no había sido suficiente para dar fin a la recesión, y que en 1939 aún quedaban diez millones de desempleados. Nunca antes se había mostrado un gobierno tan sensible a las necesidades sociales de la nación, ni había edificado tantas útiles instituciones económicas, pero se requeriría la llegada de la Segunda Guerra Mundial para devolver la prosperidad al país.

Después de la promulgación de la *Ley de Normas Laborales Justas* en 1938, el Congreso no adoptó ninguna otra legislación reformista durante el resto de la década. El ímpetu del *Nuevo Trato* llegó a su fin no sólo porque fue incapaz de lograr la recuperación total, sino porque las fuerzas opuestas a más cambios eran demasiado poderosas.

En otoño de 1938 los republicanos obtuvieron 81 asientos en la Cámara, ocho en el Senado y 13 gobernadores; casi considerados muertos dos años antes, introdujeron en el escenario nacional de ese año caras nuevas, como las de Thomas Dewey y Robert Taft.

Quienes han criticado al *Nuevo Trato*, en su época y después, han sostenido que debió hacer más, que debió hacer menos y que debió hacer las cosas de otra manera. Sostienen que el régimen de Roosevelt fracasó en su asignación fundamental: sacar al país de la depresión, pues la recuperación tan sólo llegó con el estallido de la guerra.

Durante la década de 1930 se encontró trabajo para millones de desempleados en una serie de obras, desde la FERA hasta la WPA, y el gobierno se esforzó por dar empleos satisfactorios a novelistas y ensayistas, muralistas y escultores, payasos o compositores. Mostró particular preocupación por los jóvenes: subsidió desayunos calientes para párvulos e hizo posible a los estudiantes universitarios continuar su educación.

En contraste con el gobierno de la década de 1920, en gran parte interesado sólo en sí mismo, el *Nuevo Trato* extendió sus beneficios a grupos que habían sido olvidados o recién cambiados. Favoreció la sindicalización en las fábricas y combatió el trabajo infantil o los talleres explotadores, estipulando las mínimas condiciones de trabajo. Los cheques de la AAA mantuvieron a millones de granjeros de una sola cosecha y el gobierno hizo posible que los aparceros poseyeran granjas y construyó campamentos para trabajadores inmigrantes, aun cuando en escala modesta. Por desgracia, algunas dependencias persistieron en la discriminación, pero los negros lograron avances sin precedentes y el *Nuevo Trato* dio nuevas oportunidades de autogobierno a los indios norteamericanos. Eleanor Roosevelt y Frances Perkins dieron pruebas visibles del papel más elevado de la mujer en el gobierno y el *Trust de Cerebros* significó una bienvenida de Washington a los graduados universitarios.

El *Nuevo Trato* ensanchó considerablemente el ámbito del gobierno en los Estados Unidos. Fomentó el estado de beneficencia, con pensiones para vejez, seguro contra el desempleo y ayuda para los hijos dependientes. Emprendió variadas empresas de alojamiento, creó el primer teatro estatal de la nación y filmó documentales. Inauguró ambiciosas empresas regionales como la TVA y los proyectos del río Columbia, llevó la electricidad a las zonas rurales, instaló el servicio de conservación de tierras, envió a los bosques a los chicos de la CCC y de otras mil maneras cambió el paisaje de la nación. Por vez primera, en la década de 1930 Wall Street se vio obligada a aceptar una regulación federal, y la autoridad nacional se extendió a negocios como las sociedades anónimas de utilidad pública. Antes de terminar la década, este ensanchamiento de la órbita del gobierno había sido legitimado por la Revolución Constitucional de 1937 y por la Corte de Roosevelt.

Lo más significativo de todo fue el mantenimiento de un sistema democrático en un mundo que empezaba a sucumbir al fascismo: El único baluarte seguro de la libertad continua es un gobierno lo bastante fuerte para proteger los intereses del pueblo, y un pueblo lo bastante fuerte y bien informado para mantener el control sobre su gobierno. La prueba de que en los Estados Unidos era posible que existieran tal gobierno y tal pueblo tuvo un significado definitivo. Y es que en los años 30 se llegó a dudar que pudiesen sobrevivir la libertad y la democracia en el mundo moderno. Fue de la máxima importancia para los pueblos del mundo que la democracia norteamericana hubiese soportado los embates de la depresión, y que el pueblo norteamericano confirmara su fe en el orden democrático.

Muchos pensaban que el mayor peligro de guerra no procedía de Hitler, sino de los belicosos internacionalistas que tratarían de enredar a los Estados Unidos, actitud que recibió la sanción oficial en 1934, en una investigación del Senado conducida por Gerald Nye. El comité de Nye concluyó que los Estados Unidos habían intervenido en la Primera Guerra Mundial, no para defender sus propios intereses, ni por el propósito altruista de salvar al mundo de la democracia, sino a consecuencia de las intrigas de financieros y de los intereses de los fabricantes de armamentos. Si los europeos tenían que luchar, dijo Nye con sorna, *que paguen sus propias guerras. Si los Morgan y otros banqueros tienen que intervenir en otra guerra, que se enrolen en la Legión Extranjera*. Aun cuando el comité de Nye no logró fijar la responsabilidad de nadie por la guerra, sí reveló unas ganancias escandalosamente altas y, junto con historiadores como Charles A. Beard y periodistas como el coronel McCormick, del *Tribune* de Chicago, *se ganaron a gran parte a la ingenua idea de que los Estados Unidos habían sido precipitados a la guerra para hacer ganar dinero a los «mercaderes de la muerte»*.

Por otra parte los años de vigencia del *Buen Vecino* demostrarían que no se trataba de *alterar todos los cimientos de la vida nacional*, sino de reforzar esos cimientos. Manifestación clara de ello son las conclusiones a que arribará el Comité Económico Nacional Temporario en su *Investigación de la Concentración del Poderío Económico*, realizada en 1938. En su informe resalta de forma evidente que la política del *New Deal* posibilitó el refuerzo de la actividad monopolista.

¿Cómo se refleja esta recuperación económica en la política exterior norteamericana? En un primer momento Roosevelt centró todas sus fuerzas en lo interno, sin menospreciar por ello lo externo. El hecho de que en la mayoría de los territorios de la América Latina la influencia estadounidense se hiciera sentir desde finales del siglo XIX, no implicó que el Departamento de Estado desatendiera del todo las constantes muestras de desacuerdo.

La cara oscura del «Buen Vecino»

Dos meses antes de asumir Roosevelt su primer mandato, Adolfo Hitler había sido designado canciller de Alemania. En el mes de junio se volvió a reunir la *Conferencia de Desarme de Ginebra* y en ella Alemania exigió que se le reconociera el derecho de armarse sobre igualdad de bases con respecto a los otros países. Tal exigencia contravenía lo estatuido por el Tratado de Versalles, firmado al término de la Primera Guerra Mundial. A pesar de ello Inglaterra apoyó la demanda. Desde entonces Alemania inició la fabricación de armamentos en volumen considerable. La nueva dirección germana se preparaba para la revancha. Las grandes potencias occidentales se mantuvieron recelosas, pero no obraron en consecuencia para detener el rearme.

Un año después Hitler se convirtió en *Führer* (jefe) del Gobierno alemán. En declaraciones públicas señaló que el interés principal de su gobierno estaba enfocado a la adquisición de territorios del occidente de la Unión Soviética y unas zonas fronterizas de ese país. Declaraciones de corte agresivo que fueron recibidas con alborozo por el funcionario del Gobierno británico Lloyd George: *En muy poco tiempo,* declararía ante la Cámara de los Comunes, *los elementos conservadores en este país considerarán a Alemania como el baluarte contra el comunismo en Europa.*

He ahí una de las razones por las que Inglaterra, Estados Unidos y otras potencias *democráticas* no frenaban de lleno las aspiraciones alemanas. Era más importante que el socialismo —llevado a la práctica en la URSS— fuera arrasado y que renaciera de nuevo la *libertad* tras el *telón de acero.* Proyecciones no ocultas, ya que fueron repetidas por boca del propio Hitler y recogidas en el *Daily Mail* de Londres: *Los fuertes jóvenes nazis de Alemania son los guardianes de Europa contra el peligro comunista... Una vez que Alemania haya adquirido el territorio adicional que necesita en Rusia occidental, sus necesidades de expansión estarán satisfechas.*

Como se sabe, ese año Italia inició la invasión de Abisinia (1935). El fascismo continuó su ataque y apoyó a Francisco Franco en España. Uno a uno los pasos del fascismo aumentaron. Japón y Alemania firmaron el conocido *Pacto Anti-Komintern,* dirigido contra el país de los soviets. En el año 37 se formó el Eje Roma-Berlín-Tokio, al unirse Italia al tratado antisoviético, fecha en que el Japón invadió China, con el beneplácito de Chiang Kai-shek, más preocupado por el avance del ejército comunista que se le enfrentaba.

Sin embargo, mientras todo ello ocurre, los Estados Unidos, Inglaterra y Francia proclamaron su *neutralidad* ante los acontecimientos. La Unión Soviética brindó su apoyo a China, pues el avance japonés en ese territorio significaba un inminente peligro para su seguridad.

Es significativo cómo en este período de la *Good Neighbor Policy* Estados Unidos practicó el *aislacionismo* de los problemas europeos y una injerencia abierta en su área de influencia americana. Puede parecer una actitud contradictoria. Pero, ¿acaso el fascismo no proclamaba que su objetivo externo era apoderarse de territorios soviéticos? Para qué preocuparse entonces, aseguraban los estrategas de la Casa Blanca a orillas del Potomac. El principal enemigo de la *democracia* era el comunismo y no el fascismo, aunque éste provocara millones de muertos.

En ese momento, en Cuba, Fulgencio Batista, el sargento-general golpista del 4 de septiembre de 1933, se aupaba al poder y de inmediato era reconocido como gran amigo de los Estados Unidos, de la cruzada anticomunista. No sería el único ejemplo, aunque en la VIII Conferencia Interamericana de 1936, celebrada en Buenos Aires, el presidente Roosevelt envió un mensaje a los delegados instando a defender la *democracia representativa*, asegurando a su vez que esa forma de gobierno era el mejor instrumento *para asegurar el desarrollo social, económico y cultural de un mundo pacífico y justo*.

Los apologistas de la política del *Buen Vecino* mostraban con orgullo la evacuación de los marines de República Dominicana, pero ocultaban explicar que en lugar del *US Marines Corp* quedaba el tristemente célebre Rafael Leonidas Trujillo (Chapitas) como jefe de la Guardia Nacional, cuerpo militar creado por los Estados Unidos cuando fusionó la policía y el ejército durante su ocupación (1916-1934). Este servil personaje gozó del apoyo y distinción de la administración roosveliana. Fue un grande y buen amigo, al decir del propio Franklin. Algo parecido se habló de la retirada de los *marines* de Nicaragua, sin explicar que este país centroamericano quedaba dominado por la Guardia Nacional —del mismo origen que la dominicana— y al frente de la cual dejaban al vesánico general Anastasio Somoza. La reelección de Franklin para un tercer período —1940— fue festejada por Somoza decretando dos días feriados en Nicaragua.

La dictadura de Jorge Ubico, entronizada en Guatemala desde el comienzo de la década de los 30, también recibió la bendición rooseveliana. Las relaciones siempre resultaron del agrado del Departamento de Estado y especialmente de la United Fruit Company, devenida Estado prepotente también en la tierra del quetzal.

Con igual cordialidad fue tratado el dictador salvadoreño Maximiliano Martínez, quien en 1932 masacró a más de tres mil trabajadores que reclamaban mejoras en su nivel de vida. La justificación oficial del genocidio (estaban influidos por *ideas comunistas*) fue aceptada plácidamente por la United Fruit y Roosevelt, quienes nunca le hostigaron. Que la democracia fuera ejercida a sangre y fuego no parece desarmonizar tampoco en este caso con la Good Neighbor Policy. El pueblo ajustaría cuentas con este *buen vecino* en mayo de 1944 al precio de más de dos mil muertos.

El dictador hondureño Tiburcio Carías Andino, plegado a los intereses de la United Fruit, fue catalogado por John D. Erwin, embajador de los Estados Unidos en ese país, como el *Bienhechor de su Patria*. Era el año 1941. Carías forma parte del séquito distinguido de dictadores que fueron recibidos por Roosevelt como huéspedes de honor. Resultaba indudablemente otro *buen vecino*.

En tierras sudamericanas, Venezuela específicamente, los Estados Unidos también tenían un *buen vecino*. Tras la muerte de Juan *Bisonte* Gómez, un dictador que gobernaba desde 1908 y dejaría de hacerlo en 1935, asumió el poder el general Eleazar López Contreras. Si diferencia hubo en cuanto a la opresión de su pueblo fue de nombre (uno se llamaba Juan; éste, Eleazar). Como *buen vecino* abrió las puertas, de par en par, a los capitalistas yanquis para que explotasen el petróleo mexicano, cuando en cambio eran nacionalizadas sus empresas en el México de Lázaro Cárdenas. La actitud entreguista de López posibilitó a los Estados Unidos, a Franklin D. Roosevelt, lanzar una cortina de humo aparentando aceptar el derecho de cualquier estado a adquirir las propiedades que estimasen necesarias para el mejoramiento y desarollo del país en cuestión.

Un presunto mal vecino, el panameño Arnulfo Arias, fue derrocado por un ministro de su Gobierno en 1941. Arias en distintas oportunidades había manifestado que defendería los intereses de Panamá sobre el enclave colonial o *Canal Zone*. Roosevelt *no podía correr el riesgo en años tan tumultuosos que un presidente de esa región centroamericana hiciera peligrar la defensa y hegemonía norteamericana sobre esa estratégica vía acuática*.

Roosevelt, demostrando sus buenos sentimientos, aceptó conceder al nuevo gobierno algunas reformas en lo estatuido en el espurio tratado de 1903. Unos cuantos dólares más, que realmente no lo fueron, por cuanto el dólar había sufrido una devaluación.

Bolivia, cuya independencia y nombre se debían al latinoamericano Simón Bolívar, sufrió también la Good Neighbor Policy. Las intrigas de compañías yanquis-británicas provocan que este país entre en guerra con el Paraguay (1932-1935). Fue una guerra a lo Pirro. El beneficiado no fue ni el pueblo ni el gobierno boliviano o el paraguayo, sino la Standard Oil. La guerra del Chaco, que así se denominó este conflicto, quiso ser aprovechada por Roosevelt para demostrar que Estados Unidos deseaba la concordia, la amistad, entre los americanos. Hasta llegó a solicitar una Comisión de Armisticio. Sin embargo, la opinión pública progresista sabía que detrás de esta mascarada Franklin apoyaba a uno de sus grandes monopolios nacionales. No hubo *marines*, es cierto. ¿Acaso se necesitan cuando se tiene confianza en la clase dominante, en sus fuerzas para evitar un viraje en el statu quo?

Muchas formas hay de intervenir. Una de ellas se daría en la propia Bolivia en noviembre de 1943. En esa fecha se produce un movimiento popular encabezado por el mayor Gualberto Villarroel. Roosevelt negó el reconocimiento. Las proyecciones del militar boliviano —innegablemente progresistas— no concordaban con la *buena vecindad*. En reemplazo del US. Marines Corp se utiliza la diplomacia, el chantaje. Villarroel es depuesto y la oligarquía boliviana; la *Rosca*, a la dirigencia. Inmediatamente se restauran los privilegios atacados y el gobernante estadounidense se apresura a entablar cordiales relaciones. Son ejemplos de una época pero no excepciones. Los venideros, Truman, Eisenhower, Kennedy, Johnson, también son demostrativos de que en política exterior los presidentes norteamericanos no siempre ordenan lo que quieren, sino lo que les permiten hacer.

A la Gran Bretaña como inversionista en algunas zonas de América, sobre todo en el Cono Sur, se unía con fuerza inusitada la Alemania fascista. Estados Unidos sabía que Alemania pujaba por obtener *áreas de influencia* en el continente. Preocupación que el propio Sumner Welles expresara: *Comercialmente Alemania, de la Europa Central y los Balcanes, había extendido su comercio basándose en trueque con repúblicas de Centro y Sudamérica y obtuvo preferencia comercial a otras. Alemania logró una posición financiera y comercial dominante que no solamente aumentó su influencia en tiempo, aumentó también su poder político en dichos países.*

En este terreno Alemania sí encontraría resistencia. Que invadieran Austria, Checoslovaquia, que deseasen someter a la Unión Soviética no era de la incumbencia de Roosevelt, de sus monopolios, pero que intentasen disminuir sus pingües ganancias en su *mare nostrum* no se podía tolerar.

Un influyente profesor norteamericano, Spykman, de aquella época explicita más aún: *El Gobierno de Washington no se dejó convencer por ninguna declaración de que Alemania no tenía in-*

terés por los asuntos de América Latina. [...] Aceptó el reto de disputarse la adhesión de América Latina y decidió emprender la contraofensiva.

No podremos estar seguros de recibir de la América Latina las materias esenciales —agregó—, *si no sabemos neutralizar el poder que tendría una Alemania victoriosa para dictar la ley a los vecinos del Sur. En caso de victoria germano-japonesa en el Mundo Antiguo, no podría haber industria de guerra en Norteamérica sin libre acceso a las minas y campos del continente meridional, de ahí que la pugna por obtener la hegemonía de la América Latina sea una de las más importantes fases de la* Segunda Guerra Mundial.

La Ley Seca

Ahora bien, cuando en 1932 Roosevelt se había presentado a las elecciones presidenciales, las ideas de J. P. Kennedy aún eran muy vagas, pues el mensaje del candidato, asegurar a los estadounidenses un nuevo reparto, no le decía mucho. Pocos sabían a ciencia cierta cómo se traduciría en la práctica. Pese a ello, J. P. Kennedy, que admiraba al presidente republicano Hoover, se decantó por el candidato demócrata, a quien conocía desde años atrás. Como muestra de su apoyo le *regaló*, para gastos de la campaña, 15.000 dólares y le prestó 50.000 más. Hizo más. Habló a sus amigos de lo beneficioso del programa que pretendía poner en marcha, tan pronto ganase las elecciones. Todo hace indicar que convenció al padre Coughlin, sacerdote muy influyente entre los medios católicos, y a William R. Hearst, uno de los magnates de la prensa. De creer en esta versión de los hechos, habría sido, en definitiva, el principal artífice de la investidura de Roosevelt para la convención demócrata de Chicago. Una vez que su candidato se ha convertido en presidente de los Estados Unidos, el hombre de negocios espera su recompensa.

Su aspiración primera era desempeñar el importantísimo cargo de secretario del Tesoro, para el que se siente capacitado, tal como lo corroboraba su propia trayectoria personal. Pero Roosevelt temió depositar en sus manos tan importante departamento y nombró a William Woodin. Frustrado por ese revés, decidió realizar un viaje por Europa. Cuando la prensa le preguntaba cuáles eran los motivos para ese repentino viaje, respondía: *Placer, sólo placer.* Pura estratagema diversionista. Ya era sabido que una de las intenciones del candidato demócrata era derogar la *Ley Seca.*

¿Qué era la *Ley Seca*? ¿Qué beneficios podría obtener cuando ésta desapareciese? Recordaremos que a comienzos de 1920 los Estados Unidos rurales se habían anotado un resonante triunfo cuando entró en vigor, en enero de 1920, la XVIII Enmienda, que prohibía *la fabricación, venta y transporte de licores intoxicantes.* La prohibición permitió a los campesinos protestantes hacer presión sobre los nuevos norteamericanos de las ciudades. Uno de los partidarios de la *Ley Seca* aseveró: *Nuestra nación sólo puede salvarse volviendo a la pura corriente del sentimiento de los campos y la moral de las aldeas para inundar las letrinas de las ciudades y salvar a la civilización de la contaminación.* En las ciudades la oposición a la prohibición, que en un tiempo había sido más enérgica entre los obreros nacidos en el extranjero, cundió por todas las clases sociales, y la sed de licores se convirtió en una filosofía de la *libertad personal.* Mencken afirmó que la prohibición había causado sufrimientos sólo comparables a los de la Muerte Negra y la Guerra de los Treinta Años, y el presidente del Instituto Carnegie de Tecnología dijo ante un comité del Senado que el ron es *una de las mayores bendiciones que Dios ha dado a los hombres del seno de la Madre Tierra.* Los estados con una numerosa población urbana sabotearon las leyes de la prohibición, así como los Estados del Norte habían anulado las leyes de esclavos fugitivos. Los agentes de la Oficina de Prohibición entraron en contubernios corrompidos con traficantes como el criminal de Chicago, Al Capone, y hubo una descomposición no sólo de la ley, sino del respeto a la ley.

Los dos grandes partidos políticos trataron de evitar la espinosa cuestión, pero no lo lograron. Los republicanos, que eran más fuertes entre las comunidades rurales protestantes, se inclinaban a apoyar lo que Hoover llamaba *un experimento noble en sus motivos y trascendental en sus propósitos.* Los demócratas se hallaban en una disyuntiva. Su fuerza tenía iguales proporciones entre los votantes rurales del Sur y del Oeste, que eran inquebrantablemente *secos,* y los votantes del Norte industrial, incurablemente *húmedos.* En el Nordeste, los dirigentes demócratas reflejaban la rabia de los norteamericanos nacidos en el extranjero, o de segunda generación, ante las actitudes moralistas de los *secos. Un gobierno que se declara contra el fundador del cristianismo no puede sobrevivir,* declaró el senador David I. Walsh, de Massachusetts. *Si Cristo volviera a la tierra y volviera a realizar el milagro de Caná, sería encarcelado y posiblemente crucificado de nuevo.* Esta división casi escindió el partido en 1924 y afectó profundamente el resultado de la elección de 1928.

La *Ley Seca*, basada en la Enmienda XVIII, efectiva el 16 de enero de 1920, resultó imposible de hacer cumplir. Se confiscaron miles de destilerías ilegales, se destruyeron miles de litros de vino y licores, y las sentencias de cárcel por delitos relacionados con el licor ascendieron a más de 40.000 en 1932, momento en el que las prisiones federales se encontraban a punto de reventar. Nunca hubo suficientes agentes para hacerla cumplir. La mayoría estaban mal pagados, por lo que eran susceptibles al soborno. Otra dificultad fue el grado de oposición popular, que consideraba la prohibición una violación intolerable de la libertad personal y simplemente la desafiaban. La evasión tomó formas ingeniosas. Los contrabandistas de licores pasaron bebidas de las Indias Occidentales y las Bahamas a través de la frontera canadiense y mexicana. El alcohol industrial se redestilaba y se convertía en ginebra y whisky sintéticos, algunos venenosos e incluso letales. Las destilerías domésticas fabricaban *moonshine* (licor) y *mountain dew* (whisky) ilegales, cervecerías individuales sin cuento fabricaban su propia cerveza o hacían ginebra en la bañera.

La peor consecuencia de la prohibición, refiere W. Jones, fue estimular el crimen organizado. Atraídas por los ingentes beneficios, las bandas del hampa se propusieron controlar el negocio del licor ilegal. Establecieron sus propias cervecerías, destilerías y redes de distribución, se rodearon de ejércitos privados, intimidaron o asesinaron a los competidores y obligaron a los propietarios de tabernas clandestinas a pagar su *protección*. Una vez conseguido el monopolio del licor, las bandas se derivaron a otras *ocupaciones* como el juego, la prostitución y los narcóticos, y también hicieron presa de negocios legítimos. Sus alianzas corruptas con políticos, policías y jueces les permitieron dominar ciertos gobiernos municipales. Estos métodos explicaron el ascenso de Al Capone, el principal extorsionista de Chicago, cuyas depredaciones le producían, en 1927, 60 millones anuales. Las luchas de bandas eran comunes durante su máximo apogeo; hubo más de 500 asesinatos entre las bandas en Chicago de 1927 a 1930, casi todos impunes.

En las elecciones de 1932 los demócratas apoyaron la derogación y, una vez que ganaron, el Congreso aprobó de inmediato la Enmienda XXI, que revocaba la XVIII. En diciembre de 1933 ya se había ratificado y el control sobre las bebidas regresó a los estados. Sólo siete de ellos, la mayoría del Sur, votaron mantener la *Ley Seca*.

El prohibicionismo y el antievolucionismo eran parte de un movimiento más amplio que pretendía que mediante la ley se obligara al cumplimiento de las directrices morales e intelectuales. La legislación estatal ya había prohibido varias actividades seculares el día de descanso, había proscrito la mayoría de las formas de juego y había restringido o prohibido la diseminación de la información sobre el control de la natalidad y la venta de mecanismos anticonceptivos. Ahora llegó una nueva cosecha de proscripciones, algunas de ellas extravagantes. Unos cuantos municipios prohibieron *los trajes de baño indecentes*, muchos estados hicieron delito *acariciarse*, junto con las relaciones sexuales extramaritales. Todo lo que las autoridades consideraban obsceno o inmoral era susceptible de ser requisado o suprimido. Las autoridades aduaneras se negaron a permitir la importación de las obras de Ovidio y Rabelais, el *Cándido* de Voltaire y el *Ulysses* de James Joyce; el fiscal del distrito de Los Ángeles cerró la gira de representaciones de *Desire Under the Elms (Deseo bajo los olmos)*.

Ahora, en 1932, unos meses antes de la casi segura reelección de Roosevelt, J. P. Kennedy decidió viajar «por placer». Casualmente su escala más prolongada fue Gran Bretaña, donde entabló arduas conversaciones con importantes fabricantes de whisky, como Dewar y Haig, y de ginebra, como Gordon. El tiempo consumido se revirtió en un compromiso: en caso de que la prohibición del alcohol cesara en los Estados Unidos, él, Joseph Kennedy, sería el único distribuidor de esas bebidas en aquel vasto mercado. Evidentemente, la información previa se hizo realidad. Brotó ante él un nuevo manantial de riqueza que coronaba, en cierta medida, su sentido de las realidades políticas y de los negocios comerciales. Conservó esta concesión en exclusiva hasta 1946.

En el verano de 1934, finalmente Joseph Kennedy recibió una propuesta de la Casa Blanca. Se trataba de ocupar un cargo importante en la Administración federal. No como secretario del Tesoro, pero sí la presidencia de la Comisión sobre las Operaciones Bursátiles, la Securities Exchange Comisión (SEC). Los liberales calificaron de grotesca, monstruosa y totalmente increíble la elección, por cuanto sería un tiburón de las finanzas dictando leyes a los demás tiburones. No les satisfacía que el advenedizo irlandés, que había hecho fortuna con métodos nada claros y de amigos tan diferentes como el cardenal Pacelli (futuro Pío XII) o William Randolph Hearts, magnate de las comunicaciones, escalara posiciones políticas tan importantes. Lo cierto es que P. J. Kennedy, a pesar de su fortuna millonaria, siempre fue admitido con reservas por el ámbito de los negocios o por los liberales, que le consideraban un especulador y aventurero. En más de una ocasión se le oyó gritar irritado: *He nacido en este país, mis hijos nacieron aquí. ¿Qué diablos he de ha-*

cer para ser americano? El nombramiento provocó cierta agitación, especialmente entre los partidarios progresistas del *New Deal*. Les resultaba contradictorio que para reformar las prácticas bursátiles Roosevelt acudiera a un hombre de negocios, sobre el que también pesaba la responsabilidad de la crisis, a uno de esos empresarios que la sociedad americana identificaba —en esos momentos de paro, de inestabilidad social, de miseria— como personajes ahítos de dinero a expensas de sus sufrimientos. Roosevelt no cedió a las presiones. ¡Tenía que pagar las deudas contraídas!

En 1935, J. P. Kennedy abandonó el cargo con la convicción de haber cumplido con su deber. No permaneció ocioso por mucho tiempo. Se introdujo nuevamente en el mundo de los negocios. Asumió la dirección financiera de la RCA. Y he aquí que comenzó la segunda campaña presidencial de Roosevelt. Kennedy desempeñó de nuevo un papel activo. Redacta un folleto cuyo título resumía su criterio: *I'm for Roosevelt (Estoy junto a Roosevelt)*. En sus páginas defendía la mayoría de los planteamientos del *New Deal* y acusaba a algunos de los grupos poderosos y ricos de *prejuicio irracional, fanático, ciego, contra el presidente*. Roosevelt consideró que el libro le sería útil para la campaña. Era el testimonio, muy valioso en aquella época, de un conocido hombre de negocios que apoyaba el anterior ejercicio legislativo, en tanto que otros mostraban sin tapujos su hostilidad hacia las reformas emprendidas o prometidas. Kennedy concluía: *No me mueve ambición política de ninguna clase para mí ni para mis hijos, y escribo estos juicios acerca de nuestro presidente movido solamente por mi responsabilidad como padre y mi preocupación por el futuro de mi familia, y mi temor como ciudadano de que intereses egoístas y sentimientos mezquinos hagan olvidar los valores positivos en las ideas del presidente*. Sobre esta última desinteresada observación, cabe al lector sacar sus propias conclusiones.

Resultaba de conocimiento público que Joseph gustaba de motivar las discusiones políticas a la hora de comer, especialmente entre él y los hijos mayores. Su pensamiento conservador lo defendía en ocasiones de manera áspera y dura, pero admitía que expresaran ideas diferentes. A pesar de esa libertad, las opiniones del patriarca, fundamentadas y llenas de fuerza, condicionaban el sentir de los chicos. Es obvio que en esa etapa, el padre usó la influencia que podía ejercer sobre los hijos en sentido liberal, entendiendo por liberal en este caso estar de acuerdo con que el gobierno limite los abusos financieros y proteja con medidas de seguridad social las clases económicamente débiles.

Jack no se interesó particularmente por los comicios de 1936. Aunque desde luego prefería Roosevelt a Alfred Landon, nada parece indicar que viese en el presidente a un héroe. Leyó muchísimo en esos dos años de colegio, pero sus lecturas predilectas no eran obras de actualidad sino libros de historia y biografías de grandes hombres.

Capítulo IV

EN EUROPA

J. F. K.: Sus estudios en Harvard

A los dieciocho años, al salir de Choate, Jack Kennedy era un chico alto, flaco, nervioso, con cara alargada, nariz respingona y un mechón rebelde de cabello en la frente que trataba inútilmente de dominar con lociones. Era guapo, pero no tanto como Joe, que tenía una cara ancha, abierta, y radiaba simpatía irlandesa. Joe pasó a Harvard después de haber conseguido honores escolares y deportivos en Choate que Jack no pudo igualar. Jack escogió la Universidad de Princeton, en lugar del alma mater de su padre y hermano, en parte porque la mayoría de sus compañeros iban a Princeton y en parte por librarse del despótico dominio de Joe, según aseguró su biógrafo Burns.

En Choate su trabajo intelectual dejó mucho que desear. Se interesó bastante por el inglés y la historia, pero el latín, la química y la biología le aburrieron profundamente. Sin embargo, gustaba de leer diariamente el *New York Times* y, con especial interés, los artículos referidos a la política extranjera.

Su padre, rememora Koskoff en su excelente libro *Joseph P. Kennedy. Forjador de una dinastía* política, decidido a que *Jack* aprovechara el verano antes de ingresar en la universidad: lo mandó a la London School Economics para estudiar con el famoso profesor socialista Harold J. Laski, a quien había conocido en Boston. Deseaba que *Jack* conociera el abigarrado ambiente cosmopolita de Londres con sus laboristas, sus refugiados europeos, sus radicales procedentes de las colonias, altos funcionarios del Imperio Británico, etc. Joe Jr. había ya estudiado con Laski, quien había tomado cariño a ese chico serio y entusiasta. ¡Extraña iniciativa! Laski es socialista, agnóstico y judío. Nada hay en él que pueda atraer a un hombre de negocios irlandés. Pero Kennedy piensa que sus hijos han de conocer las ideas que circulan fuera de su medio. Como están llamados a administrar una fortuna nada desdeñable, harán bien en reflexionar sobre las teorías contrarias a sus intereses. Conviene, sobre todo, saber lo que quiere el adversario. Y, además, Laski es una celebridad. Acudir, aunque sólo sea por unas semanas, a la School of Economics confiere una determinada imagen y un prestigio indudable. John parte para Londres a finales de la primavera de 1935. Pero de nuevo cae enfermo. Regresó a Estados Unidos sin haber podido aprovechar demasiado las lecciones de Laski.

En otoño de 1936, *Jack* volvió a Boston después de casi diez años de ausencia. El abuelo Kennedy había muerto en 1929, pero el abuelo Fitz seguía con la misma vitalidad y actividad política de siempre y se sintió encantado de tener de nuevo a *Jack* y a Joe con quienes paseaba y asistía a partidos de rugby.

Su familia se inclinó por Harvard. Su padre era un ex alumno de la Universidad y su hermano estaba estudiando en ella. Pero prefiere Princeton para poder seguir a su mejor amigo, Lem Billings, y donde además estaría libre de las comparaciones con su hermano mayor. Pero apenas comenzó su año universitario se vio aquejado de hepatitis. Se restablece, pero sufre una recaída. Finalmente, renuncia a Princeton y se inscribe en Harvard, en 1936.

Al decir de aquellos que le han conocido en esta época, John era un deportista que hacía meritorios esfuerzos para figurar en primera línea. Contrariamente a su hermano mayor —un atleta que parecía dotado para convertirse en una gran figura—, John se aplica a correr lo más rápidamente posible, nadar las 50 yardas en menos de 30 segundos, a acceder al primer equipo de fútbol. Juega también al golf, al tenis y practica el remo. En la propiedad familiar de Hyannis Port encuentra la posibilidad de practicar deporte, especialmente la navegación a vela. Sus resultados no le descorazonan nunca.

Los primeros dos cursos fueron en cierta manera una réplica de su vida en Choate. Los deportes seguían apasionándole mucho más que los estudios. Jugaba con encono, sin dejar el partido hasta el final. Sin embargo, era bastante enfermizo.

La natación era su deporte favorito. Un compañero de estudios recordaba que en cierta ocasión *Jack* hubo de ser hospitalizado con una gripe maligna poco antes de un campeonato de natación contra Yale. El día del concurso se escapó de la enfermería; nadó frenéticamente y perdió.

En su primer curso las materias principales eran literatura, gramática inglesa, francés, historia y economía. Sus calificaciones no pasaron de un aprobado bajo excepto en economía, en que consiguió notable. Al acabar el curso era uno de los peores estudiantes entre los aprobados. El año siguiente no fue mejor y consiguió cuatro aprobados, un suspenso y un notable. Sus preferencias eran la Historia y Economía Política, sobre las cuales leía mucho por su cuenta, especialmente sobre historia y biografías americanas. Sus profesores le consideraban un estudiante agradable, brillante, despreocupado. Uno de sus profesores hacía la siguiente observación: *Kennedy puede obtener logros cuando se pone a trabajar. Incluso con una preparación poco sólida, el conjunto de sus capacidades puede ayudarle. Es excelente muchacho.*

Lo que el joven Kennedy *no hizo* en Harvard fue más significativo que lo que hizo. Harvard, como las otras universidades, era un crisol de nuevas ideas, agitación política, de espíritu de rebeldía contra padres y jerarquías. En los años 30 más que en época anterior alguna, los estudiantes se apasionaban por la situación internacional y la política; se agolpaban, en torno a la radio, para oír las charlas, junto al fuego, de Roosevelt, o para tratar de entender las frenéticas diatribas de Hitler en Nuremberg; leían ávidamente *The Nation, New Republic, New Masses*, e intentaban reorganizar la Universidad, emplearse en cafeterías y fábricas, quemaban retratos de connotados fascistas y de otros dictadores, formaban cuerpo de veteranos de futuras guerras, desfilaban para mostrar su indignación por el estado de cosas, y a veces acababan en la cárcel por disturbios callejeros. Pequeños grupos de radicales, liberales, socialistas, pacifistas y comunistas aparecían en todas partes, y sus miembros se reunían para sostener apasionadas discusiones hasta altas horas de la madrugada.

Kennedy se mantuvo al margen de la política. No militó en organización alguna de estudiantes: ni la *Harvard Liberal Union* ni los *Young Democrats.* Ni liberal ni intelectual. Sus esfuerzos que deja de invertir en los estudios los emplea, enérgica y constantemente, en la práctica del deporte que refuerza en él el gusto por la competición, el placer de la lucha y de la victoria. Se dedicó a ello con tanto vigor que en el transcurso de un partido de fútbol americano cayó bruscamente de espaldas, tras un brutal choque frontal con el contrario, y sufrió una grave lesión que arrastraría durante toda su vida.

Su tiempo libre lo dedicaba a estrechar las relaciones sociales: se inscribió como miembro del Club Católico de San Pablo y fue elegido miembro del Winthrop House, del Harvard Crimson, del Spee Club y del Hasty Pudding —clubes tradicionales de ocio a los que su padre ya había pertenecido—. Y, por extraño que parezca, la política práctica no le interesaba mucho, ni el *New Deal* tampoco. Un profesor de economía política de Harvard recuerda que Kennedy al tener que escribir un trabajo de investigación exigido para su asignatura, escogió por tema a un declarado enemigo del *New Deal*: Bertrand Snell, político republicano conservador del Estado de Nueva York, quien había dedicado gran parte de su vida oficial a combatir el poder público.

El tercer curso le resultó un poco más provechoso y de su gusto. Su hermano mayor ya había acabado dejando una excelente reputación de futbolista, calificaciones escolares brillantes y gran popularidad. Ahora estaba en la Escuela de Derecho de Harvard. *Jack* estaba contento, además, porque ahora compartía la habitación con Torbert Macdonal, popular jugador de fútbol de Harvard, y no sufría la sombra de Joe.

En el verano de 1936, el joven John Fitzgerald Kennedy decidió realizar, en compañía de su amigo Lem Billings, un periplo turístico —político— informativo por Francia, España e Italia, en el cual tuvo la oportunidad de conocer los cambios que se estaban produciendo en esas naciones. Ya había viajado mucho antes, pero su espíritu de observación estaba ahora en mejores condiciones intelectuales para captar la esencia y no el fenómeno de las cosas que le rodeaban. Asistió a una corrida de toros, subió al Vesubio, se las compuso para jugar en Montecarlo, a pesar de lo mal que hablaba el francés. *Jugué con fichas de cinco francos junto a una mujer que jugaba fichas de 40 dólares, que se quedó muy desconcertada al ver que yo ganaba 120 cuando ella perdía unos 500 dólares,* escribió a su padre triunfalmente. Habló con periodistas, diplomáticos, chicos que viajaban haciendo autostop. Admiró el corporativismo fascista italiano, *porque por lo visto a todo el mundo le gusta en Italia.* Desde España, escribió a su padre un estudio imparcial de las ventajas e inconvenientes que una victoria republicana reportaría para Gran Bretaña.

Le impresionó mucho, escribía, darse cuenta de la casi total ig norancia del 95 por 100 del pueblo americano referente a la situación de aquí. Por ejemplo, mucha gente en los Estados Unidos es partidaria de Franco y, aunque considero que sería quizá mucho mejor para España que Franco triunfase —porque esto devolvería al país unidad y fuerza—, al principio era el gobierno quien tenía moralmente razón, y su programa era similar al del *New Deal*... Su actitud hacia la Iglesia era solamente una reacción contra el poder de los jesuitas, realmente excesivo —la Iglesia se inmiscuía demasiado en asuntos del Estado y viceversa—. En América, añadía, todo el mundo tenía demasiados prejuicios para poder formarse una opinión imparcial. La situación económica de las personas parece determinar sus ideas políticas, y hasta los periodistas extranjeros vienen todos con ideas previas debido a que aquí los diarios son instrumentos de los partidos políticos.

En Roma, donde es recibido en audiencia por el Papa, encuentra a una persona excelente muy conocida por sus padres: el cardenal Pacelli. El fascismo no le resulta chocante. Observa que el sistema de corporaciones parece gustar *a todo el mundo en el país.* ¿La Francia del Frente Popular? *La impresión general* —observa— *es que, al parecer, Roosevelt gusta aquí a todo el mundo si bien su manera de gobernar no prosperaría en un país como Francia, ya que, al parecer, Francia no tiene capacidad para ver el problema como un todo. No les gusta Leon Blum, ya que les saca el dinero para dárselo luego a los otros. Para un francés es* très mauvais *[«muy malo», en francés en el texto].* Estas anotaciones, por breves y discutibles que sean, atestiguan un interés creciente por los asuntos públicos. El joven cotejó sobre el terreno que el objeto de los estudios universitarios no se sustentaba en una fundamentación abstracta, sin relación con el acontecer cotidiano, sino que, por el contrario, se nutría de una realidad compleja y rica en matices.

Tal fue el impacto, que hizo saber a su padre que lo importante no era tanto lo aprendido en el viaje, sino la comprensión que hasta ese momento había hecho dejadez de los estudios. Se prometió esforzarse a partir de entonces. En todo caso, el incentivo tardó más de un año en dejarse sentir en su trabajo en Harvard. Sus calificaciones mejoraron, probablemente porque ahora los relacionaba de manera más directa con los hechos presenciados en Europa.

Hizo progresos en economía política, y muy especialmente en derecho internacional. Incorporó a sus lecturas otros temas: nacionalismo, fascismo, colonialismo, y mantuvo especial seguimiento a la situación internacional en los periódicos. En aquella época, la línea editorial de los periódicos estadounidenses tendía a incrementar las dudas de los pensadores políticos acerca de la bondad básica del hombre y del futuro de la raza humana.

Hacia Inglaterra

La victoria de Roosevelt en los comicios de 1936 fue aplastante. Una vez más, Kennedy padre colabora monetaria e intelectualmente. Como retribución a ese apoyo público y privado, Franklin D. Roosevelt, al comienzo de su legislatura (1937) le nombró presidente de la Comisión Federal de la Marina Mercante. Le resultó muy frustrante, pero aceptó cumplimentar esa tarea. Era notorio que su sueño era representar al Gobierno estadounidense en una embajada, y quién sabe si, para lavar la humillación de sus antepasados, añoraba la más prestigiosa de todas para un americano y para un irlandés: la de Londres, la cual sólo podía ocupar un hombre rico por cuanto el sueldo resultaba insuficiente para afrontar los cuantiosos gastos de representación.

A la par que dedicó su tiempo a la Marina, Joseph Kennedy movió sus hilos. De maneras diferentes hizo llegar sus objetivos al presidente. Le presionó, pero siempre a hurtadillas, entre cabildeos. ¡Y le llegó la hora! La noticia, oficiosa a mediados de 1937, se confirmó poco después: Kennedy, nuevo embajador en la corte de Saint James. Era la consagración. Con sus nueve hijos (raras veces juntos, debido al desarrollo de sus estudios), los Kennedy-Fitzgerald se instalaron en Londres. Allí permanecerán durante dos años.

En medio de la crisis que amenazaba a Europa y al mundo entero, y que estallará luego, J. P. Kennedy ocupaba un puesto clave. El embajador se inclinaba a los partidarios de la política de *appeasement.* Muchos yanquis de Boston se quedaron estupefactos. ¿Joe Kennedy, irlandés y católico, en la corte inglesa? El presidente debía haberse vuelto loco. Claro que, bien pensado, ¿qué cabía esperarse de un hombre que, supuestamente, ha traicionado a su clase? También los irlandeses de East Boston estaban consternados. ¡Imagínese al chico de Pat Kennedy vestido de gran gala haciendo reverencias ante el rey Jorge!

Este cargo, el más alto en el mundo diplomático —en ese momento, hoy es en la ONU—, encumbró a Joseph hasta las más elevadas esferas sociales de ambos continentes. Para él aquello representaba, después de años de lucha, haber alcanzado el máxime encumbramiento a que le era dable aspirar. Su posición significaría también ventajas sociales para sus hijos. Sus hijas mayores eran ya agraciadas jóvenes, altas y morenas, y atraían la atención de jóvenes aristócratas británicos. En su estancia, Kathleen conoció al marqués de Hartington, heredero de los duques de Devonshire, y se enamoraron el uno del otro.

Joseph Kennedy alcanzó también lugar preeminente en su iglesia, según uno de sus biógrafos, D. E. Koskoff. Padre de una familia católica modelo, marido de una mujer profundamente piadosa, había contribuido con fuertes sumas a hospitales y otras obras benéficas católicas. Pronto le nombrarían Caballero de Malta y Comendador de la Orden de Pío IX. Sin embargo, existía cierta duplicidad en su actitud hacia la Iglesia. Había mandado a sus hijas a escuelas católicas, pero no a sus hijos. Por lo visto, consideraba que las chicas debían ser educadas y formadas enteramente dentro del ambiente y valores católicos, pero para sus hijos deseó una educación laica que les preparase para triunfar en la vida.

La familia iba dispersándose cada vez más geográficamente, pero no psicológicamente. Los hermanos mayores solicitaban apadrinar el bautizo de los menores. El clan seguía reuniéndose, cuando podía, en Cape o en Palm Beach, y disputándose encarnizadamente la victoria en partidos deportivos o en juegos de salón. Cuando los padres fueron a Londres, Joe y *Jack* frecuentaron la Embajada en Grosvenor Square tanto como pudieron. Por aquella época, el padre constituyó para cada uno de sus hijos un capital independiente de más de un millón de dólares: *Lo hice*, diría más tarde a un periodista, *para que mis hijos no se sintieran ligados por la dependencia económica si tenían ganas de enfrentarse conmigo y mandarme al diablo alguna vez.* Pero en realidad lo que deseaba era asegurarles contra las vicisitudes del futuro, si los negocios le fueran mal.

Así, en los años que precedieron a la Segunda Guerra Mundial, los Kennedy parecieron tenerlo todo —dinero, educación, inteligencia, salud, categoría dentro de la sociedad, de la iglesia y del país. Representaban algo nuevo en América—: el triunfo final de los inmigrantes sobre la vieja aristocracia yanqui. Sin embargo, les faltaba algo, quizá raíces en alguna parte. Vivían en todas partes y en ninguna. Al ir a vivir el nuevo embajador en Londres, no hizo más que añadir un nuevo punto de residencia, y una nueva mansión a las que ya poseía en Florida, Massachusetts, y a sus departamentos y suites de hotel en Boston, Nueva York, Chicago y otros centros. La familia había dejado la casa de vecindad de Boston muy lejos sin fijarse en ningún edificio concreto ni asimilarse a grupo alguno. Aunque formaban parte de la promoción encumbrada con el *New Deal*, se habían ido apartando de los principios de éste; aunque formaban parte de la minoría más rica del país, políticamente disentían de ella. Aunque se relacionaban con las más elevadas esferas sociales, no eran enteramente aceptados en las mismas. Aunque católicos practicantes, no estaban dispuestos —al menos los hombres de la familia— a seguir en todo las directrices de la Iglesia católica.

Fue quizá este desapego lo que explica una de las más duras y sabias decisiones de Joseph Kennedy: mandar a sus hijos mayores a estudiar en Londres con Harold Laski, quien, como judío, socialista, agnóstico y dogmático estaba en las antípodas del embajador. Sólo un hombre con absoluta confianza en que sus hijos no se dejarían influenciar por corrientes políticas contrarias al *sistema americano* habría hecho eso. Y él lo estaba. Efectivamente, a finales de la década las ideas de Joe eran casi la réplica exacta de las de su padre, demócrata pero no *new dealer*, socialmente conservador con tendencia al aislacionismo.

Pero, ¿y *Jack*? *Jack* era más independiente y parecía aún más apartado de todo grupo que su padre o Joe. Despierto, inquisitivo, receptivo, pero algo distante, miraba al mundo con irónicos ojos interrogadores.

El volcán europeo

Aproximadamente por la época en que J. F. K. iniciaba su tercer curso, en septiembre de 1938, los representantes de Gran Bretaña, Neville Chamberlain; de Francia, E. Daladier, y de Italia, Benito Mussolini, cedían los territorios de los alemanes de los Sudetes a Adolfo Hitler, también firmante del conocido como *Pacto de Munich*, pensando que las ansias expansionistas del Führer se calmarían y no amenazaría nuevas zonas del territorio europeo. Fue el inicio de una escalada expansionista del nazismo, que terminaría con la invasión de Polonia y el comienzo de la Segunda Guerra Mundial en septiembre de 1939.

Esta ingenuidad de los mandatarios inglés y francés sería una de las bases que J. F. Kennedy utilizaría como premisa para su tesis de Harvard, *Why England Sleep*.

Mientras *Jack* estudiaba Relaciones Internacionales en los meses de otoño, el Führer planteaba el aislacionismo militar y económico y el dominio del Danubio y de los Balcanes. Mientras los americanos discutían problemas internos, los europeos hacían los últimos preparativos de guerra. Miles de jóvenes de su edad dejaban estudios y trabajo; pronto les seguirían millones.

Los años de guerra pondrían a prueba el desapego e imparcialidad con que *Jack* había enfocado las causas y apasionamiento de la época del *New Deal*. Esos años serían terribles para otros miembros de la familia. El padre, enemigo al mismo tiempo del nazismo y de que los Estados Unidos lo combatieran demasiado, se atrajo los odios de uno y otro campo.

Pocas semanas después en Munich, el embajador Kennedy dijo a la *Britain's Navy League* que las democracias y los regímenes totalitarios, en vez de ahondar sus diferencias, debían solucionar sus problemas comunes restableciendo las buenas relaciones internacionales. *Después de todo, hemos de convivir en el mismo mundo, tanto si nos gusta como si no nos gusta.* Este discurso, *si bien fue mal acogido por los judíos, etc., fue muy alabado por cuantos no eran fanáticos antifascistas, aunque es verdad que la gente siente gran prevención contra las medidas de seguridad colectiva y no se da cuenta de la situación de Inglaterra, por culpa de los artículos que se escriben.* En la misma carta, *Jack* contaba algunos dichos que corrían acerca de los Kennedy. *Esta noche será una gran noche para la política de Boston, porque el honorable John F. Fitzgerald pronunciará un discurso en honor de su buen amigo James Michael (Curley). De las necesidades políticas nacen curiosas amistades.*

Pero las intrigas de Boston y los chistes políticos eran menudencias bien insignificantes en aquel invierno de 1938-1939. *Jack* seguía con atención los preparativos de guerra europeos. Deseoso de presenciar los acontecimientos en su propio escenario, obtuvo permiso en Harvard para pasar el segundo semestre en Europa, y cruzó el Atlántico a finales del invierno de 1938, poco antes de anexionar los nazis cuanto quedaba de Checoslovaquia. Después de pasar la primavera en París, fue a Polonia, donde estuvo dos o tres semanas, luego a Riga, Rusia, Turquía, Palestina y regresó por los Balcanes, Berlín y París. Pasó también directamente en varias oportunidades por Londres para informar directamente a su padre. En su gran vuelta a Europa en vísperas de la guerra utilizaba las embajadas norteamericanas como paradores y puestos de observación.

Fue así el huésped del embajador en Francia, William Bullitt —la Embajada en París era tan enorme que le pareció vivir en una casa de pisos, dijo *Jack*—, del embajador Anthony Biddle en Moscú, de Charles Bohlen, alias *Chip,* entonces segundo secretario de la embajada en Rusia.

Su padre, cuyo cargo hacía posibles tales contactos, exigía de él solamente una condición: que le mandara informes detallados de cada capital. El joven cumplió escrupulosamente esta condición. La calidad literaria de tales informes era mediocre, y su ortografía atroz; pero en cambio ofrecía una visión fríamente imparcial de la situación. Se entrevistó con representantes de todos los partidos a fin de conseguir un enfoque equilibrado. En Varsovia, por ejemplo, visitó a periodistas, diplomáticos *y a muchos polacos, ricos y pobres.* En Danzig conversó con un conocido senador y con los cónsules de Alemania, Gran Bretaña, Noruega y Estados Unidos. En una carta de 2.500 palabras *Jack* resumía ponderadamente los puntos de vista alemán y polaco respecto a Dantzig.

Probablemente, de lo que estoy más convencido es de que, con razón o sin ella, los polacos se lanzarán a la lucha por la cuestión de Danzig, concluía.

Rusia le impresionó como un país *bárbaro, atrasado, grosero, desesperadamente burocrático*, según recordaría más tarde. Tomó un avión ruso, que llevaba uno de los cristales de las ventanas roto —lo cual no parecía molestar a nadie— y se tuvo que sentar en el suelo. Un viento polvoriento soplaba en las calles más importantes de grandes y tristes ciudades. Visitó Leningrado, Moscú y Crimea antes de embarcar hacia Estambul. A partir de Jerusalén, escribió a su padre otro largo informe, que en parte era un estudio histórico de las relaciones británico-arábigo-judías, y concluía diciendo que la política británica parecía razonable y justa, pero que allí no se necesitaba una política razonable y justa, sino *un sistema que dé resultado*. Admitió, sin embargo, que *me he vuelto más anglófilo aquí que en todas mis visitas a Inglaterra juntas...*

En cuanto a los alemanes, su odio hacia los ingleses era implacable. Kennedy y dos de sus amigos visitaron, en Munich, la tumba de Horst Wessel, considerado una de las figuras más importantes del movimiento nacionalsocialista. Era jefe de una Sección de las S.A. en Berlín, cuando murió, a los diecinueve años, en un enfrentamiento callejero con grupos antifascistas. Por confusión, son agredidos por jóvenes alemanes que, a causa de la matrícula de su automóvil, les tomaron por ingleses. Kennedy sacó la conclusión de que la juventud alemana se identificaba plenamente con la orientación política de Hitler. Se encontraba en Berlín durante la segunda quincena de agosto de 1939. El encargado de negocios norteamericano le confió una información secreta con el ruego de que la transmitiera al embajador Kennedy. La guerra comenzará tres días después del aniversario de la batalla de Tannenberg, es decir, el 30 de agosto. La previsión resultó errónea en dos días.

La candente situación reforzó en John Kennedy la convicción de que Estados Unidos tenía que mantenerse apartado del conflicto. En este sentido, compartía la opinión de su padre.

La tempestad que venía formándose descargó sobre Europa poco después de haber acabado *Jack* su viaje, cuando se hallaba con su padre en la embajada en Londres. El 1 de septiembre, los nazis, rechazando todo posible arbitrio acerca de Danzig, invadieron territorio polaco e iniciaron la marcha hacia Varsovia. Gran Bretaña y Francia cumplieron las promesas hechas a Polonia y declararon la guerra. Rusia permaneció neutral; las naciones *atrasadas* fueron más listas que las democracias occidentales en el campo de la política internacional; al menos por un tiempo.

A *Jack* le alcanzaron algunas ráfagas de aquella gran tempestad. Estaba en Londres. A principios de septiembre, los torpedos alemanes echaron a pique el vapor británico *Athenia*, y los sobrevivientes norteamericanos fueron transportados a Glasgow. Su padre le pidió que fuera a Escocia para que le informase cómo ayudar a sus conciudadanos. Los encontró muy angustiados. Al asegurarles que un buque americano les conduciría a los Estados Unidos, gritaron: *Queremos un convoy: ¡uno no puede fiarse de la maldita marina alemana! Jack* no pudo hacer más que volver a Londres y decirle a su padre que debían enviar un convoy.

Aquél fue un breve intervalo de acción, pero *Jack* era todavía un estudiante y las clases pronto comenzarían en Harvard. A finales de mes, regresó a Estados Unidos y reinició sus estudios.

Su tesis-libro: *Why England Sleep*

En su último año de universidad, Kennedy comenzaba a sentirse alguien. Tomó parte activa en la vida social de Winthrop House. Aunque no había destacado mucho en Crimson, escribió algunos editoriales para las revistas de los estudiantes. Dedicaba parte de su tiempo a la Bolsa y ganó algunos cientos de dólares en prudentes especulaciones en material aéreo. Al mismo tiempo, su actividad intelectual aumentó: tomó clases extraordinarias, aquel curso, de ciencias económicas y políticas, y sacó notable en todas. Ahora era candidato a premio extraordinario en ciencias políticas. Pero, para obtenerlo, necesitaba presentar una tesis y Kennedy dedicó a ésta casi todas sus energías en el transcurso del año. El tema era el *Compromiso en Munich*. Le había llamado la atención durante su viaje que todo el mundo criticara a Chamberlain —y en Estados Unidos también—. Kennedy se preguntaba si Chamberlain era la víctima propiciatoria de un sentimiento de derrota general y pasó el invierno de 1939-1940 estudiando debates parlamentarios, minutas del Foreign Office, números del *Times* y del *Economist* en la Biblioteca Widener de Harvard, y revisando sus numerosas notas tomadas en su último viaje por tierras europeas.

La tesis la concluyó en el mes de junio. Era el típico trabajo de un estudiante que aspiraba a titularse, de estilo rebuscado, solemne y, a veces, pedante, lleno de estadísticas, sin un análisis profundo y multiplicidad de notas a pie de página. Su redacción dejaba mucho que desear, y la sintaxis y ortografía reflejaban su despreocupación de muchos por el estudio. Sin embargo, veremos que estas glosas serían *best-séller* gracias a la participación de su progenitor. La base de su investigación partía de la política de desarme británica en 1933-1935, y los porqués de la lenta reacción de Londres ante los progresos del rearme hitleriano alemán con el triunfo del Partido Nacionalsocialista de Adolfo Hitler. Reseñaba a su vez cómo la influencia de pacifistas, economistas, de la Sociedad de Naciones, de los intereses patronales y laborales egoístas, de las mezquinas politiquerías de partidos incidió sobre ello. La segunda parte de la tesis desarrolló la lentitud e insuficiencia del rearme británico a finales de la década de los años 30, que le hizo quedar a la zaga.

Obvio apuntar que su padre le ayudó en el proyecto desde el primer momento. Le concertó entrevistas con personalidades influyentes del Gobierno británico, conservadores y liberales, periodistas competentes, literatos, publicistas, etc.

Pese a sus deficiencias literarias, el trabajo tenía la virtud de recoger, en primer lugar, la experiencia vivida por su autor sumada a la visión de J. P. Kennedy como embajador en Londres. Esa fusión ya de por sí dio un valor añadido a la tesis. Otra de sus cualidades fue el carácter del estilo, desprovisto de apasionamiento y sí lleno de una aparente imparcialidad política. Su énfasis era puramente intelectual. De ahí que enjuiciara severamente a la gente que se dejaba llevar por la emoción y no por la razón ante los sucesos de Munich; premisa que le permitió atenuar la gran responsabilidad que habían tenido Chamberlain, Stanley Baldwin, etc., pues ellos eran un elemento entre las diversas fuerzas profundas inherentes a la democracia y al capitalismo, la apatía general, la preocupación por la seguridad y por las ganancias, el pacifismo, el temor a la regimentación, u otros. En este aspecto, debemos reconocer que su criterio no era del todo desacertado.

La mayoría de las críticas no han dado en el blanco, concluía. *No es el Pacto de Munich lo que ha de lamentarse, sino los factores que lo determinaron, tales como el estado de la opinión en Gran Bretaña y la situación del rearme británico, que imponían inevitablemente la rendición. Echarle la culpa a un individuo aislado, como Baldwin, porque el ejército británico no estuviese preparado, es injusto e irracional, dadas las condiciones de los gobiernos democráticos,* concluía Kennedy.

Ésa también era la médula del pensamiento paterno: Inglaterra no podía hacer otra cosa que aceptar lo de Munich, y si no estaba en condiciones de combatir se debía a que la opinión pública había hecho todo lo posible para impedir un rearme serio. Era una teoría que no sólo defendía los puntos aislacionistas de su padre, sino también los criterios de los conservadores británicos y, sobre todo, justificaba la decisión de no ir a la guerra con ocasión de la crisis checoslovaca. A finales de 1939 y principios de 1940, mientras el hijo iba llegando a tales conclusiones desde la Widener Library, el padre, en sus informes desde Londres al presidente Roosevelt y al secretario de Estado, Cordell Hull, *aprobaba el Gobierno Chamberlain y su política*, según un resumen autorizado, *y tendía a proyectar su aislacionismo con respecto al problema europeo. Aconsejaba a los Estados Unidos una absoluta no intervención, e insistía en concentrar todos los esfuerzos en armarse para la defensa propia en previsión de cualquier contingencia*, tal como refiere Koskoff.

Kennedy padre no ocultaba su pesimismo acerca del futuro de Gran Bretaña y Francia. Polonia estaba irremisiblemente perdida, y *aunque Hitler cayese, el caos y el comunismo se apoderarían de Alemania,* escribió a Roosevelt a finales de septiembre de 1939. Inglaterra no tenía una probabilidad contra cien en la lucha contra Alemania y Rusia, pero pelearía hasta el final. Mucho después, al volver a los Estados Unidos, diría a un grupo de oficiales del ejército de tierra y de marina que otro año de guerra convertiría a Europa en fácil presa del comunismo. El colapso de Francia en la primavera de 1940 aumentó sus temores y agudizó su aislacionismo. *Me parece*, telegrafió a Estados Unidos, *que si nos vemos en trance de luchar, será mejor que luchemos por nuestros propios intereses.*

Como su padre, Kennedy demostraba, en su tesis, que las democracias no pueden sostener durante mucho tiempo una gran lucha defensiva sin convertirse en estados totalitarios. *Las democracias han de pagarlo todo del presupuesto, y se ven limitadas por las leyes que rigen el capitalismo: la ley de la oferta y la demanda.* Como su padre, Kennedy veía inevitable el *Pacto de Munich*, a causa del retraso del rearme británico, y hasta lo consideraba deseable, como un medio de ganar tiempo. Como su padre, Kennedy quería que América se armara lo más pronto posible, aun a costa de algunos lujos democráticos. Pero, mientras los sucesos obligaron al padre finalmente a tomar posición en el dilema de si había de prestarse ayuda a los aliados —y la tomó más bien en sentido negativo—, el hijo desde Harvard evitaba este candente problema del año 1940. *No quiero declararme a favor de un bando ni de otro.*

Mientras Kennedy entregaba su estudio al profesor Hopper en la primavera de 1940, los sucesos en Europa apoyaban su teoría acerca de la debilidad de las democracias. Alemania aniquilaba la defensa holandesa y belga; destruida la infantería francesa, había paralizado las tropas británicas frente a Dunkerque. La gran esperanza de Kennedy radicaba en que Churchill, cuyos esfuerzos para despertar a su país eran frecuentemente citados en la tesis, era ahora primer ministro. Pero, ¿despertaría América a tiempo?

En junio Kennedy recogió sus títulos universitarios en medio de la tradicional pompa y ceremonia: el desfile en el estadio, los discursos, los himnos de Harvard, el concierto, el partido de fútbol contra Yale, baile en Winthrop House, batalla de confetis, etc. Pero todas las bandas de música juntas y todas las canciones no conseguían acallar el tumulto de las furias desencadenadas al otro lado del océano.

La madre y las hermanas de Kennedy asistieron a la ceremonia, pero el embajador tuvo que quedarse en Londres. Al notificar a su padre que se había graduado *cum laude* en ciencias políticas y que había obtenido *magna cum laude* con su tesis, recibió un cable de felicitación que concluía con las siguientes palabras: *Dos cosas he sabido siempre acerca de ti: una que eres listo, otra que eres un chico estupendo. Te quiere, papá.*

El reconocimiento académico le hizo creer que su publicación sería oportuna e importante para él, y así se lo comunicó al padre: *He pensado volver a redactar el trabajo, completándolo y haciéndolo algo más interesante para el lector medio, porque faltaba revisarlo y pulirlo, aunque las ideas fueran buenas.* La respuesta fue rápida y entusiasta. Desde Londres llegó un diluvio de consejos, direcciones y recomendaciones para posibles editores, aunque le recomendaba no minimizar la dejadez de Baldwin y Chamberlain. El embajador, si bien aceptaba que, en último término, la culpa es del pueblo en general, no por ello un político debía escudarse en la opinión pública: *Cabe exigir de un político que trate de educar al pueblo y vele por el bien de su país...*, respondió.

La obra es, según su punto de vista, una etapa en la carrera de John, una preparación para tareas más importantes. Le escribe: *Estoy impaciente por leer la versión final. Estoy seguro de que si toco el problema tal como hoy se ve en Inglaterra, el libro se venderá bien y cosechará un gran éxito. Chamberlain, Halifax, Montagu Norman, Harold Laski, todos me han hecho preguntas sobre ti. Así, pues, ganes o no ganes dinero, te reportará un beneficio sorprendente, sobre todo si es bien recibido. Te sorprenderá saber hasta qué punto un libro que sea realmente apreciado por gente de clase sitúa a su autor en buena posición durante años. Recuerdo que en el informe que hay que escribir pasados los veinticinco años al comité de Harvard figura la siguiente pregunta: ¿Qué libros ha escrito usted? No hay duda de que esto te hará un gran bien.*

El embajador de inmediato recurrió a sus amistades relacionadas con ese perfil, el periodista Arthur Krock, del *New York Times,* quien recomendó un título: *Why England Slept (Por qué dormía Inglaterra);* rememorando el libro de W. Churchill —recopilación de discursos— que había titulado *While England Slept (Mientras Inglaterra dormía),* y Henry Luce, fundador y director de Time Inc., que aceptó prologar el libro. Kennedy quitó las notas a pie de página, mejoró el estilo y añadió capítulos que dieron actualidad nacional a la obra. Rechazado el manuscrito por Harper & Brothers por considerarlo ya poco actual después de caída Francia, fue finalmente publicado en julio por Wilfred Funk.

La conclusión del libro fue amoldada a la nueva situación europea y en verdad lo único diferente al trabajo estudiantil era la conclusión:

Decir que los sucesos de las últimas semanas han abierto los ojos a las democracias no es suficiente. Cualquier hombre abre los ojos si pegan fuego a su casa. Lo que necesitamos son armas que ahoguen y apaguen el fuego apenas iniciado o, mejor aún, que lo prevengan e impidan que se inicie.

Debemos aprender la lección de Inglaterra y hacer que nuestra democracia funcione bien. Lo debemos hacer ahora mismo. Cualquier sistema de gobierno va bien mientras no hay conflictos. Sobreviven solamente los sistemas que superan y vencen duras pruebas.

Aseguran los expertos investigadores del clan Kennedy-Fitzgerald que esas y muchas más del libro eran copia literal de cartas de su padre.

Por qué dormía Inglaterra obtuvo un sorprendente éxito, pero realmente se debió a la puesta en marcha de todo el tinglado de influencias que su padre había conformado durante muchos años y no por la calidad y originalidad de su contenido. Se vendieron 40.000 ejemplares en los Estados Unidos y otros tantos en Gran Bretaña. Algunos críticos independientes consideraron que el análisis sobre las figuras de Baldwin y Chamberlain era demasiado superficial e ingenuo y que achacaba las culpas de Munich a demasiadas causas impersonales, económicas y políticas, para que el lector pudiera sacar conclusión alguna respecto a la lección que los americanos debían aprender de todo aquello. Kennedy planteaba vitales problemas acerca de la incapacidad de las democracias capitalistas occidentales para competir con los países totalitarios, pero no ofrecía solución alguna, excepto que las democracias habían de formar dirigentes enérgicos, cosa más fácil de decir que de hacer.

El padre del autor, satisfecho con el éxito, se apresuró a enviar ejemplares a Churchill y a Laski. Esperando unas palabras de elogio, en la carta que adjuntaba al libro le decía a Laski: *Si se dignara usted enviar cuatro líneas al muchacho (Jack), estoy seguro de que estaría muy contento.* El embajador recibió una ducha de agua fría al leer la sincera respuesta del profesor:

Querido Joe:
Lo más fácil para mí hubiera sido repetir las alabanzas que Krock y Harry Luce han prodigado sobre el libro de tu hijo. Por el contrario, me decido por hacer lo más difícil: decirte que lamento sinceramente que le hayas dejado publicar el libro. Porque, si bien es la obra de un muchacho que promete, le falta madurez, carece en realidad de estructura y solamente toca la superficie de los problemas. En una buena universidad, cincuenta estudiantes avanzados escriben libros como éste como parte de su plan de estudios en el último año de su carrera. Pero no los publican por la sencilla razón de que su importancia radica solamente en lo que disfrutan escribiéndolos y no en el contenido de la obra. Creo sinceramente que ningún editor hubiera querido publicarlo, si no se hubiera tratado de tu hijo y si tú no hubieras sido el embajador. Y ésa no es una razón suficiente para publicarlo.
Aprecio mucho a tus muchachos. No quiero que se estropeen como muchos otros hijos de padres ricos. El pensar es una cosa difícil y hay que pagar un derecho de admiración. Puedes creer que mis duras palabras reflejan una amistad más sincera que la de hombres como Arthur Krock, siempre dispuestos a decir sí.

La respuesta de Laski no fue conocida hasta mucho tiempo después.

Capítulo V

LA GUERRA

El signo de la fatalidad

Mientras, Roosevelt se enfrentaba con problemas mucho más complejos que los descritos en el libro. El presidente tuvo al mismo tiempo que iniciar la campaña de reelección, enviar ayuda a Churchill, que la requería con desesperada urgencia, rearmar su propio país y mitigar las fricciones que pudieran conducir a la guerra. Y había de enfrentarse con miembros de su propio partido que desaprobaban su decisión de ayudar a Inglaterra.

La posición de los Kennedy ante tan graves acontecimientos era curiosa. Joe hijo, desde la Harvard Law School, compartía el no intervencionismo de su padre. En la primavera de 1940, cuando Roosevelt se presentó a su tercer mandato, Joe se estrenó en política en Massachusetts, presentándose a la convención nacional del partido demócrata como delegado, y votando en favor de Farley para la presidencia. Aun después de elegido Roosevelt en Chicago en la primera votación, Joe siguió votando por Farley. Un colaborador de Roosevelt telefoneó al embajador y le pidió que hiciera entrar a su hijo en juicio, pero el embajador se negó a hacerlo: *No soy yo quien debe indicarle lo que ha de hacer.* Mientras los alemanes bombardeaban Inglaterra masivamente en septiembre de 1940, el embajador despachaba telegrama tras telegrama rindiendo homenaje al coraje británico, pero dudando que el país tuviera el gobierno adecuado ni los medios para resistir por mucho tiempo. En Washington circulaban rumores durante la campaña de que Kennedy volvería para apoyar la candidatura republicana de Wendell Willkie. Volvió en efecto, pero Roosevelt consiguió hábilmente ganárselo a su causa: le invitó a la Casa Blanca, escuchó sus quejas acerca del comportamiento del Departamento de Estado con él, estuvo enfáticamente de acuerdo en que Joe había sido víctima del engaño, prometió serias reformas después de las elecciones y consiguió en seguida que el embajador aceptara hablar en la radio en favor de Roosevelt.

En un discurso radiado por 114 emisoras, declaró que apoyaba a F. D. Roosevelt y defendió su actuación como embajador. Se declaró víctima de campañas difamatorias.

Si por esa palabra (pacificador) cuyo sentido es ahora peyorativo, se entiende que propugné pactar con los países del Eje en perjuicio de Gran Bretaña tal impugnación es falsa y maliciosa. Pero continuaba proclamando su no intervencionismo en la guerra: *A menos que sean atacados, los Estados Unidos no debemos entrar en guerra.*

Por la noche del día siguiente, desde la majestuosa residencia de J. P. Kennedy, Roosevelt dijo a una inmensa multitud que le escuchaba en el parque de Boston cuán feliz se sentía de *haber dado la bienvenida a su regreso a las costas americanas a ese hijo de Boston, tan popular en Boston y en tantos otros lugares, mi embajador en la corte de San Jaime, Joe Kennedy.* En el mismo discurso, el presidente afirmó: *Me dirijo a vosotros, padres y madres, y os aseguro una vez más... que vuestros hijos no serán enviados a guerras extranjeras.* Hubo quien tachó a Roosevelt de hipócrita por aquella afirmación; hubo también quien justificaría que, desde el 7 de diciembre de 1941, la guerra habría dejado de ser extranjera.

En Boston, después de las elecciones, J. P. Kennedy cometió la indiscreción de declarar a un reportero que la democracia se había acabado en Gran Bretaña, que si los Estados Unidos intervenían en la guerra en favor de aquélla *nos dejarían en la estacada*, que iría a ver a su amigo W. R. Hearst para organizar una campaña contra la intervención americana, y muchas otras cosas por el estilo. La publicación de estas declaraciones y la subsiguiente tormenta de protestas en el país y en el extranjero significaron evidentemente el fin de su cargo como embajador.

¿Dónde estaba *Jack* Kennedy durante la crisis diplomática de su padre? Apoyaba la reelección de Roosevelt también pero sin participar activamente en la campaña. Según parece, su papel principal consistió en presentar al abuelo Fitz al presidente durante la campaña en Boston. Como de costumbre, Roosevelt estuvo genial y saludó a Fitzgerald con gran efusión: *Por todas partes donde iba, durante mi viaje en Sudamérica, me preguntaban por usted. Todos se acuerdan de cuando usted cantaba* Sweet Adeline *cuando fue allí,* y añadió el presidente: *¡Sí! Todos los sudamericanos están cantando* Adelina Dulce *ahora.*

Durante un año, a partir del verano de 1940, *Jack* Kennedy anduvo desorientado. Primero se interesó por la Escuela de Derecho de Yale, pero cambió de idea y se inscribió en el Departamento de Estudios Comerciales en Standford (Stanford Bussines School) durante seis meses. De nuevo se cansó y partió de viaje por Sudamérica. Durante 1941, la conflagración se extendió a los Balcanes y a Rusia; cada vez parecía más probable que los Estados Unidos acabaran entrando en guerra, aunque los aislacionistas defendieran acérrimamente el eslogan *América primero.*

Kennedy padre fue de nuevo embajador en Gran Bretaña, por unas pocas semanas después de los comicios de 1940; pero, convertido ante los británicos en símbolo de derrotismo, tuvo que dimitir a finales del año y ya no se libró de su mala fama como diplomático. Los aislacionistas le propusieron para la presidencia de su comité: *... No quiero que este país entre en guerra por ningún motivo a no ser que seamos nosotros agredidos*, había dicho. Y en otra ocasión: *La guerra de Inglaterra no es la nuestra. Nada tiene que ver con nosotros esta guerra.* Por otra parte, consideraba a los nazis enemigos de la moral y la razón, de la ley de la familia y hasta de la religión, y se negaba a ser considerado neutral o aislacionista.

Prefería mucho más a los ingleses, *aunque se burlan de nosotros,* que el mundo de la *brutalidad nazi.* Simplemente, no quería tomar partido en una lucha que amenazaba dividir el mundo en dos bandos y que, según él, no competía a los Estados Unidos.

El ataque japonés contra la base naval de Pearl Harbor le ofrece la ocasión de proponer sus servicios a Roosevelt, que ni los ha solicitado ni piensa beneficiarse de ellos. Privado de toda clase de responsabilidades políticas, J. P. Kennedy se contentó protestando contra el principio de la rendición sin condiciones y condenó la idea de una guerra total. Los liberales no le perdonaron el haber tomado partido, desde 1937, por los franquistas ni el haber defendido el *appeasement.* Ha traspuesto al plano familiar la idea de una comunidad irlandesa. Ha formado el clan Kennedy con sus divisiones, prontamente ahogadas cara al exterior, con su formidable voluntad de ganar, su determinación de permanecer unido en beneficio de uno de sus miembros. En las duras pruebas que han golpeado a la familia, en los esfuerzos que han puesto en juego para alcanzar sus objetivos, tal estado de espíritu ha sido de los más útiles. En este sentido, el padre ha preparado a los hijos y a las hijas para la vida política. Y los hijos, aun sabiendo muy pronto cuál era la reputación del padre, siempre le manifestaron una gran admiración. Le han consultado frecuentemente, incluso cuando no iban a tener en cuenta sus opiniones. Le han tenido al corriente de todo, incluso aunque —como ocurrió a partir de 1961— el anciano, paralítico, no podía ni hablar. Con sus fuerzas y sus debilidades, Joseph Kennedy se ganó a pulso el sobrenombre que le dio su biógrafo: el padre fundador.

Mientras su padre se retiraba entre bastidores, *Jack* estuvo a punto de participar activamente en la lucha. En la primavera de 1941 trató de alistarse en el Ejército, pero fue rechazado a causa de su maltrecha espalda. Se entrenó e hizo gimnasia especial durante cinco meses y consiguió pasar un examen médico para la Marina en septiembre, donde ingresó gracias a una recomendación personal del almirante Kirk a instancias del padre. Durante algún tiempo estuvo en el servicio de información de un boletín de noticias para el jefe de personal de la Marina en Washington. Cuando Pearl Harbor solicitó ser trasladado al servicio activo, pero tardó en conseguirlo. Fue enviado durante varios meses al sur, en los servicios de protección de fábricas de armamento antiaéreo, trabajo que encontró aburrido y sin aliciente. Dedicó parte de su tiempo libre a cursos de correspondencia sobre información extranjera y legislación de marina. En el temor de que le asignaran un puesto en intendencia, pidió a su padre que utilizara su influencia con el Departamento de Marina para que lo destinaran al frente. El padre se valió con éxito de algunas recomendaciones, especialmente la influencia determinante del secretario de la Marina, James V. Forrestal.

El dolor de los Kennedy-Fitzgerald

La llamada fatalidad del clan Kennedy-Fitzgerald comenzó durante la guerra, con la *muerte* de J. F. Kennedy durante una semana. El episodio acaeció a finales de 1942, *Jack* fue destinado al tipo de servicio naval adecuado para un chico que había crecido entre veleros y lanchas motoras —un escuadrón de lanchas torpederas—. Pasó seis meses aprendiendo a manejar los veloces y frágiles botes PT, principalmente en Portsmouth y Newport. Sus instructores le calificaron de casi perfecto en maniobras, bueno en materias técnicas y *muy concienzudo y siempre bien dispuesto.* Los *Patrol Torpedo Boats* tenían unos 24 metros de largo, tres motores y cuatro torpedos. Su misión consistía en acercarse al adversario a una distancia no mayor de 500 metros, hacer fuego con sus torpedos y emprender la retirada. Los progresos se hicieron notar. El mar no le era desconocido.

Acabado el período de instrucción, se le comunicó su nuevo destino: la zona del canal de Panamá. ¡Lejos de los combates! Recurrió nuevamente a su padre y le enviaron al Pacífico, a las islas Salomón, a 2.000 kilómetros al este de Nueva Guinea. El cuartel general de los PT Boats se hallaba en la isla de Rendova. El 25 de abril de 1943, según la reseña abreviada de la publicación *Reader's Digest* de mayo de 1956, Kennedy tomó el mando del *PT 109*. Tenía bajo sus órdenes a otros dos oficiales y a una dotación de diez hombres. En la noche del 1 de agosto, el *PT 109* recibió la orden de detectar las embarcaciones japonesas que precedían al transporte de tropas y de material de una isla a otra. Había una densa niebla y carecían de radar. La navegación se hacía difícil. Kennedy dirigió las maniobras. En las primeras horas del día 2 en el estrecho de Blackett, un destructor enemigo, el *Amagiri*, a gran velocidad se hizo visible entre la niebla. Su proa estaba dirigida al centro de su bote. No hay tiempo para reaccionar y eludir la colisión. La bisoña tripulación no responde a disparar los torpedos a pesar de las voces de mando de Kennedy. El destructor arremetió contra el *PT 109* y lo seccionó en dos. Una de las partes se fue a pique, la otra siguió flotando. El choque fue brutal. Kennedy cayó violentamente sobre su espalda y la antigua herida se abrió de nuevo. Los once hombres, sin embargo, siguen asidos a los restos o sufren graves quemaduras y deben a Kennedy el haber salvado la vida. Sus segundos han desempeñado igualmente el papel de salvadores, de héroes, pero él será el único famoso.

Kennedy, seguimos la narración de la fuente citada, ordenó que todos dejaran el medio bote, excepto los heridos; pero de todos modos aquella media cáscara giró en redondo. Decidió que la única esperanza era alcanzar a nado una pequeña isla situada a tres millas al sudeste. Él mismo llevó a remolque a McMahon, y con una larga correa cogida por los dientes arrastró a Mae Wast, el hombre de las quemaduras. Aunque llegó a tragar mucha agua salada a causa de la correa que sostenía con los dientes, alcanzó la isla después de cinco horas de nadar y de quince de permanecer en el agua.

Los náufragos se dejaron caer exhaustos en el islote. Kennedy decidió ir él sólo a nado hasta la otra isla y tratar de interceptar un bote PT en la ruta que éstos solían seguir por el paso de Ferguson. Al atardecer nadó hasta los arrecifes, abrazado a la linterna del bote y allí, helado hasta los huesos, esperó que pasara un bote PT. Ninguno pasó. Inició el regreso, pero la corriente era más fuerte ahora y fue arrastrado más allá de la isla donde le esperaban sus hombres. Creyó estar a punto de morir. Pero la corriente, arrastrándolo a lo largo de un gran círculo, le llevó de nuevo al lugar donde había estado antes. Trató de nuevo de volver al islote con sus hombres, a pie y descalzo a través de los hirientes bancos de coral. Llegó, por fin, a la isla, se arrastró por la playa y vomitó en la arena. Sus hombres corrieron a su encuentro. Kennedy miró a su tercer oficial: *Ross, tú probarás esta noche*, le dijo, y cayó desmayado.

En la base de los escuadrones, se habían perdido ya todas las esperanzas respecto a los trece náufragos, llegándose a celebrar oficios de difuntos. Un oficial escribió a la madre de Ross que su hijo había muerto por la causa *en la que creía más que ninguno de nosotros. Jack* Kennedy, el hijo del embajador —proseguía la carta— iba en el mismo bote y había muerto también. *Quien dijo que lo mejor de cada país perece en la guerra no exageró en absoluto.*

Ross nadó hasta el paso de Ferguson aquella noche, pero sin mejor suerte que su jefe. Los hombres padecían terriblemente de sed. Al otro día decidieron nadar hasta una isla más próxima al paso de Ferguson. Después de tres horas, la alcanzaron y pudieron aplacar el hambre y la sed con cocos. Pero bebieron tanto que les sentó mal y vomitaron. Bautizaron el lugar como isla de los Pájaros.

La única esperanza común era la de continuar buscando. Kennedy y Ross pasaron a nado a la isla Nauru, aún más próxima al paso, y allí la suerte les fue favorable. Se pusieron en contacto con algunos nativos, que les suministraron provisiones y una canoa. Kennedy cogió un coco y escribió en él con su cuchillo: *Once nativos conocen lugar y arrecife isla Nauru, Kennedy. Rendova, Rendova*, gritó a los nativos. Uno de ellos pareció comprender: cogió el coco y se marcharon.

Aquello fue casi el fin de los días aciagos. Por la mañana, cuatro indígenas les despertaron. Uno de ellos dijo, en excelente inglés: *Tengo una carta para usted, señor.* La carta era del comandante de una patrulla de infantería neozelandesa, en Nueva Georgia, instándolos a seguir a los indígenas, quienes les conducirían al campamento. De haber tardado más en llegar los socorros, estaban perdidos: a McMahon se le estaba declarando la gangrena, y Ross tenía le brazo tan hinchado que abultaba más que su muslo.

La tripulación fue objeto de una calurosa bienvenida. Kennedy en particular se había ganado la simpatía de los oficiales y la tropa. Hasta ese momento se le consideraba un engreído, un petulante, un narcisista, que sólo se incorporó al ejército para satisfacer su propio ego; comportamiento, por demás muy normal entre los hijos de los millonarios. Pero el relato de los sobrevivientes acerca de sus peripecias y su entereza cambió radicalmente la valoración de su persona. La Marina le concedió, además de la condecoración del Purple Heart, la medalla de la Navy y del Marine Corps. *Su valor, tenacidad y dotes de mando han contribuido a salvar varias vidas, y responden a las mejores tradiciones de la marina de los Estados Unidos*, afirmó en la ceremonia el almirante William F. Halsey.

Este episodio —uno de los tantos en la guerra— fue objeto de numerosos relatos siempre coincidiendo con la presentación de Kennedy para cualquier escaño: representante, senador o presidente. El primero de ellos fue escrito por un periodista de *Time-Life*, John Hersey, que se había casado con la amiga de una hermana de Kennedy. Más tarde, un novelista lo convirtió en libro y un cineasta en filme. El episodio, una más de las historias de guerra, recibió ese tratamiento por ser el hijo de quien era, por ser aspirante a altos cargos políticos. Sí, porque en la misma medida que John Fitzgerald Kennedy se presentó a un escaño, la prensa adicta se ocupaba de airear, con lujos y detalles, los sucesos de aquel abril de 1943. La propia familia, previo a los comicios que fueren, lo convertía en centro de las tertulias que organizaba. Mucho, pero mucho, sirvió este incidente para formatear una imagen pública válida para atraer a muchos electores. Es, además, un pilar de la leyenda que siempre ha rodeado a John Kennedy. Que él hiciera lo que otros habrían hecho o hicieron también no quita nada a sus méritos. La diferencia estriba en cómo asumirlo o cómo explotarlo para un fin personal.

Su reabierta lesión en la espalda le ocasionó dolorosos sufrimientos. Los trastornos que sufrió su columna vertebral no cesaron de agravarse. En 1954 se sometió a una intervención que le colocó a las puertas de la muerte. Además, enfermó de malaria, lo que se sumaba a la hepatitis de la que había sido víctima antes de 1939. John había sido, desde siempre, más bien delgado. Bajo el uniforme militar, daba la impresión de sobrarle la mitad, como si estuviera descarnado. Medía 1,80 metros y sólo pesaba 57 kilogramos. Había perdido once. Antes de su retorno estuvo hospitalizado en un centro sanitario de la Marina en el Pacífico.

En diciembre de 1943, tuvo que abandonar su escuadrón MTB. Se le nombró instructor de botes PT en Miami, donde pasó una temporada bastante agradable. Le satisfacía visitar a James Cox, que había sido candidato demócrata a la presidencia en 1920 y vivía cerca. Sus superiores en la Marina consideraban a Kennedy simpático, tranquilo, concienzudo e inteligente; el único defecto que le encontraban era *poco espíritu militar y poca pulcritud.*

A finales del verano de 1944 ingresó en el Hospital Naval de Chelsea, cerca de Boston. No quedaba lejos de Hyannisport, y pudo pasar algunos fines de semana con su familia.

El incidente de las Salomón —escribe Arthur M. Schlesinger— afecta a dos de las preocupaciones más profundas de Kennedy: el valor y la muerte. Detestaba hablar de ello en abstracto, pero fueron, sin discusión, los temas permanentes de su vida. Nadie podrá discutir que aquel hombre tuvo, a partir de 1943, una visión diferente del mundo, un sentido de lo trágico que su dorada juventud no le habría permitido adquirir y que sigue siendo el triste privilegio de aquellos que han vivido dramáticamente. El segundo eslabón fue la pérdida del hermano mayor. La última: la muerte de John John Kennedy, hijo del presidente asesinado, cuando la avioneta que pilotaba se hundió en el mar.

Recién concluidos sus estudios en Harvard, el primogénito de la familia, Joseph, se vinculó a la política en medio de los comicios para la legislatura presidencial de 1941-1945. Gozaba de una sólida formación y una vasta experiencia de la situación de Europa y de América. Era un secreto a voces que su padre le consideraba su sucesor. Aunque pertenecía al Partido Demócrata se opuso a lo largo de los debates de las primarias presidenciales, de 1940, a un tercer mandato de Roosevelt; criticó duramente la política exterior del presidente y no quería que el precedente que limitaba a ocho años el ejercicio de la función presidencial fuera quebrantado. Apoyó a James Farley. Cuando los Estados Unidos entraron en la guerra, en 1941, se enroló en la Marina, en el Departamento Aeronaval. En septiembre de 1943, ya como piloto, su escuadrilla realizó numerosas misiones de bombardeo por Europa continental. Su base de operaciones era Inglaterra. En agosto de 1944, se le encomendó una nueva misión al mando del bombardero *Liberator*, cargado con diez toneladas de bombas. Su objetivo: lanzar en picado el avión sobre una rampa de lanzamiento que tenían los alemanes en Normandía. Era el día 12. Por causas desconocidas el avión estalló en pleno vuelo.

Para la familia Kennedy-Fitzgerald, la muerte de Joe fue un golpe brutal. Fue la propia Rose Kennedy, en sus *Memorias,* quien describió cómo fue conocida en la mansión de Hyannis Port la desaparición del primogénito: *Dos sacerdotes llegaron a nuestra casa. Les recibió Jack, quien ese fin de semana, el 2 de agosto, coincidentemente primer aniversario de su odisea marítima, estaba descansando. Los religiosos recabaron la presencia de Joseph y la mía y nos dieron la noticia. Contrariamente a lo ocurrido un año antes, esta vez no había duda posible. Era una certeza. Joe salió a la terraza y anunció la noticia a los niños. Quedaron abrumados. Les dijo que se mostraran valerosos: era lo que su hermano hubiese esperado de ellos. Les recomendó que participaran en la carrera que tenían prevista para este día y la mayoría le obedecieron. Jack, no. Estuvo andando durante mucho tiempo por la playa, delante de la casa.* Si bien las relaciones entre los dos hermanos no habían sido del todo armónicas: sus constantes discusiones eran sonadas en el hogar e impresionaban a los demás, no por ello *Jack* y Joe, con el correr del tiempo, se protegían y defendían mutuamente. Habían seguido los mismos lances universitarios, casi el mismo camino. Desde luego, él sintió duramente su pérdida.

Un mes más tarde, supo que el marido de su hermana Kathleen, el marqués de Hartington, capitán de los Coldstream Guards, había perecido en acto de servicio, en el frente belga. Llevaban solamente cuatro meses de casados, y les había costado mucho poder casarse, porque Hartington era protestante. Su noviazgo había conmocionado *las profundas convicciones religiosas de la familia, en general, y de Rose, en particular,* como destaca uno de los más reconocidos biógrafos de la familia, J. M. Burns en su libro *Kennedy.* En el transcurso de la Segunda Guerra Mundial, Kathleen vivía en Londres. Allí se enamoró de William Hartington, cuya familia pertenecía a los Cavendish y a los Cecil, feroces defensores de la fe anglicana. El propio William, que entonces llevaba el título de conde de Burlington, estaba destinado a convertirse en el undécimo duque de Devonshire. Su abuelo, el octavo duque, había sido, en tiempos de Gladstone, secretario de Estado para Irlanda y se había opuesto, más tarde, a cualquier tipo de autogobierno para la isla. El hermano del abuelo se había convertido, a su vez, en secretario de Estado para Irlanda y había sido asesinado en 1882 por un partidario de la independencia. ¡Imposible situación para Billy y Kathleen! Las diferencias religiosas eran, al parecer, irreconciliables. La familia de Billy no quería, si la pareja tenía hijos, que fueran educados en la religión católica. La familia Kennedy no quería oír hablar siquiera de una conversión a la religión del invasor. El futuro cardenal Francis Spellman, por aquel entonces arzobispo de Nueva York, fue consultado y encargado de conocer la opinión de Roma. La respuesta no permitió ninguna esperanza. No se concederían los sacramentos a los jóvenes esposos si no se comprometían a educar a sus hijos en la fe católica. Lo que ocurrió al final es que Billy y Kathleen se casaron civilmente el 6 de mayo de 1944. Solamente asistió a la boda Joe, el hijo mayor de los Kennedy, que se hallaba destinado en Inglaterra. Este asunto constituyó un auténtico desgarramiento, una terrible prueba que colocó, en platillos opuestos, unas convicciones religiosas extremadamente profundas y el afecto por una hija y hermana querida para todos.

El apego de Rose por la Iglesia estaba señalado por detalles secundarios, como la admiración por el cardenal Pacelli (el futuro Pío XII), que hizo a los Kennedy el supremo honor de tomar el té en su casa y de sentarse en las rodillas al pequeño Edward, o bien el deslumbramiento que experimentaba cuando visitaba el Vaticano. No es menos cierto, como compensación, que la fe le permitió superar penosas pruebas. La primera se refiere a la mayor de sus hijas, Rosemary: una retrasada mental, con un bajo coeficiente de inteligencia. Se tomó la decisión de cuidarla en el seno de la familia. Hermanos y hermanas tienen mil atenciones con ella; se integra plenamente en el grupo. Instituciones especializadas se esfuerzan en darle instrucción básica. En 1942 su estado empeoró. Experimenta una regresión, se muestra irritable y, de cuando en cuando, se apoderan de ella convulsiones. Los médicos deciden operarla y le suprimen, a un mismo tiempo, violencia e inteligencia. Rosemary tiene que ser ingresada en una institución especial. Fue *la primera de las tragedias que nos golpearon*, escribe Rose Kennedy. Sin duda, esto explica el interés que John, sus hermanos y sus hermanas manifestaron por los problemas de los retrasados mentales.

Cuatro años más tarde sufrirían otro duro golpe: la muerte de la propia Kathleen en un accidente aéreo, en un viaje de placer a Cannes (1948).

«Lo más triste es que les fuera a ocurrir esto precisamente a Kathleen y a Joe, con su tremenda vitalidad», diría Kennedy muchos años después. «Parecían arrollarlo todo. De haberle ocurrido a alguno de la familia con mala salud, con una enfermedad incurable, o desgraciado en un aspecto u otro, sería muy distinto. Pero ellos, ¡rebosantes de vida y energía! Es terrible.»

La «guerra fría»: sus primeros mecanismos

Las elecciones presidenciales de 1944 se realizaron con un trasfondo militar en pleno apogeo. Los republicanos se mostraban un tanto confiados, pues en los comicios para el Congreso de 1942 habían obtenido excelentes resultados, gracias sobre todo al malestar por la inflación, la escasez y los controles de guerra. Su candidato, Thomas E. Dewey, era un joven y dinámico abogado que había sido elegido alcalde de Nueva York en 1942. Como contrapunto a su tibio progresismo e internacionalismo, el partido eligió a un aislacionista conservador, el senador John W. Bricker, de Ohío, para la vicepresidencia.

Por parte demócrata, la ratificación de Roosevelt era indiscutible. Con una guerra todavía imprevisible, los problemas de la paz en ciernes, parecía indispensable, pese a que los doce años en la primera magistratura habían pasado factura. El agotamiento era visible pero, como él dijo, *un buen soldado nunca debe negarse ir al frente.* Aceptó presentarse a un cuarto mandato. Sobre la elección de su compañero de campaña se desarrolló una guerra de facciones. El favorito del presidente era el vicepresidente Henry A. Wallace, pero encontró una fuerte oposición en los caciques del partido. En contra de su opinión, Roosevelt aceptó la proposición de los caciques de su partido en torno a la vicepresidencia: le acompañaría Harry S. Truman, de Missouri, que satisfacía los criterios menos liberales de la organización. Era el candidato menos controvertido y, al provenir de un estado fronterizo, atraía al Sur. Los demócratas vencieron con cierta facilidad.

Tras su investidura, Roosevelt viajó a Yalta (Crimea) con la finalidad de reunirse con Stalin y Churchill. Con el fin de la guerra europea a la vista, diversos problemas reclamaban atención: el trato a Alemania, la guerra en el Lejano Oriente, el futuro de Polonia y otros países de Europa del Este, y definir el nacimiento de la Organización de Naciones Unidas. Los ocho días de la *Conferencia de Yalta* (4-11 de febrero de 1945) aparentemente transcurrieron bajo los signos de la cordialidad, o por lo menos así lo hicieron creer las agencias de noticias. Stalin hizo concesiones a los dirigentes occidentales y se alcanzó un acuerdo sobre la rendición y desarme incondicional de Alemania, su división en tres zonas de ocupación y el juicio de los dirigentes nazis por crímenes de guerra. A cambio de un compromiso renovado y más preciso para entrar en la guerra contra Japón, se prometió a Stalin la recuperación de las islas Kuriles y del sur de Sajalin, el arrendamiento de una base naval en Port Arthur, la internacionalización del puerto de Darien y el reconocimiento de los intereses preeminentes de Rusia en Manchuria. Roosevelt y Churchill también accedieron al deseo soviético de asegurar las fronteras europeas. Rusia obtuvo el tercio occidental de la Polonia anterior a 1939 y se compensó a los polacos con una porción de Alemania oriental. A cambio Stalin prometió que el Comité de Lublin, dominado por los comunistas, que había reconocido como gobierno provisional de Polonia, sería *reorganizado según bases más democráticas* para incluir a miembros del gobierno polaco exiliado en Londres y que se celebrarían *elecciones libres y sin trabas* lo antes posible. También se prometieron gobiernos democráticos mediante elecciones libres a todos los demás países liberados. En las discusiones sobre la Organización de Naciones Unidas, el dirigente soviético en un primer momento se mostró receptivo, pero aún no la concebía como objetivo fundamental en la paz.

Aceptó la fórmula estadounidense de votación para el futuro Consejo de Seguridad, accediendo a que el veto se aplicara a asuntos sustantivos pero no de procedimiento. También retiró su reclamación anterior para que cada una de las dieciséis repúblicas soviéticas tuvieran un sillón en la Asamblea General. Una concesión soviética más permitió a Roosevelt poner en práctica su idea de que todos los países que hubieran firmado la Declaración de Naciones Unidas antes del 8 de febrero de 1945 o hubieran entrado en la guerra antes del 1 de marzo, tuvieran derecho a pertenecer a ella. Ese inteligente matiz permitió a los Estados Unidos contar con el voto incondicional de la mayoría de las repúblicas americanas al sur del río Bravo, consideradas tradicionalmente como su propio traspatio. Por último, se acordó celebrar una conferencia en San Francisco el 25 de abril para redactar su constitución.

El éxito aparente de las conversaciones de Yalta por lograr la cooperación entre los grandes fue puro espejismo. Las contradicciones entre los dos bloques o sistemas, capitalistas-comunistas, no podían conciliarse, más aún si una de las partes diseñaba una organización mundial, la ONU, o regionales —la OEA, el TIAR, SEATO, OTAN— con fines muy definidos: ejercer la dirección del nuevo mundo que emergía del holocausto mundial. No resulta procedente en este libro entrar en detalles de los pormenores del enfrentamiento entre ambas conformaciones sociales, pero tampoco se puede obviar el entramado bélico-político estructurado por los Estados Unidos para contener el avance del comunismo, porque esa situación fue heredada por J. F. K. en 1960 que, sin dejar de ser un experimentado anticomunista, abogó por una política más flexible en aras de mantener una paz en función de los intereses norteamericanos. Se le acusaría de ser socialista, de liberal, pero sólo fue un hombre de su tiempo, que buscó fórmulas menos corrosivas para atenuar la desigualdad social en su propio país o con respecto a las naciones subdesarrolladas. Por ello, para comprender el porqué de sus acciones, se hace vital reseñar estos años cruciales de la guerra fría.

Según describe el historiador y politólogo estadounidense David Horowitz, en su libro *Desde Yalta a Vietnam,* en los primeros meses de 1945 la posición alemana se fue derrumbando de forma progresiva. En enero los soviéticos lanzaron una nueva ofensiva, que los llevó rápidamente hasta el Oder inferior, a sólo 64 Km de Berlín. Poco después sus ejércitos entraron en Hungría. Por el oeste, las tropas estadounidenses y británicas cruzaron el Rhin en marzo y avanzaron hacia el este con poca oposición. El 24 de abril las tropas soviéticas llegaron a las afueras de Berlín y comenzaron la reducción sistemática de la ciudad; el 30 de abril Hitler se suicidó y el 7 de mayo Alemania se rindió sin condiciones.

El artífice de la futura ONU, F. D. Roosevelt, no llegó a disfrutar de ese triunfo. El 12 de abril de 1945 murió de repente en Warm Springs (Georgia). Su muerte llegó como un golpe. Hubo un inmenso desbordamiento de dolor popular y un sincero sentimiento de que se perdía un baluarte mundial. Fue una figura importantísima en el combate contra el fascismo. Pero más que ningún otro hombre fue el arquitecto de la victoria aliada. Levantó una maquinaria militar imponente, tomó la decisión crítica de dar prioridad a la guerra europea y a pesar de la fuerte presión la mantuvo, inspiró confianza a toda la nación e infundió al esfuerzo bélico aliado un sentimiento verdadero de idealismo.

El nuevo presidente, Harry S. Truman, en principio se limitó a continuar el plan trazado por el fallecido presidente con respecto a la Conferencia de Naciones Unidas, que debía comenzar en San Francisco el 25 de abril. A diferencia de W. Wilson y su infructuosa Sociedad de Naciones, ya Roosevelt había designado una delegación bipartidista para representar a los Estados Unidos. Aunque de forma nominal la encabezaba el sucesor de Cordell Hull como secretario de Estado, Edward R. Stettinius Jr., sus dos miembros más influyentes eran senadores: Tom Connally, demócrata tejano presidente del Comité de Relaciones Exteriores del Senado, y Arthur H. Vandenberg, republicano de Michigan.

Las perspectivas de éxito de este legatario de la Liga de las Naciones dependían de si las dos potencias que dominaban el mundo de la posguerra —los Estados Unidos y la Unión Soviética— podían llegar a un acuerdo.

En conversaciones previas a la Conferencia el gobierno de la Unión Soviética trasmitió a Franklin D. Roosevelt —y aceptado— que la admisión de Argentina debía estudiarse con cuidado, *debido a sus estrechas relaciones con Alemania e Italia, pero en los debates —ya Truman presidente— Estados Unidos ejerció toda su influencia hasta lograr que fuera admitida de inmediato, mientras objetaba la presencia de Polonia, cuya lucha ante el fascismo había sido verdaderamente heroica,* como bien asegura en su monografía *El Panamericanismo, de la Doctrina Monroe a la Doctrina Johnson,* el historiador mexicano Alonso Aguilar Monteverde.

El conocido publicista estadounidense Walter Lippmann comentaba en aquel entonces: *Hemos adoptado una línea de conducta que si continua en el futuro puede tener las peores consecuencias (...), esa acción fue una tomadura de pelo a una conferencia mundial gracias a un bloque de veinte votos (los países latinoamericanos). A partir de entonces las Naciones Unidas se convirtieron en un mero instrumento de la política exterior de los Estados Unidos.*

El propio David Horowitz, valiéndose de los resultados de las votaciones de la ONU en la primera década de su existencia, demuestra cómo Estados Unidos tenía en esa organización un firme puntal.

Durante los años 1946-1953 la Asamblea General adoptó más de 800 resoluciones. Los Estados Unidos sólo fueron derrotados en menos del tres por ciento de ellas —las que no afectaban en absoluto a problemas de seguridad graves—. En esos ocho años sólo dos resoluciones apoyadas por nosotros dejaron de ser adoptadas (...).

Las dictaduras de Nicaragua, Haití, Paraguay, Honduras, Tailandia, Venezuela, República Dominicana, Turquía, Grecia y Perú votaron en el mismo sentido que los Estados Unidos en más del 90 por 100 de los casos...

A escala mundial ya los Estados Unidos podían servirse de una tribuna, cuyo auditórium le seguía en su casi totalidad.

En la Conferencia de San Francisco se profundizó la grieta de la Gran Alianza. Los delegados estadounidenses y rusos fueron las cabezas visibles de la reunión y en momentos determinados se pensó en la ruptura, debido al desacuerdo sobre la aplicación del procedimiento de voto acordado en Yalta. Por fin, el 26 de junio, tras casi dos meses de enconados desencuentros entre soviéticos y norteamericanos, los delegados llegaron a determinados acuerdos. Los representantes de cincuenta naciones firmaron formalmente los Estatutos de las Naciones Unidas, los cuales en esencia respondieron a los puntos de vista norteamericanos y contenían un mínimo de concesiones a los criterios soviéticos.

La Carta de las Naciones Unidas estableció una Asamblea General en que cada nación tendría un voto, y cuyas funciones serían en gran parte deliberativas; y un Consejo de Seguridad, de cinco miembros permanentes y seis elegidos de forma rotativa cada año, y se le asignaba el derecho a actuar en las disputas internacionales. A su vez permitía que cualquiera de las cinco grandes potencias: Estados Unidos, Gran Bretaña, Francia, Unión Soviética y China (la representada por Chiang Kai-shek, quien a pesar de ser derrotado por los comunistas en 1949, usurpó el escaño hasta los años 70 en que los Estados Unidos aceptaron la presencia del gobierno de la China de Mao).

A la ONU se sumaban ya otras organizaciones mundiales —éstas de carácter económico, como el Fondo Monetario Internacional (FMI) y el Banco Internacional de Reconstrucción y Fomento (BIRF), surgidos en 1944—, las cuales obedecían a planteamientos de la administración rooseveliana con la finalidad de realizar proyectos para una institución monetaria con autoridad internacional.

En julio de 1944 se efectuó en Bretton Woods, New Hampshire, Estados Unidos, una conferencia monetaria y financiera. El plan norteamericano, conocido como *Morgenthau* por el apellido del secretario del Tesoro que lo presentó, se basaba en la creación de un Banco Internacional de Cambio y en el que los miembros podrían comprar la moneda nacional de otros a cambio de la suya.

En la situación de aquel entonces esto implicaba la compra, sobre todo, de dólares de Estados Unidos, pues era ésta la moneda nacional del país económicamente más fuerte, no devastado por la guerra y por ello abastecedor, en todo tipo de productos, de los países europeos y del resto de los países capitalistas en general y, con respecto al cual, por tanto, los demás países eran deudores.

Según la letra constitutiva el FMI tenía como objetivos: a) promover la cooperación monetaria internacional mediante un mecanismo de consultas y colaboración sobre problemas monetarios internacionales; b) facilitar la expansión y el desarrollo equilibrado del comercio internacional y contribuir, de ese modo, al fomento y mantenimiento de altos niveles de empleo y de ingresos reales y al desarrollo de las fuentes productivas de todos los países miembros, etc.

La práctica demostraría cuál era su verdadera finalidad. El poder de decisión se basaba en la votación. Para llevar a vías de hecho cualquier resolución —préstamos, créditos, etc.— necesitaba ser aprobada por cuatro quintas partes de los votos, por tanto sólo aquello que conviniese a los monopolios estadounidenses se podía realizar, pues los Estados Unidos disponían —*per se*— de alrededor del 24 por 100 del total a emitir. Sólo a los reconocidos defensores de la *democracia* les estaban abiertas las puertas.

En ese mismo cónclave financiero nació el BIRF o Banco Mundial, que venía a ser el complemento activo del engendro imperialista. Sus estatutos estipulaban que sus objetivos se dirigirían a: contribuir a la obra de reconstrucción y fomento en los territorios miembros, facilitando las inversiones con fines de producción, que incluyan la rehabilitación de las economías dislocadas por la guerra, y a fomentar las inversiones privadas extranjeras mediante garantías, o mediante la participación en préstamos y en otras inversiones por parte de inversionistas privados...

Para pertenecer al BIRF era requisito indispensable ser miembro del FMI. El dominio de los Estados Unidos en el BIRF no tenía discusión por cuanto ellos aportaron el 36,6 por 100 del capital inicial. Al igual que en el FMI, los votos de cada país dependen de la cuota monetaria de *asociado*.

Cualquier nación que deseara recibir la *ayuda* del BIRF debería acompañar la solicitud de una completa información referente a cómo sería utilizada, a qué renglones específicos de la economía se beneficiarían... Ello equivalía a que el país receptor sólo podía gastarlos en aquellos renglones que el BIRF aprobase, es decir, el Congreso o Administración norteamericana.

Kennedy: su bautizo político

Mientras, después de una larga estancia en Chelsea, donde sufrió una delicada intervención quirúrgica en la espalda, Kennedy, enflaquecido y doliente, compareció ante los servicios de revisión médica de la Marina en Washington y se retiró del servicio a principios del año 1945. La paz parecía más cercana. Los aliados acorralaban cada vez más a las fuerzas fascistas en el Viejo Continente. Comenzaban a aparecer proyectos para después de la victoria.

Liberado de sus obligaciones militares, *Jack* decidió recapacitar teóricamente sobre la situación futura. Con premura, pero de forma mesurada, escribió un folleto: *Probemos la paz*. En su análisis pretendió demostrar cómo una nueva carrera de armamentos significaría una pesada carga para el contribuyente en perjuicio de las empresas privadas y del pleno empleo, y proponiendo un acuerdo entre los «tres grandes» de la posguerra —Gran Bretaña, Rusia y los Estados Unidos, excluyendo deliberadamente a Francia y China por razones desconocidas, a fin de limitar los planes de rearme—. Por otra parte entendía que Alemania y Japón podían y debían reducirse a la impotencia después de la Segunda Guerra Mundial. Pero, ¿cómo mantener la concordia? Aquí, Kennedy se mostraba lamentablemente vago, ambiguo y poco convincente: pedía *un organismo eficiente y práctico para solventar discordias* y mejor comprensión entre Rusia y los Estados Unidos, pero sin explicar cómo ni de qué manera. Los propios líderes mundiales, Stalin, Churchill y Roosevelt, aún intercambiaban ideas al respecto en Yalta, pero tampoco lo tenían claro.

Mientras los emisarios de las Naciones Unidas se reunían, las tropas aliadas se dispersaban en Alemania y los estadounidenses ocupaban Okinawa. Kennedy fue testigo excepcional del nacimiento de la Organización de las Naciones Unidas. William R. Hearst, amigo de la familia y conocedor de que al joven J. F. K. le seducía el periodismo más que la industria, el comercio o la banca, le convenció para trabajar de reportero en su cadena de periódicos. Se le encargó de informar sobre la *Conferencia de San Francisco,* en ese entonces un acontecimiento que suscitaba el interés de millones de lectores, además de la guerra que se libraba en Europa y en Asia. Sus crónicas aparecieron en el *New York Journal American* y otros periódicos de gran tirada. También ejerció como corresponsal del *International News Service.* El trato con los hombres políticos le resultaba habitual y la reflexión sobre cuestiones de su tiempo ya databa desde sus días de estudiante universitario.

Desde el principio, su punto de vista fue de comprensión y realismo. El primer reportaje lamentaba el restablecimiento de demasiados viejos moldes, y que lo mejor que cabía esperar era un sistema de votación más eficiente en el nuevo Consejo de Seguridad y que los rusos cejaran en su actitud intransigente respecto a la cuestión polaca. En reportajes siguientes, informó con detalle acerca de la *beligerante actitud de los rusos.* Después de una semana de sesiones, llegó a la conclusión de que los rusos no olvidaban los años de postergación, cuando se les consideraba un país de segunda clase, y que tardarían mucho en confiar su seguridad a ninguna organización que no fuese el Ejército Rojo. Por tanto, *cualquier organización que se establezca aquí no pasará de ser un fantasma. Su fuerza, muy restringida, reflejará las profundas disensiones entre sus miembros.*

El pesimismo de Kennedy fue en aumento según la conferencia avanzaba. *La organización internacional forjada en San Francisco será producto de las mismas pasiones y egoísmos que dictaron el Tratado de Versalles.* La única esperanza radicaba en el hecho de que la Humanidad no podía permitirse el lujo de una guerra. Pero un reportaje, más tarde, hablaba ya de la posibilidad de guerra con los rusos dentro de diez o quince años. Al finalizar la conferencia, Kennedy aprobó la flamante Organización de las Naciones Unidas, *mientras no interfiriese con la doctrina de Monroe, pero consideraba que todo dependía del buen acuerdo entre los «tres grandes», y en este sentido no veía que se hubiera realizado progreso alguno.*

Los Estados Unidos habían surgido de la Segunda Guerra Mundial con una supremacía económica y militar sin rivales. Entre los principales beligerantes, eran los únicos que no habían sido campo de batalla o víctimas de bombardeos aéreos. Su capacidad industrial empequeñecía la de todas las demás naciones; su enorme ejército, equipado con las armas más modernas, se había endurecido en la batalla, y su marina y su fuerza aérea eran más poderosas que las del resto del mundo juntas y especialmente hacían ostentación de poseer el monopolio de una nueva y terrible arma, la bomba atómica, que usarían contra Japón meses después. La prepotencia de sus delegados era razón más que suficiente para no llegar a acuerdos sustanciales. Además parecía haber buenas bases para creer que la Gran Alianza de la guerra continuaría funcionando y aseguraría la paz y la estabilidad mediante las Naciones Unidas.

Pero las cosas iban a resultar muy diferentes. La alianza de guerra se desintegró casi de inmediato y el monopolio atómico se desvaneció poco después. En poco tiempo, los Estados Unidos y la Unión Soviética habían llegado a la conclusión de que el otro constituía una amenaza para su seguridad. Avivada por el miedo y la sospecha mutuos, su rivalidad dividió al mundo en dos y ocasionó una peligrosa, exasperante y larga guerra fría y, como su nombre indica, fue sobre todo una batalla de ideologías.

En la primavera de 1945, Jim Curley anunció su candidatura para la alcaldía de Boston en las elecciones de otoño: si ganaba, y sus posibilidades eran buenas, tendría que dejar el escaño de representante de Boston en el Congreso: el distrito Undécimo de Massachussets. Era una perspectiva interesante para Kennedy.

El distrito Undécimo resultaba poco atractivo para un político novel. Comprendía East Boston (el antiguo feudo de Patrick J. Kennedy), el North End y el West End (dos barrios en los que Honey Fitz era muy conocido), Charleston al otro lado del río Charles y el arrabal de Cambridge, en el que se asentaba la Universidad de Harvard, y parte de Somerville: una de las zonas más feas y sucias de América. Irlandeses, italianos y una veintena de etnias más se amontonaban en sórdidas casuchas de ladrillo rojo rodeadas por humeantes fábricas, depósitos de gasolina, tranvías aéreos, vaciaderos. En esas casuchas vivían los miles de estibadores, guardalmacenes dragadores y obreros portuarios que trabajaban en la bahía de Boston, situada al este del distrito. Lindaban con el distrito la prisión del Estado y el monumento de Bunker Hill. Lo peor de la zona era llamado *el estercolero de Boston*. El porcentaje de criminalidad en algunas secciones del distrito era uno de los más elevados del país.

Nada tenía de común el Undécimo con los distritos contiguos, compactos y homogéneos. El Undécimo se dividía en partes totalmente distintas: East Boston era predominantemente italiano, dominado por políticos callejeros que prometían la luna a quienes le escuchaban. Charleston estaba poblado por grupos heterogéneos, aunque todos católicos, reñidos entre sí, pero unidos contra los forasteros (entre los que se encontraban los habitantes del otro lado del río). Cambridge y Somerville eran barrios más tranquilos, de baja clase media; la máxima aspiración de mucha gente de East Boston o de North End era dejar los barrios bajos y mudarse a una de esas casas de madera de tres pisos en Cambridge o Somerville.

En uno de los extremos del distrito se extendía una zona aparte: la Universidad de Harvard y los bloques vecinos, habitados por profesores, viejas familias yanquis, etc. Durante años, el selecto barrio de Harvard perteneció a otro distrito del Congreso, el Noveno. Después de muchas discusiones acerca de los límites de los distritos fue separado del residencial y pequeño burgués distrito Noveno y agregado al Undécimo, proletario e inmigrante.

No era ésta una circunscripción electoral muy atractiva para Kennedy, desde luego. Pero no podía escoger. Algunos de sus amigos le instaron para que solicitara un cargo adscrito al gobierno general del Estado; teniente de gobernador, por ejemplo: pero no le entusiasmaba la idea. Eran muchos los pretendientes a cargos en el Gobierno, gente que disponía de lo que a él le faltaba, una base de operaciones. Además, prefería mil veces un cargo en Washington que en Boston. Así, cuando Curley consiguió la alcaldía a principios de noviembre en 1945, Kennedy decidió probar fortuna. La posible derrota se vería en el seno familiar como negocio fallido. En aquel distrito, el nombramiento demócrata equivalía a la elección.

Hacia mediados de ese año, viajó a Londres en calidad de reportero para informar sobre el desarrollo de las elecciones británicas también para la red periodística de Hearst. Fue su última incursión en el periodismo. La guerra estaba a punto de finalizar en el Pacífico. Decenas de miles de soldados y marineros, puestos en pie de paz, retornaban a sus casas. Muchos de ellos lo hacían con proyectos definidos, proyectos formados y acariciados durante los largos meses de espera. *Jack* no era de éstos: a los veintiocho años de edad, con su título universitario, con un libro de éxito publicado, con la experiencia formadora de la guerra y su importante clasificación de héroe, carecía de objetivos definidos. El hombre y el dirigente político de quince años más tarde estaban aún por formar.

Según una leyenda de Boston, Kennedy decidió optar por la política semanas después de la muerte de su hermano. Se dice que el padre le conjuró, en una escena patética, a continuar la tradición política de la dinastía. Joe no estaba, él debía ser el campeón del clan Kennedy. Y John F. Kennedy, en aquel momento y lugar histórico, aceptó. Ésa es la versión más aceptada por aquellos menos cercanos a la familia. Pero al margen de que la escena obedeciera a la realidad o no, es imposible excluir lo mucho que influyó Joseph Kennedy en la conversión del inestable y díscolo John a la alta política, que hasta ese momento se debatía entre ser periodista, profesor universitario u hombre de negocios.

A principios de ese año de 1945 John Kennedy confesaba a su amigo Red Fay: *Siento los ojos de papá fijos en mi nuca... cuando la guerra se acabe... Estaré de vuelta ahí con papá tratando de sacar provecho de un barco PT hundido y una espalda destrozada para empujar mi carrera política. Te digo que papá está ya preparado y no comprendo cómo el oficial no grita en este momento «a toda máquina»*. Tenía razón. Papá ya estaba preparado. Algunos años más tarde se jactaba del modo en que había obligado al muchacho a tomar las riendas: *Lo metí en la palestra política; fui yo. Le dije que Joe había muerto y que debía asumir la responsabilidad de presentarse a las elecciones para el Congreso. Él no quería. Creía que no servía... Pero yo le dije que tenía que hacerlo.*

No es de extrañar que cuando ya era candidato a la Presidencia John Kennedy negara que él se hubiera dedicado a la política solamente para complacer a un padre dominador o para llevar a cabo un plan familiar. Las imprudentes fanfarronadas de su padre y los humildes comentarios paralelos a Fay y a otros fueron indudablemente exagerados. La entrada de John en la política no se debió solamente a la insistencia de su padre. Pero, directa o indirectamente, su decisión fue resultado de la influencia de Joseph Kennedy; el espíritu dominador del padre fue el motivo mediato, aunque no directo, y si bien John Kennedy tuvo alguna duda, su elección fue natural. *De la misma manera en que yo me metí en política porque Joe había muerto,* explicaba, *si a mí me sucediera algo el día de mañana, Bobby lucharía por mi escaño. Y si Bobby muriera a su vez, le tocaría el turno a Teddy.*

Le gustaba la idea de formar parte de la minoría gobernante: tomar decisiones, tener contactos directos y estables con los diferentes estamentos sociales. No estaba acostumbrado a las adulaciones, sonrisas forzadas, la demagogia en su más puro estado, especialmente en el aristocrático Boston, tan dado a discriminar a los descendientes de nacionalidades ajenas al tronco robusto mayfloweriano. Por ello se preguntaba constantemente a qué podría dedicarse exactamente dentro de la política del Estado de Massachusetts. Sí, había nacido allí, pero a los nueve años su familia se había trasladado a Nueva York, luego estudió en un colegio en Connecticut; más tarde en Harvard, que no se consideraba parte del área electoral de Massachusetts. Un tiempo en Inglaterra y más tarde enrolado en la Marina. Según la costumbre, para que un político llegase a cotas elevadas, se requería tener suficiente arraigo en una ciudad, en un Estado. Kennedy carecía de ello. Empero tenía a su favor todo el aval proporcionado por su abuelo materno —no olvidemos que llegó a ser alcalde de Boston— y la inmensa fortuna de su padre. Dinero e influencias, he ahí la base necesaria para romper con lo establecido, pese a que la situación era diferente.

En la época de sus abuelos, los irlandeses católicos lograron hacerse con el control de la política demócrata. La hegemonía irlandesa no era discutida; los yanquis iban disminuyendo en número progresivamente, y los nuevos inmigrantes eran políticamente dóciles y manejables. Pero al doblar el cabo del siglo, según el ensayo de Koskoff, italianos, eslavos y polacos comenzaron a situarse, a dejar las zanjas y los muelles por oficios semiespecializados, igual que los irlandeses antes. Algunos estudiaron y se convirtieron en abogados y médicos, constituyendo los respetados prominentes de sus respectivos grupos étnicos. Los italianos, los primeros en llegar después de los irlandeses, se iban ya organizando en grupos políticos bajo el mando de réplicas latinas de los Kennedy y los Fitzgerald, y rivalizaban con los irlandeses.

Durante algún tiempo los inmigrantes más recientes colaboraron con los irlandeses en plan de inferioridad, pero según aumentaba su número y su competencia exigían mayores derechos. Algunos líderes irlandeses, entre ellos Fitzgerald, aceptaron compartir sin reservas los puestos de responsabilidad con los italianos, pero muchos irlandeses los trataban del mismo modo que los yanquis les habían tratado a ellos. Desde luego, los nuevos inmigrantes eran católicos también, pero su catolicismo difería del de los irlandeses, y las iglesias católicas de los italianos, de los franceses y de los polacos en Boston tenían frecuentes roces con la jerarquía irlandesa, dirigida por el cardenal O'Connell.

En parte por esta razón, en parte por la política extranjera de Woodrow Wilson, que se enajenó la simpatía de los grupos inmigrantes, en parte porque los yanquis republicanos empezaban a atraerse a los italianos y judíos, la débil coalición demócrata de italianos, irlandeses y otros inmigrantes se deshizo totalmente en 1920. Ante la catástrofe, los irlandeses rectificaron su política anterior y durante la década siguiente aceptaron a regañadientes compartir el poder con líderes de otros grupos étnicos, incluso con yanquis, como Joseph B. Ely, como único sistema de conseguir victorias electorales en una época de hegemonía republicana. El nombramiento de Al Smith en 1928 y la Gran Depresión produjeron, sin embargo, una reacción demócrata tan fuerte en Massachusetts que los irlandeses pudieron permitirse el lujo de componérselas solos. Los líderes demócratas de los años 30 fueron todos irlandeses y prácticamente todos de Boston: Jim Curley, Maurice Tobin, John McCormack, Paul A. Dever y otros.

El Partido Demócrata era ahora, en mayor grado que nunca, más un conjunto de grupos individuales que una organización unida; y los grupos rivalizaban entre sí más a menudo que con los republicanos. Los italianos y otros grupos, no reconocidos por los demócratas, se volvieron hacia los republicanos, quienes con frecuencia los admitían. Estas fuerzas contribuyeron a escindir el Partido Demócrata de Massachusetts del Partido Nacional; los demócratas locales se preocupaban, ante todo, de cuestiones patronales concretas y de mejoras materiales inmediatas, mientras que el Partido Nacional, con Roosevelt, continuaba las tradiciones de liberalismo amplio, internacionalista y de alta política.

Estos problemas, suponiendo que los conociese, debieron parecerle bizantinismos a *Jack* Kennedy en 1945, aunque no lo eran. Kennedy era irlandés y, por tanto, tenía en su favor la fuerza dominante en el Partido Demócrata, pero las discordias entre irlandeses e italianos afectaban gravemente a la política de Boston. Además, el provincialismo y el separatismo de los demócratas de Massachusetts podía perjudicar a quien pretendiera comenzar por aquel Estado para hacer carrera política en el ámbito nacional, y el caos en que se hallaba sumergido el Partido Demócrata obligaba a buscar personalmente el medio de obtener algún cargo político.

A principios de 1946 el joven, recién licenciado de la Marina, estaba de vuelta en Massachusetts y empezó a hablar en público, señal evidente de que había tomado una decisión.

En Lynn, Massachusetts, por ejemplo, advirtió a su audiencia que había que poner coto a la diseminación del *socialismo*, que había visto triunfar en las elecciones británicas y la exhortó a defender lo viejo contra las nuevas teorías. Pidió que los americanos hicieran de su gobierno *el criado y no el amo del pueblo*, una frase que contrasta fuertemente con aquella que le hizo tan famoso. Pronto anunció el cargo al que aspiraba —se presentaría como candidato para el Congreso por el distrito Undécimo—, un escaño *seguro para cualquier demócrata que ganara las primarias.*

Aún en estos instantes, cuando se definió por la política, no podemos hablar de que la conducta de este joven rico, graduado en Harvard, absorbido por los deportes y la historia, tímido, reconocido como héroe, de sonrisa fácil y atractivo, se alimentaba de una formación ideológica sólida. Era demócrata —unas veces liberal, otras conservador— porque sus abuelos y su padre han pertenecido a ese partido desde que arribaron como inmigrantes a Boston. No defendía ningún programa en concreto, no lo tenía.

Era tal su compromiso que su madre recordó que, un poco antes del día del escrutinio, *Jack* se dio cuenta de que no estaba inscrito como demócrata en las listas electorales. Corrió a llenar ese olvido con el fin de que su campaña, ya en marcha, pudiera desarrollarse conforme a la ley. Sin duda ansiaba obtener una sociedad estadounidense más humana y justa, pero evidentemente no sabía aún cómo lograrlo. Su enrolamiento en la vida política fue fortuito.

La impronta de Kennedy en la sociedad tradicionalista de Boston resultó por lo menos sorprendente: con sus escasos veintiocho años, aún amarillento a causa de los medicamentos que hubo de tomar contra la malaria, retraído, flaco, casi demacrado, era el extremo opuesto del clásico político de la ciudad: de por sí charlatán, ruidoso, obeso. La mayoría le tomó como un aventurero y le auguraban una fugaz presencia, pensando que desaparecería tan pronto se pusiera en marcha la batalla real. La profecía fue un fiasco. A la fama y el dinero de los Kennedy-Fitzgerald, el candidato de nuevo tipo sumaría una tenacidad y resolución desconocidas en él hasta ese momento.

Las elecciones primarias de Massachusetts tuvieron lugar en junio de 1946, pero Kennedy ya había dado su personal pistoletazo de salida desde muchos meses antes. Ésa fue una de las premisas que le valdrían su inesperada victoria, pues los teóricos favoritos permanecieron estáticos, confiados. Su equipo lo constituyeron amigos de Choate, Harvard y la Marina. Republicanos o demócratas, liberales o conservadores, coincidieron en Bowdoin Street para *echarle una mano a Jack*. Un amigo voló expresamente desde San Francisco con este propósito. Su hermano Bob, que acababa de salir de la Marina, se encargó de varios barrios en East Cambridge. Vale de muestra Lem Billings, residente en Pensilvania, quien acudió a su llamada de inmediato: *un republicano apoyando a un demócrata, un protestante actuando en un distrito católico, un hombre de Pittsburgh actuando en Boston*; así se autorretrataría él mismo más tarde, con una mueca. Se apoyaba al hombre, no a las ideas.

Pero ¿qué posibilidades tenía Kennedy de triunfar sustentado por un puñado de jóvenes de otros estados? ¿Acaso él mismo no carecía de ese arraigo en Boston? De forma pausada e inteligente también incorporó elementos que habitaban en el distrito; jóvenes como él, dinámicos, sin experiencia política en general, vagamente demócratas. Kennedy los denominaba sus *jóvenes eminencias grises*.

Destacaron entre ellos Francis X. Morrissey, despreocupado y voluble bostoniano que se ocupaba de obras católicas; Paul Red Fay, un viejo camarada del PT. 109; Torbert McDonald, que compartió habitación con él en Harvard; el alegre y simpático Timothy J. (Ted) Readdon, de Somerville, que había sido íntimo amigo de su hermano Joe; Mark Dalton, Tom Broderick, Dave Powers, quien se encargó del difícil barrio de Charleston; Billy Kelly de East Boston, John Broney de Cambridge: *todos excombatientes, todos cansados de los politicastros corrompidos y ruidosos de Boston, todos con sus cabezas bien sentadas sobre los hombros, sistemáticos y prácticos, todos deseosos de ver nuevas caras en política. Y ellos a su vez reclutaron docenas de espontáneos ayudantes, ajenos a la política oficial.* A pesar del cosmopolitismo del distrito, casi todos los colaboradores de Kennedy eran irlandeses. A veces ellos mismos se preguntaban: ¿Conseguiría este simpático, pero retraído y demacrado, joven ganar las elecciones primarias en Boston?

Disponía además de la baza más importante, tal como hemos señalado, un tronco familiar influyente: los Kennedy y los Fitzgerald eran, en Boston, personalidades conocidas, temidas y respetadas. El abuelo materno, en plenitud de facultades, le transmitió sus experiencias y le aconsejó cómo comportarse, por dónde atacar, dónde explicitar el mensaje, dónde ser liberal o conservador. De forma discreta le ayudó a realizar una campaña eficaz. Dinero no faltó. Era importante, pero en este distrito, en concreto, no decisivo. El primer paso era derrotar a sus compañeros de partido; en segundo lugar, batir al candidato republicano. En esta circunscripción esencialmente demócrata, la primera de dichas tareas era más ardua que la segunda. Su eslogan, *La nueva generación presenta un líder,* pretendía demostrar que la generación de la posguerra, pese a su juventud, estaba preparada para acometer tareas de dirección política.

¿Cómo captar la atención de millares de electores indiferentes que consideraban la política un feo negocio monopolizado por gente fullera y sin escrúpulos? Si no venían, tendría que ir él. Así Kennedy, por medio de su centenar de colaboradores, organizó fiestas familiares en cada calle de distrito. El sistema era usual en campañas electorales, pero la innovación radicó en la enorme cantidad de fiestas, el esmero con que se planearon y la sincronización, que permitió su participación personal al menos en media docena de fiestas cada noche. A los vecindarios más pobres llevaban café, galletas, tazas, platos, cubiertos y flores. Se hicieron fichas con los nombres de todos los asistentes, para enviarles propaganda. Él sabía quedar bien en esas reuniones: su timidez y su radiante sonrisa fotogénica cautivaron a madres e hijas por igual; después de contestar preguntas sentado en el brazo de su sillón, de ir a la cocina a charlar con los emocionados abuelos acerca de su país de origen y de estrechar por última vez todas las manos, se iba a otra fiesta donde repetía el número. Este tipo de política basándose en reuniones sociales tuvo su apogeo en una gran fiesta en un hotel de Cambridge presidida, no por el candidato, sino por su madre y hermanas, considerado el feudo menos proclive a votarle.

Acudieron unos mil quinientos invitados. Rose Kennedy y su hija Eunice les saludaron uno a uno. Se suceden apretones de manos, sonrisas, cruces de palabras. John se esfuerza en resultar encantador con todos y con todas. Fue un golpe de efecto. En 1952, la técnica será perfeccionada y aplicada hasta que accedió a la presidencia.

Cada miembro de la familia desempeñó un papel: Edward, (Teddy), que tenía catorce años, era el niño de los recados; las hermanas, como secretarias, atendían el teléfono, escribían las cartas, participaban activamente de las reuniones del barrio, visitaban a los vecinos, interpelaban a los transeúntes. El mensaje de su hermano lo transmitieron directamente. Robert, de veintiún años, se encargó de coordinar las actividades de los partidarios de su hermano en East Cambridge; por su parte, el padre se dedicó a realizar discretamente determinadas llamadas telefónicas a conocidas personalidades influyentes. La madre mostró todas sus dotes. Llevaba, a la vez, el nombre de Kennedy y el de Fitzgerald. Era la esposa del ex embajador en Londres, y conocía, como tal, innumerables anécdotas que narró con sencillez. La política le subyugaba, pues había estado sumergida en ella desde su infancia. Le encantaba animar las reuniones en su mansión, donde eran recibidas docenas de madres de familia. Rose les hablaba de cómo educó nueve hijos, de sus estudios, de sus enfermedades, de sus caracteres. Les cotilleaba elegantemente los secretos de la corona británica, del rey Jorge VI, a quien conoció cuando su marido estaba en Londres. Era una anfitriona encantadora. Como buena política, Rose intercalaba las virtudes de *Jack*, de su acto de heroísmo y por qué era el más idóneo para ocupar el escaño de representante. Nunca mencionaba que otro hijo perdió la vida, pero aquellas mujeres, que también habían perdido algún ser querido o habían vivido los años de la guerra, la identificaban como una estadounidense media que, no obstante, tenía la suerte de llevar una vida poco corriente.

Las elecciones primarias tienen un carácter abierto. Todo el que lo desea puede pretender acceder a la candidatura del partido, y a veces se presentan más de una docena de pretendientes. La limitación estaba en el capital disponible para asumir la campaña. Algunos se presentan con la intención de dejarse comprar y retirarse. La rivalidad no se manifiesta en los programas o ideologías de los contendientes, sino en quien es más simpático, más conocido, mejor orador, más romántico o más atractivo. Por lo general el índice de abstención es grande. Los electores las consideran confusas y aburridas, sobre todo en Boston, donde éstas constituyen una verdadera algarada, con sus vendettas de vecindarios, sus rivalidades entre grupos étnicos distintos y sus disputas entre políticos callejeros, que ocasionalmente acababan en pedradas y puñetazos. Éstas no fueron distintas.

Según definió R. Sinclair en su artículo *Las Primarias de 1946*, los rivales de Kennedy formaban un grupo harto heterogéneo. Los más conocidos eran Mike Neville, de Cambridge, un veterano que había ascendido el escalafón político hasta alcalde y legislador del Estado; John F. Cotter, de Charleston, quien, en calidad de secretario del ex congresista Jim Curley, estaba bien relacionado en el distrito; Joseph Lee, de Boston, patricio yanqui que tenía el valor de presentar la candidatura por ese distrito católico año tras año, y de cuando en cuando la ganaba, y Catherine Falvey, de Somerville, que había servido en el Ejército como comandante del Cuerpo Femenino. Ella daba color a la contienda, porque le gustaba presentarse a los mítines con su deslumbrante uniforme blanco.

Mike Neville le ofreció, a Kennedy, por anticipado, empleo como secretario cuando le eliminaran. Pero, según se evidenciaba la solidez del juego de Kennedy, la burla se trocó en indignación. ¿Con qué derecho invadía ese intruso, respaldado por el dinero y el nombre de los Kennedy, el distrito Undécimo? Corrió el rumor de que su padre compraba los votos.

Se equivocaban al menospreciar su participación. ¡Y lo lamentarían! Ese mozuelo de mirada aniñada no sólo disponía de sus apellidos y de una fortuna paterna a su disposición, sino también de un grupo de jóvenes capaces, que le secundaron a destajo, y su propia personalidad, la cual, en la misma medida que la campaña subía de tono, iba saliendo a borbotones. Cada hora, cada día, Kennedy fue madurando y asimilando hasta los más pequeños secretos de la política. Recorrió el distrito palmo a palmo. Saludaba a la gente en barberías, tabernas, colmados, fábricas, gasolineras, muelles, restaurantes. Va de piso en piso, de casa en casa. Su promesa es ambigua, pero reconfortante: en caso de victoria les defenderá. Su presencia también es visible en los salones de billar, tiendas de comestibles, cafés, reuniones de antiguos combatientes, de caballeros de Pitias o de Colon, o a la entrada de las iglesias. El esfuerzo le hace resentirse de su lesión de espalda. A veces se temió que ello no le permitiera seguir.

En los inicios su voz era vacilante y nerviosa; hablaba muy rápido y no tenía poder de convicción, pero gradualmente fue creándose un estilo propio, directo, simple, sin retórica ni exageraciones, que contrastaba favorablemente con la oratoria de los políticos de la vieja escuela. Perfiló un lenguaje para ser comprendido por todos los estamentos, eludía hábilmente cualquier confrontación o alusión personal y enfatizaba sobre los problemas concretos: desempleo, coste de la vida, vivienda, seguridad social, asistencia médica, ayuda de diverso tipo a los excombatientes, etc. Aunque en la mayoría de los asuntos su posición concordaba con los planteamientos del *New Deal*, evitó públicamente adscribirse a ese proyecto.

De política exterior no se discutió, a excepción del empréstito que se concedió a Inglaterra. Kennedy se puso a su favor. Fue de las pocas veces que se decantó por algo de forma abierta. Todos los candidatos, por regla general, aceptaban la política exterior de Truman. Contactos humanos, sí; debate de ideas, no.

Además de sus contactos políticos, Joe Kennedy aportó a su hijo sus amigos de la prensa: Hearst's Boston American tenía un periodista destacado en el cuartel general de Kennedy todos los días, cosa que no hizo con los demás candidatos.

James McGregor Burns, el primer biógrafo de Kennedy, atribuye principalmente la arrolladora victoria al entusiasmo de los ayudantes y los voluntarios. Es posible. Pero, ¿qué fue lo que les llevó al campo de Kennedy, en primer lugar? Como dicen los periodistas Ralph Martín y Ed Plaut, *siempre en un segundo plano se sentía el olor del dinero de los Kennedy, inclusive cuando no estaba allí; el peso del poder de los Kennedy, aun cuando no le usara; la esperanza del premio a obtener de los Kennedy, aun cuando no hubieran prometido nada.* Cuando uno trabaja para el hijo de Joseph Kennedy trabaja para un campeón y se contagia de la psicología del ganador.

Al aproximarse la fecha de las elecciones, la carrera se convirtió en una de esas grotescas batallas campales tan bien descritas por Edwin O'Connor en *The Last Hurrah*. Se asegura que el día de las elecciones, Kennedy fue a votar con su abuelo Fitzgerald y luego al cine, para ver a Humphrey Bogart en *Casablanca*, en espera del momento de saberse los resultados: con un total de 22.183 votos, Kennedy dobló los obtenidos por Neville, y triplicó largamente los resultados de Cotter. El porcentaje absoluto de votos conseguidos —un 42 por 100— era impresionante, tratándose de una competición entre diez candidatos. *Jack* tomó la victoria con su acostumbrada impasibilidad. Pero el abuelo Fitz se encaramó a la mesa, bailó una endiablada danza irlandesa y cantó *Sweet Adeline*. Algunas fuentes dicen que Kennedy gastó 250.000 dólares en la campaña, cifra impresionante, tratándose de un escaño en el Congreso en el año 1946. No es de extrañar que Kennedy lo negara rotundamente. Pero cuando Joseph Kennedy quería algo, estaba dispuesto a pagar su precio y, si creía que se necesitaba medio millón de dólares para conseguir alguna cosa, los hubiera pagado muy a gusto. El resultado aumentó no solamente su confianza en sí mismo, como bien señala Schlessinger, sino el convencimiento de que podía tomar por su cuenta decisiones políticas realistas, a veces en contra del parecer de los hombres importantes. Recibió muchos consejos contradictorios durante la campaña —de su padre, del abuelo Fitz, de viejos amigos de Boston, de liberales del *New Deal*, de conservadores— y los resultados confirmaron las conclusiones sacadas por él mismo.

La campaña también le permitió conocer a fondo lo despreciable de la política rutinaria y la actitud miserable de los que llamó *mercenarios del partido*, desprecio que tardaría muchos años en perder. Se percató además de que en el distrito Undécimo el Partido Demócrata estaba muy desorganizado. Ganadas las elecciones, exclamó: *Yo soy el Partido Demócrata de mi distrito.* Se convenció de que la clave para triunfar en política —al menos en Boston— estaba en una organización personal; y tuvo buen cuidado de mantener su equipo intacto como núcleo de una organización mayor. En las legislativas nacionales, en el otoño, venció fácilmente al candidato republicano.

Había obtenido un puesto seguro, de cuya solidez se daría clara cuenta un par de años más tarde, en 1948, cuando no halló oposición alguna ni en las elecciones primarias del Partido Demócrata, ni contra los republicanos en las generales. En 1950 venció, en las primarias demócratas, sin esfuerzo, a cinco oponentes —entre ellos, cuatro italianos— con cinco veces más votos que todos ellos juntos, y en otoño derrotó al candidato republicano, un joven abogado de Boston llamado Vincent J. Celeste, por cinco a uno. Kennedy tenía ya la base firme de operaciones que tanto necesitaba. Pero todo esto pertenecía al futuro.

En el verano y otoño de 1946, mientras otros candidatos del país entero se afanaban fatigosamente en las tribunas públicas, Kennedy descansaba en Cape, dedicado a los deportes acuáticos, y mientras tanto, el péndulo político norteamericano oscilaba.

Favorecidos por la escasez, los desengaños y la crisis de posguerra, los republicanos, con el senador Robert A. Taft al frente y con el eslogan de *Ya hemos aguantado bastante,* consiguieron la mayoría en el Congreso por vez primera desde hacía casi veinte años, al conseguir una ventaja aplastante en las dos Cámaras (246 republicanos frente a 188 demócratas, y 51 frente a 45 en el Congreso y Senado, respectivamente). Ello fue favorable a Kennedy, porque, con los pocos nuevos congresistas demócratas elegidos tuvo más atribuciones para escoger. Sin mayor esfuerzo y sin pensarlo mucho —también sin saber gran cosa acerca del tema— le hicieron miembro del Comité de Educación y Trabajo, lo cual influiría considerablemente en su futura carrera.

Capítulo VI

TRUMAN Y McCARTHY

Truman: su política hacia América Latina

Si Roosevelt, el primero, tenía su *Big Stick*; si el farisaico W. Wilson, su *Nueva Libertad*; si Taft, su *Dollar Diplomacy*; si su antecesor inmediato, el segundo Roosevelt, el *New Deal* y la *Good Neighbor Policy*, por qué él, Harry Truman, no iba a tener la suya. Además él recogería en su *doctrina* la esencia del monroísmo, simiente de la ideología expansionista yanqui y la adaptaría a su realidad. En aquella época pretérita se diría veladamente: *América para los americanos del Norte*; empero, ahora era necesario dejar bien claro que el mundo era para los americanos del Norte.

18 de marzo de 1947. Truman habló a la nación y a la opinión pública mundial: *Los Estados Unidos están dispuestos a ayudar a los pueblos libres a mantener sus instituciones libres y su integridad nacional contra los movimientos agresivos que tratan de imponerles regímenes totalitarios. Tal principio,* decía, *no es sino el reconocimiento de que los regímenes totalitarios impuestos a los pueblos libres, por una agresión indirecta o directa, socavan los cimientos de la paz mundial y, por consiguiente, la seguridad de los Estados Unidos.*

La *Doctrina Truman*, llamada así la mundialización de la *Doctrina Monroe*, se puede considerar como el documento más revelador de las proyecciones norteñas en la década de la posguerra. Su razón de ser, según la historiografía apologética del expansionismo estadounidense, se debió a la *ofensiva comunista* en Grecia y Turquía, por lo que Truman, temeroso de que estas naciones perdieran sus libertades democráticas, facilitó armamentos y dólares. Eluden hábilmente estos mercaderes de la pluma que en la Grecia dominada por el reaccionario Tsaldaris no existía ni un mínimo de respeto a la libertad humana, y que la ayuda económica y militar de los Estados Unidos iba a parar a manos de un gobierno que sí era totalitario, al igual que el de Turquía, gobernada por una férrea dictadura.

A esta formulación teórica seguiría su expresión concreta: el *Plan Marshall*, que abarcaría *ayuda* priorizada no sólo a Grecia y Turquía, sino a todos los *pueblos libres que están intentando defender su independencia, sus instituciones democráticas contra las presiones del totalitarismo, ya sean internas o externas...*, como pusiera de relieve Dean Acheson en discurso de 18 de mayo de 1947. Palabras éstas consideradas por Truman como el *prólogo del Plan Marshall.*

Era tal la prepotencia de los Estados Unidos en las organizaciones del mundo capitalista, que el *Plan Marshall* ignoró a la Comisión Económica de las Naciones Unidas para Europa, que estaba integrada por varios países europeos. Según W. W. Rostow, director de la Oficina de Planificación Política del Departamento de Estado durante los gobiernos de Kennedy y Johnson y ayudante especial del secretario ejecutivo de la Comisión Económica para Europa de 1947 a 1949, el hecho que accionó sobre el proceder del gobierno de USA fue que *la Comisión Económica para Europa (CEE) era una organización de las Naciones Unidas, de la que formaban parte la Unión Soviética y los demás países del Este de Europa. Su propia existencia planteaba un problema básico. ¿Había que hacer un esfuerzo para incluir a toda Europa en una empresa de reconstrucción o había que sacar de la lección de Moscú la conclusión de que la única alternativa que tenía Occidente era aceptar la división y fortalecer la zona que permanecía aún fuera de las garras de Stalin?*

Es innegable que este factor político determinó cómo y dónde se pondría en ejecución el *Plan Marshall.* Es verdad de Perogrullo que el capitalismo y el socialismo son formaciones económico-sociales antagónicas. Unido a ello, se tiene que la Europa devastada por la guerra estaba inmersa en convulsiones políticas. Convulsiones que se reflejaban en el nivel de vida de la clase obrera, de los sectores campesinos, intelectuales, los que, afectados por la secuela del conflicto bélico, manifestaban su desacuerdo con la situación imperante. Ésa era la situación de Europa a que iba destinada la *ayuda.*

¿Pero acaso Estados Unidos se conformaría con *ayudar* a los capitalistas europeos? ¿Y los países subdesarrollados, principalmente América Latina? ¿No podía el *comunismo* hacer presa en ellos? ¿Qué otros factores coadyuvaron para que la exacción capitalista norteamericana aumentara en intensidad y volumen en esas regiones ricas en recursos naturales y dependientes políticamente de los mandatos de las principales potencias capitalistas, básicamente Estados Unidos?

Al finalizar la guerra, la mayoría de los países latinoamericanos mostraban cierta estabilización en sus ingresos. La venta de sus materias primas se había incrementado y los precios, pese a no ser altos, se mantenían a un nivel decoroso. Dos causas fundamentales reconoce el ensayista peruano Manuel Espinoza en su libro *Política económica de los Estados Unidos hacía América Latina entre 1945 y 1961*, como pilares de ese tímido progreso. La primera de ellas la constituye el ahorro de divisas durante el lustro bélico; y la otra la atribuye a un flujo de exportación constante y ascendente que, aunque sin llegar a los precios existentes antes de la gran crisis de 1929, se mantuvieron a un ritmo discreto de crecimiento.

Espinoza cita los casos de la Argentina, Brasil y México, los cuales habían aumentado sus exportaciones de productos manufacturados durante la guerra, y no pudieron proseguir tales exportaciones después de ella con la misma intensidad, a causa de la competencia norteamericana.

Por otro lado, prosigue el mismo autor, los planes de industrialización prometidos por los Estados Unidos durante el conflicto fueron incumplidos debido a la atención preferencial por dicho país a la denominada recuperación europea. Los industriales de la región se vieron privados así de maquinarias y equipos para reemplazar las que poseían, que, aparte de ser muy antiguas, se encontraban sumamente usadas por los años de trabajo continuo.

Una vez más los gobiernos de los Estados Unidos incumplían promesas de ayuda. Y una vez más, los gobiernos corruptos y entreguistas de Latinoamérica inclinaban la cerviz ante el chantaje descarnado de los inquilinos de la Casa Blanca, a orillas del Potomac.

Poco se reconoció la ayuda de las repúblicas al sur del río Bravo a la causa contra el fascismo bárbaro. Sin embargo, ésta fue poco reconocida por los aliados y, especialmente, por los gobiernos estadounidenses. Es una verdad irrebatible que la América no sajona contribuyó moral, económica, diplomática y militarmente; contribución que se tradujo en conceder parte de su territorio para bases militares, hombres y embarcaciones en proporción a sus recursos, en vender sus productos (materias primas) a un precio por debajo de lo que el mercado marcaba en esos momentos.

A la exclusión de ser receptoras de las migajas del Plan Marshall, la Administración de Truman agregó otros importantes peldaños en su escalada anticomunista que, y nunca está de más recordarlo, agrupaba a toda manifestación contraria a sus intereses. Tales fueron los casos del *Tratado Interamericano de Asistencia Recíproca* (TIAR) y la *Organización de Estados Americanos* (OEA); el primero de ellos concebido para la esfera militar, y el segundo, para la diplomática.

La Conferencia de Río de Janeiro, en la entonces capital del Brasil, se realizó en agosto de 1947 y tuvo como uno de sus objetivos declarados la firma de un tratado de asistencia militar entre las repúblicas americanas. Tal convenio entraría en vigor en cualesquiera de los casos que una de ellas fuera agredida. Tal llamada a la *solidaridad* americana tenía su razón de ser. Los Estados Unidos, como se ha apuntado, habían tomado la dirección del sistema capitalista y aspiraban a dominarlo por completo. De ahí que por estos años diseñaran múltiples modelos para hacerlo posible. La vía para mantener dependientes a los países europeos fue el denominado *Plan Marshall*, que entre sus fines estaba facilitar las exportaciones hacia esos países, mientras que a la América Latina se le privaba de mercados y medios técnicos necesarios para organizar su estrategia de desarrollo independiente.

Por supuesto, y para muchos resultó obvio, tal pacto significaba que América Latina debía montarse en el carro belicista y seguir a los Estados Unidos en sus posiciones anticomunistas.

Para los círculos más reaccionarios de Washington el dilema se encontraba en contener el supuesto expansionismo soviético. Varios de los funcionarios del propio Truman, entre ellos George Kennan, que estuvo destinado en la embajada norteamericana en Moscú en esa época y más tarde director de la sección de Planificación Política del Departamento de Estado, mostraron su desacuerdo con esos aparentes temores: *Cualquiera que conociese mínimamente la Rusia de aquel entonces, podía darse cuenta de que los líderes soviéticos no tenían intención alguna de propagar su doctrina organizando ataques de sus propias fuerzas armadas más allá de sus fronteras.*

Al unificar los ejércitos latinoamericanos en la reunión de Río la Administración de Truman brindó a la industria militar de su país la magnífica oportunidad de deshacerse de toneladas de material bélico, en su mayoría obsoleto, a precios altos. No sólo eso. También se estableció la venta de piezas de recambio, accesorios, municiones, combustible y personal técnico.

Una reafirmación de lo anterior fue la declaración de William Sprague Barnes, secretario auxiliar del Ministerio de Defensa en el gabinete de Eisenhower, ante el Comité de Asuntos Extranjeros del Senado en 1958: *La proporción del presupuesto que gastan nuestros aliados ha aumentado cada año, y en 1957 los países que han recibido ayuda militar gastaron en la defensa una suma equivalente a siete dólares por cada dólar que se les asignó para ayuda militar.*

(...) Nosotros calculamos que el 92 por 100 de las sumas invertidas se destinarán a hacer pedidos a la industria norteamericana.

De aquellos debates del verano de 1947 salió el acuerdo del TIAR, cuyas consecuencias en lo político-militar y económico resultaron incalculables. Por lo pronto se manifestó que la voluntad estadounidense se impuso sin cortapisas de ninguna especie. Entre sus artículos destacaron:

Art. 1. Todo ataque dirigido contra un Estado americano constituirá un ataque contra todos los estados americanos (...) y en consecuencia se comprometen a ayudar a hacer frente al ataque.

¿Miedo a una agresión intercontinental? ¿A qué temían realmente? La propia historia previa al TIAR y la posterior, al entrar en vigor éste, mostraron toda una cadena de tropelías en nombre de una supuesta libertad y democracia protagonizadas por los grupos de poder yanquis, ya fueran del Partido Republicano o Demócrata.

Para una gran mayoría de los analistas y publicistas de ese período de la sociedad norteamericana, esa estrategia belicista sólo tenía una respuesta: detener el avance de los movimientos de liberación nacional y de las fuerzas progresistas en su conjunto.

En el artículo 9 se definió el concepto agresión, pero se tuvo el cuidado de especificar que si la integridad o la independencia de cualquier estado americano fueran afectadas por una agresión que no sea ataque armado, o por un conflicto intercontinental, (...) el órgano de consulta futuro acordará las medidas que en su caso convengan.

El catálogo de medidas a aplicar en cualesquiera de los casos abarcaba el retiro de los jefes de misión, ruptura de las relaciones diplomáticas y consulares, interrupción parcial o total de las relaciones económicas o de las comunicaciones, y en caso extremo la utilización de las fuerzas armadas coaligadas.

Se consideró de tanta importancia el cónclave que el mismo Truman clausuró el evento: *Yo espero* —sentenciaba el mandatario— *que las naciones de la América Latina estarán listas, según sus posibilidades y de acuerdo a su criterio, a contribuir a asegurar una paz durable por el bien de la humanidad.*

Más adelante aclararía que *nosotros estamos decididos a continuar fuertes. (...) Nuestra aversión a la violencia no debe ser interpretada erróneamente y considerada como una falta de determinación para cumplir nuestras obligaciones sancionadas por la Carta de la ONU. (...) Nosotros conservamos nuestro poderío militar que constituirá una prueba de seriedad que otorgamos a nuestras obligaciones.*

En su discurso también trató de limar hábilmente las asperezas por la política de prioridad hacia Europa: *Hace mucho tiempo que nos hemos visto obligados a hacer una diferencia entre las necesidades urgentes de la reconstrucción de los países devastados por la guerra y los problemas derivados de la modernización de otras regiones. Los problemas que se presentan en los países de este hemisferio son diferentes y deben ser solucionados por métodos y medios diferentes a los aplicados en Europa. Nosotros tenemos necesidad aquí de una colaboración económica a largo término. Es un tipo de colaboración en la que el rol que incumbe a los particulares y a las empresas privadas es primordial.*

La fundación de la Organización de Estados Americanos (OEA), en 1948, representó el penúltimo capítulo de la política exterior estadounidense tendente a controlar las repúblicas vecinas. Si bien los principios incorporados a la Carta de la organización son fruto, en su mayor parte, de las aspiraciones seculares de América Latina: el respeto por la soberanía y la integridad de cada miembro, condena a las guerras de agresión, el pacífico arreglo de las disputas, el reconocimiento de los derechos humanos y otros aspectos importantes; no es menos cierto también que la razón de la fuerza depende de un solo Estado, los Estados Unidos de América, y, además, que muchas de las repúblicas hispanoamericanas estaban dirigidas por dictadores a los que les interesaba un bledo la aplicación de esos altos principios.

Sobre el candente problema de la no intervención, los delegados a esta IX Conferencia Interamericana que se realizó en Bogotá, Colombia, se pronunciaron más radicalmente que en anteriores reuniones y consideraron inadmisible la intervención colectiva. Ésa fue la esencia del artículo 15, que dispuso en su primera parte que: *Ningún Estado o grupo de estados tiene derecho a intervenir directa o indirectamente, y sea cual fuere el motivo, en los asuntos internos y externos de cualquier otro.*

Singular importancia revistió también el enunciado del artículo 16, por cuanto se estableció que: *Ningún Estado podrá aplicar o estimular medidas coercitivas de carácter económico y político para forzar la voluntad soberana de otro Estado y obtener de éste ventaja de cualquier naturaleza.*

La violación impune de lo establecido por parte de los Estados Unidos es más que notoria. A manera de ejemplo, porque el listado es demasiado largo, recordaremos, a lo largo de este libro, los casos de Guatemala y Cuba.

En Bogotá también se plantearon problemas referentes a programas sociales y culturales. En lo tocante a lo económico, como señala Alonso Aguilar Monteverde, en su citado ensayo, poco se pudo adelantar. Los Estados Unidos trataron de reconquistar las posiciones que transitoriamente habían perdido en ciertas ramas de actividad, y a la vez de consolidar y extender su influencia en otras, y seguía viendo a Latinoamérica como un arsenal de recursos naturales y materias primas, como un conjunto de economías subordinadas que deberían seguir produciendo y exportando café, bananos, cereales, carne, cobre, plomo y estaño.

En otras palabras, en vez de movilizar al máximo el potencial productivo latinoamericano, de combatir el despilfarro de recursos, de reducir el consumo suntuario de los ricos y de cerrar la puerta al drenaje de ahorros provocado por un comercio exterior desfavorable y un movimiento de capitales aún más perjudicial, lo que se hizo fue soslayar los problemas de fondo, no enfrentarse a los obstáculos decisivos del desarrollo y afincar en buena parte el progreso en la ayuda económica norteamericana.

El acuerdo más importante, desde el punto de vista de la estrategia anticomunista, fue sin duda la llamada *Resolución XXXII* sobre la *Preservación y Defensa de la Democracia en América.* Entre sus múltiples acápites sobresalían los siguientes:

— Condenar los métodos de todo sistema que tienda a suprimir los derechos y libertades políticas y civiles, especialmente la acción del comunismo internacional.

— Adopción de medidas drásticas para desarraigar e impedir las actividades dirigidas o instigadas por gobiernos, organizaciones o individuos extranjeros que tiendan a subvertir las instituciones, a fomentar el desorden en su política interna, o a perturbar por presión, o en cualquier otra forma el derecho de sus pueblos a gobernarse por sí mismos.

Las elecciones de 1948

En la primavera de 1948 las divisiones dentro del Partido Demócrata parecían condenarlo al fracaso en las elecciones presidenciales que se aproximaban. Mientras que los elementos ultraconservadores no se identificaban con el programa de derechos civiles de Truman, los menos conservadores mostraban su desacuerdo contra su política exterior. En su convención, celebrada en Filadelfia en julio, los demócratas, resignados, volvieron a nombrar a Truman, no sin antes protagonizar una encarnizada batalla en la conformación del programa electoral. Ello provocó que treinta delegados del Sur —ultraconservadores— se marcharan y celebraran una convención en Birmingham (Alabama), donde formaron el Partido Demócrata de los Derechos de los Estados y eligieron al gobernador J. Strom Thurmond, de Carolina del Sur, como su candidato presidencial, con una plataforma antiderechos civiles militante. Poco después, la convención del Partido Progresista, a la que asistió un conjunto variado de idealistas, liberales, socialistas y comunistas, postuló formalmente a Henry Wallace como presidente. Su programa quería reemplazar la contención anticomunista por una política de amistad con la Unión Soviética y abogaba por la igualdad racial, la planificación económica y la propiedad pública de los sectores clave de la economía.

Los republicanos decidieron postular nuevamente al gobernador Thomas E. Dewey y al gobernador Earl Warren, de California, como su compañero de campaña.

Contra todos los pronósticos, Truman ganó.

Una vez convertido en presidente por derecho propio, renovó su presión para lograr el ambicioso plan de reforma social rechazado por el Congreso y que ahora denominó el *Trato Justo.* La coalición de republicanos y demócratas conservadores resultó un valladar infranqueable. La Cámara Legislativa accedió a extensiones modestas de las medidas sociales existentes, elevando el salario mínimo, ampliando la cobertura de la seguridad social y votando fondos para erradicar los barrios pobres y construir viviendas de bajo coste, pero rechazó el resto del *Trato Justo.* Las maniobras del Sur segregacionista sellaron el destino de un proyecto de ley sobre los derechos civiles. Una propuesta sobre un seguro de enfermedad nacional fue eliminada después de que la Asociación Médica Americana la estigmatizara como *medicina socializada.* Un plan de ayuda federal a la educación se perdió debido a las disputas surgidas sobre si las escuelas parroquiales debían beneficiarse. Truman tampoco logró conseguir la aprobación de un nuevo sistema de mantenimiento de los precios agrícolas (el *Plan Brannan*) o la revocación de la *Ley Taft- Hartley.*

En enero de 1949 Harry Truman definió claramente los rumbos a seguir por la política exterior norteamericana en mensaje al Congreso:

Combatir el principio de unanimidad de los cinco miembros permanentes en el Consejo de Seguridad de la ONU, (...) la continuación del Plan Marshall, (...) la aprobación del Pacto de la OTAN y la concesión de créditos para armas a los países que lo integrarían (...) y (como Cuarto Punto) (...) El Plan para el Desarrollo de Áreas Atrasadas.

Conociendo que su *nuevo plan de ayuda* para América Latina, y en general para los demás países *atrasados*, se esperaba con ilusión, enfatizó más aún sus palabras: *Más de la mitad de los pueblos del mundo viven en condiciones próximas a la miseria. Su alimentación es insuficiente; son víctimas de las enfermedades; su vida económica es primitiva e inmóvil...*

El *Punto Cuatro* comprendía disímiles aspectos que englobaban, en su mayor parte:

1. Otorgamiento de becas a técnicos y profesionales latinoamericanos, para que estudiasen en los Estados Unidos. Este aparente altruismo se utilizaría de puente para incrementar lo que hoy se conoce por *drenaje de cerebros*; a su vez, les preparaban a imagen y semejanza de los tecnócratas norteamericanos o, lo que es igual, de espaldas a la cruda realidad de sus pueblos.
2. El envío de técnicos norteamericanos y la creación de fondos para el pago de sus servicios. Tales profesionales fueron reclutados dentro de la fuerza de trabajo sin experiencia (una salida al desempleo) y, además, se utilizó como pasarela para introducir agentes de la CIA, quienes tenían como misión detectar todo foco de rebeldía, fuese activa o pasiva.
3. El desarrollo de las vías de comunicación. El mejoramiento se dirigió a aquellos sectores y obras que no resultaban rentables para el capital privado a corto plazo, pero que, sin embargo, eran necesarios para llevar a cabo la explotación imperialista de los recursos naturales. De ahí que la pretensión fuera crear o mejorar sistemas de comunicación que implicaran una mayor rapidez en el transporte de las materias primas y no con fines de ayudar al desarrollo interno de la nación *favorecida*.

A pesar de que todo lo anterior beneficiaba a los magnates de Wall Street, se exigió además un mínimo de *garantías*. Petición que fue acatada. Transcribimos el artículo 1.º del Convenio suscrito por El Salvador, el cual, sin cambiarse una coma, puede ser aplicado a los demás:

Las partes reconocen que la administración (de la Misión Técnica), en su carácter de organismo de los Estados Unidos de América, gozará plenamente de todos los privilegios de que goza dicho gobierno, incluyendo inmunidad de demandas judiciales en los tribunales de El Salvador.

Al ser presentado el programa del *Punto Cuarto* ante el Comité de Relaciones Exteriores del Senado, en marzo de 1950, Dean Acheson, secretario de Estado, declaró: ... *Los dos tercios de la población del mundo en los países independientes no aceptarán más la pobreza y la enfermedad como un modo de vida; el capitalismo,* recalcó, *debe presentar una solución o los pueblos seguirán la vía del comunismo.*

Los mismos consejeros cercanos a Truman se encargaron, pues, de contradecir —en secreto— los postulados de la *ayuda técnica.* El *fantasma del comunismo* era el acicate y no el deseo de hacer de la otra América un continente sin hambre, miseria, enfermedades, porque ello significaba el debilitamiento del propio sistema que engendra esas penurias.

Las inversiones estadounidenses se multiplicaron y en 1950 el monto ascendía a 4.805 millones de dólares, desglosados así: minería y siderúrgica, 698 millones; industria petrolera, 1.408 millones; industria manufacturera, 780; comercio, 243; otras ramas, 1.676 millones. Pasada una década, el volumen se elevaba a 8.365.

Con su programa político hecho jirones, Truman se enfrentó a enojosos problemas internos que hicieron su segundo mandato aún más tormentoso que el primero. También hubo nuevas dificultades laborales, sobre todo durante la guerra de Corea. Cuando John L. Lewis volvió a llevar a la huelga a los mineros en 1950, Truman sólo pudo saldar la disputa invocando la *Ley Taft-Hartley* que había vetado con anterioridad. Luego, en 1952, su conducta arbitraria durante una huelga del acero le condujo a una derrota humillante. Para evitar un convenio salarial inflacionario, tomó las fábricas de acero, pero el Tribunal Supremo lo declaró inconstitucional y fue la primera vez desde 1866 que invalidó una acción presidencial.

Cuando Kennedy entró en el Congreso, el grupo republicano puso trabas constantemente a la política del presidente Truman. Los nuevos congresistas pertenecientes al Partido Demócrata eran pocos. En este sentido, Kennedy se benefició. De inmediato se le asignó a la Comisión de Educación y Trabajo. En 1949 participó destacadamente en las actividades de la comisión sobre las relaciones entre el mundo del trabajo y la patronal. Interviene, sobre todo, en asuntos que preocupan a sus electores; por ejemplo, la posición de los sindicatos, la situación de las escuelas privadas y el problema del alojamiento. La vivienda constituía, por aquel entonces, una preocupación primordial. Un republicano y dos demócratas presentan un proyecto para acelerar el ritmo de las construcciones. Kennedy se mostró favorable. Los intereses inmobiliarios se oponen y, conjuntamente con la conservadora Legión Americana, dirigen la campaña contra el proyecto de ley, el cual fue diferido por falta de consenso. Al año siguiente, Kennedy reclamó la atribución de fondos federales que permitieran la construcción de viviendas y con ello la erradicación de las chabolas. Como a cada paso se le enfrentaba la Legión Americana, se decidió a pronunciar en plena Cámara una declaración que provocó cierto estupor: *La dirección de la Legión Americana no ha tenido ni una sola idea constructiva, de la que este país haya podido beneficiarse, desde 1918.* En 1949 semejantes palabras contra tal organización, considerada una institución estadounidense de carácter nacional, requerían cierta valentía política. Una gran parte de la opinión le manifestó su simpatía. Incluso el Congreso acabó por adoptar una ley favorable a la construcción de viviendas. Primera victoria.

Uno de los momentos más trascendentales de su paso por la Cámara, y de la propia historia de Estados Unidos, aconteció cuando el amplio grupo de los conservadores presentó un proyecto de ley que limitaba la libertad y las actividades de los sindicatos. El senador Taft y el representante Hartley fueron sus principales autores. Era, según argumentaban, una necesaria revisión de la *Ley Wagner* de 1935, con el fin de suprimir la *tiranía despótica* de las organizaciones obreras. Kennedy se mostró hostil, a pesar de ser partidario de una modificación de la *Ley Wagner.* Entendía que la solución estaba en poner un límite al egoísmo de la patronal y al de los sindicatos. Son pocos los representantes que se inclinan hacia la moderación, entre ellos Kennedy. La *Ley Taft-Hartley* se aprobó. Esta ley limitaba los derechos de los sindicatos y entre sus elementos claves se incluyen los siguientes:

Se prohíbe a los sindicatos invertir dinero o realizar contribuciones relacionadas con elecciones federales, primarias y convenciones.

El Tribunal Nacional de Relaciones Laborales está autorizado a garantizar mandatos judiciales que impidan a los sindicatos participar en una serie de *prácticas laborales injustas* predefinidas.

Se otorga a las empresas el derecho de demandar por daños debidos a huelgas o paros laborales considerados ilegítimos según la Ley Taft-Harley.

Explícitamente se garantiza a los empleados el derecho de no adherirse a un sindicato y a no participar en medidas colectivas (un derecho que nunca fue legalmente denegado).

Se prohíben los acuerdos de sindicación obligatoria (un lugar de trabajo en el cual sólo se pueden emplear afiliados sindicales).

Se autorizan acuerdos limitados de planta sindicalizada solamente si la mayoría de los empleados los aprobó en una elección por votación secreta y sólo si lo permite la legislación estatal.

Se prohíbe a los empleadores contribuir con los fondos de salud y bienestar sindical que no se encuentren bajo administración conjunta trabajadores/empresa.

El gobierno federal puede detener una huelga durante un llamado *período de enfriamiento de 80 días de duración.*

El presidente Truman utilizó el veto, pues entendió que ello atentaba contra las libertades individuales. De vuelta al Congreso, éste rechazó por mayoría los criterios del mandatario y puso en vigor la citada ley. Diez años más tarde, este voto negativo le facilitó a Kennedy una cierta aureola como defensor del mundo del trabajo.

La toma de posición de Kennedy fue también importante en el seno de la comisión de educación, donde se discutieron los proyectos de ayuda federal a las escuelas que propugnaba Truman. ¿Debía extenderse a las escuelas privadas, incluidas las católicas? Para Kennedy sí, al igual que sus electores, mayoritariamente católicos, especialmente por lo que se refiere al transporte de los alumnos y las visitas médicas. El joven representante declaró: *En Boston tenemos un viejo dicho, según el cual aprendemos en Roma nuestra religión y en nuestro país la política. Éste es el sentimiento de la mayoría de los católicos.* La querella no se limitó a las salas del Congreso. El cardenal Spellman y Eleanor Roosevelt sostuvieron agrias discusiones en nombre de la defensa de los derechos individuales y de la separación de la Iglesia y el Estado. Decidió presentar a la comisión un proyecto de ayuda global que abarcaría los transportes, los servicios médicos, la compra de manuales, etc. Todas las escuelas privadas se beneficiarían. La iniciativa fue rechazada. En 1950, volvió a presentarla, pero con el mismo resultado.

Concedió su voto afirmativo a la enmienda 22 de la Constitución, que limitaba a dos mandatos de cuatro años el ejercicio de funcio-

John F. Fitzgerald, abuelo materno de J.F.K. y alcalde de Boston.

Patrick Kennedy, abuelo paterno de John F. Kennedy.

John Fitzgerald Kennedy (abajo a la izquierda) y su familia en 1921.

La casa de la familia Kennedy en la calle Beals nº 83, en Brookline, Massachusetts.

Ocho de los nueve hermanos Kennedy (de izquierda a derecha: Joseph Jr., John, Rosemary, Katleen, Patricia, Robert y Jean), en 1927.

John y Joseph Kennedy Jr., en 1919.

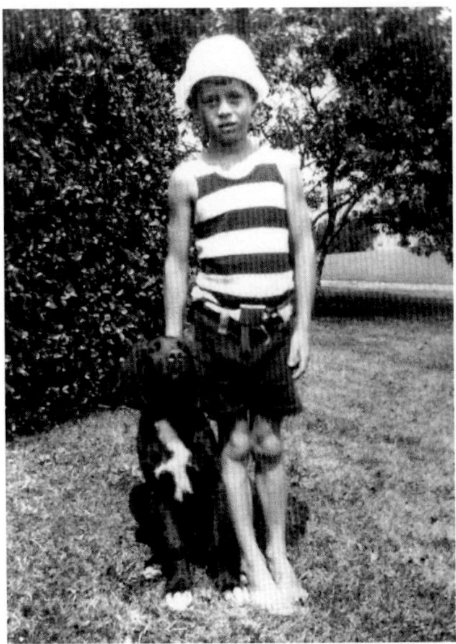

John F. Kennedy en 1925.

Foto familiar de los Kennedy durante unas vacaciones.

Saludando a sus electores, en Boston, durante el desfile del día de San Patricio del año 1953.

El teniente John Kennedy (último por la derecha), con la tripulación de su lancha torpedera, en Guadalcanal.

Jonh Fitzgerald Kennedy, ya convertido en congresista en 1946, junto a su padre, Joseph P. Kennedy, y su abuelo, John F. Fitzgerald.

John Fitzgerald Kennedy en 1961.

Charlando con un grupo de estudiantes durante la campaña electoral.

Durante un acto público en la campaña para las elecciones primarias.

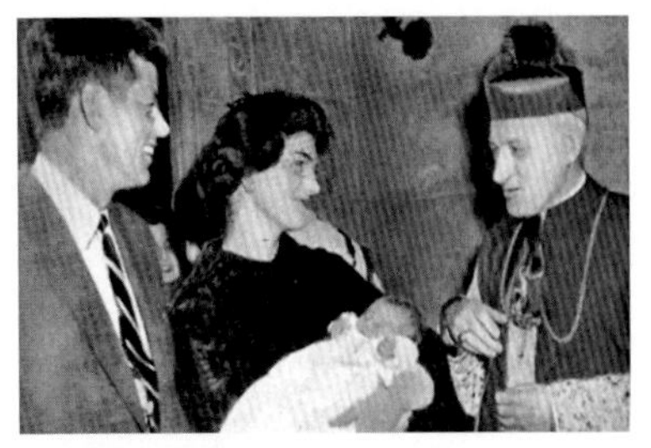

El senador Kennedy y su esposa, durante la ceremonia del bautizo de su hija Caroline, en diciembre de 1957.

El senador Kennedy y su novia, Jacqueline Bouvier, durante una travesía en su velero.

El matrimonio Kennedy con su hija Caroline, de dos años y medio de edad.

El senador Kennedy debate con el vicepresidente Richard M. Nixón, en el primer debate televisado, en 1960.

Eisenhower y el presidente electo, John F. Kennedy, diciembre de 1960.

John F. Kennedy y Lyndon B. Johnson durante la campaña de 1960.

Durante su encuentro con Nikita Khruchev, en Viena, en mayo de 1961.

En el despacho Oval, durante una reunión con el embajador de la India, B. K. Nehru.

Situación de los misiles soviéticos en Cuba, 1962.

El matrimonio Kennedy recorriendo las calles de Dallas en coche descubierto, minutos antes del asesinato del presidente.

El sospechoso del asesinato, Lee Harvey Oswald, custodiado por la policía de Dallas.

Lyndon B. Johnson prestando juramento a bordo del Air Force One, *tras el asesinato de John F. Kennedy.*

El pequeño John ofreciendo el último saludo a su padre durante el funeral del presidente.

nes presidenciales. Se evitaba así otro posible caso como el de Franklin D. Roosevelt.

En las votaciones en el Congreso, defendió el crédito a Gran Bretaña, apoyó abiertamente el programa de Truman de ayuda masiva a Grecia y a Turquía, así como, en 1949, el Punto Cuarto; apoyó el plan Marshall. Se opuso a la reforma de la ley de impuestos del año 1947, porque creyó que la legislación favorecía a los ricos, y a la *Ley Taft-Harley*. Kennedy adoptó una actitud inquisitorial con respecto al problema de los comunistas en los sindicatos americanos. En la mayoría de las cuestiones políticas *Jack* siguió una línea obrero-liberal, por decirlo así, que tenía una cierta semejanza con la de la Administración de Truman.

Sin embargo, a finales de los años 40 su convergencia con la política exterior del mandatario tuvo un punto de inflexión divergente hasta alcanzar su punto álgido en el año 1951. El rumbo de los acontecimientos, especialmente en China, afectó a la opinión pública, incluida la de Kennedy, por cuanto la ruptura se evidencia al unísono con la inminente derrota del corrupto, pero amigo de los Estados Unidos —el general Chiang Kai-shek—, quien ya preparaba su abandono de la China continental para refugiarse en Formosa. Sintomáticas resultaron, pues, sus palabras del 25 de enero de 1949 ante el Congreso:

La responsabilidad del fracaso de nuestra política exterior hay que atribuirla enteramente a la Casa Blanca y al Departamento de Estado —declara—. *La continua insistencia en que no proseguiríamos con nuestra ayuda si no se hubiese formado un gobierno de coalición con los comunistas ha sido un golpe decisivo asestado al gobierno de la China nacionalista. Nuestros diplomáticos y sus consejeros, los Lattimore y los Fairbanks, se han preocupado tanto de la imperfección del sistema democrático en China, tras veinte años de guerra, y de relatos de corrupción en elevado grado, que han perdido de vista el enorme envite que para nosotros significa una China no comunista. [...].*

En estos momentos la Cámara tiene que asumir la responsabilidad de impedir que la marea ascendente del comunismo acabe por cubrir toda Asia.

El tono que empleó estaba muy cerca del que utilizará, desde 1950, un senador de Wisconsin, Joseph McCarthy. En otra parte de sus palabras criticó el Tratado de Yalta, que dio las islas Kuriles a la URSS, e incluyó un insulto al general George C. Marshall. *Lo que nuestros jóvenes salvaron* —añadió— *lo han echado por la borda nuestros di-*

plomáticos y nuestro presidente. Sus opiniones mostraban hasta qué punto el temor al *fantasma comunista* horadaba los cimientos democráticos de la sociedad. No era un hecho aislado, pues desde el mismo nacimiento de la URSS los diferentes gobiernos estadounidenses se parapetaron en esa supuesta amenaza para conformar una política exterior agresiva. No resultó extraño que simpatizara con los esfuerzos del tristemente célebre senador de Wisconsin.

Histeria anticomunista

Éstos son los tiempos en que los estadounidenses, real o ficticiamente, se ahogan en una histeria colectiva, en la que los temas son el espionaje y la infiltración comunistas. Durante los años 30, diversas personalidades, sobre todo intelectuales, alentados por la depresión y el auge del fascismo en el extranjero, simpatizaban con las ideas comunistas puestas en práctica en la Unión Soviética. Buena parte de ellos trabajaba en departamentos gubernamentales, universidades, la industria del entretenimiento y algunos sindicatos. No sufrían el desprecio. Los Estados Unidos aún eran *amigos* de la Unión Soviética. Pero, concluida la guerra, las propensiones y asociaciones comunistas se consideraron incompatibles con la lealtad y la seguridad nacional, sobre todo a partir del *descubrimiento,* en 1945, de cientos de documentos secretos del Departamento de Estado en las oficinas de la revista de patrocinio comunista *Amerasia.* Aún más sensibles fueron las noticias, en 1946, de que algunos empleados del gobierno canadiense habían pasado secretos atómicos a un círculo de espionaje soviético. Estas revelaciones motivaron que el Gobierno de Truman, en marzo de 1947, renovara los controles de seguridad y lealtad.

Mientras tanto, el Comité de Actividades Antiamericanas, que se había originado en 1938 como mecanismo defensivo contra las actividades fascistas, fue reconvertido en un vehículo para descubrir comunistas en los sindicatos, Hollywood y el Gobierno. Pronto fue conocido, como bien enjuicia Kaspi, por su descarada búsqueda de publicidad, sus intentos partidistas de capitalizar la creciente histeria anticomunista, su fanatismo, su provocación de los ciudadanos con opiniones no convencionales y su disposición a aceptar los chismes con frecuencia vagos y contradictorios de los informantes y ex comunistas profesionales. Uno de los casos más notorios fue el de Alger Hiss, un hombre de antecedentes refinados y educación privilegiada. Durante el *Nuevo Trato* había ocupado varios puestos gubernamentales antes de entrar en el Departamento de Estado y se había convertido en consejero en las conferencias internacionales, incluida Yalta. En 1948 se le acusó de proporcionar información secreta para su transmisión a Rusia. Hiss lo negó. Fue procesado por perjurio: la ley de prescripción de acciones legales impedía su acusación por espionaje. En su primer juicio (julio de 1949), el jurado no pudo ponerse de acuerdo, pero el segundo (enero de 1950) dio como resultado su condena y encarcelamiento.

Los conservadores republicanos y demócratas consideraron su culpabilidad una oportunidad enviada por el cielo para asociar a todo el *Nuevo Trato* con el comunismo y para atribuir los desastres que habían sobrevenido a la política estadounidense en el Lejano Oriente a una conspiración del Departamento de Estado. El impacto del caso Hiss se vio incrementado por el fin repentino e inesperado del monopolio atómico estadounidense. En septiembre de 1949, años antes de lo que habían predicho los científicos nacionales, la Unión Soviética hizo explotar un artefacto atómico, con lo que privó a los Estados Unidos del sentimiento de seguridad que había poseído desde 1945. Pronto se corrió que el espionaje había acelerado la producción atómica soviética.

Estos acontecimientos viciaron, en extremo, la ya cargada atmósfera de sospecha, dudas y temores. En septiembre de 1950, por amplia mayoría, el Congreso aprobó un drástico proyecto de *Ley sobre Seguridad Interna* o *McCarran*, denominada así por su promotor Pat McCarran, senador por Nevada. Se puede considerar como la piedra angular del nacimiento y desarrollo del macarthismo. Truman la vetó por considerar que infringía las libertades civiles —postura sostenida con retraso por el Tribunal Supremo en 1965—, pero volvió a aprobarse a pesar de su reiterado veto en 1951. La ley autorizaba el registro de las organizaciones comunistas, prohibía el empleo de comunistas en las plantas de defensa y la entrada en los Estados Unidos de todo aquel que hubiera pertenecido a una organización totalitaria. Una disposición más draconiana aún autorizaba el establecimiento de campos de concentración para los comunistas en tiempos de situación crítica nacional. El sostenido rechazo de Truman al proyecto de *Ley McCarran* intensificó las críticas republicanas de que el gobierno era *blando con el comunismo.* Puede parecer raro que fuera factible hacer esa acusación si se considera la consistente política exterior anticomunista del presidente y el fortalecimiento de las medidas de seguridad internas.

La circunstancia para que apareciera un peligroso demagogo con talento estaba dada. Así Joseph R. McCarthy, un senador republicano por Wisconsin hasta entonces desconocido, aprovechó el momento para asumir la dirección del movimiento anticomunista. Su virulenta acción proporcionó a la lengua inglesa una nueva palabra, el *macarthismo*, término que significa acusaciones sensacionalistas, indiscriminadas y no confirmadas de simpatías y asociaciones comunistas. McCarthy saltó a la fama en febrero de 1950 cuando, en un intento por reavivar su casi nula fortuna política, afirmó, sin pruebas, que docenas o incluso cientos de comunistas conocidos seguían trabajando en el Departamento de Estado. No se las pidieron. La acusación fue reiterada y exagerada hasta convencer por repetición. Explotó el nacionalismo popular irreflexivo para lograr el apoyo de las masas, sobre todo en el Medio Oeste, entre los inmigrantes recientes de Europa del Este y los católicos de las clases obreras. A partir de entonces pocos políticos estuvieron dispuestos a enfrentarse a él, a menos que estuvieran dispuestos a que se les acusaran de ser pro comunistas. Así, durante cuatro años frenéticos, según Morrison, McCarthy voló alto. Su caza de brujas instó a que estados y ciudades instituyeran sus propios programas de seguridad y demandaran juramentos de lealtad a sus empleados. Además, organismos inquisitoriales locales y grupos de vigilancia privados acosaron a los sospechosos de comunismo. Varios miles de personas perdieron sus trabajos y cientos fueron encarcelados, se negó el pasaporte a los comunistas, se procesó a numerosos extranjeros residentes y se prohibió la entrada a algunos visitantes extranjeros. Y, lo que es aún peor, el macarthismo envenenó la vida pública, desmoralizó al Departamento de Estado y puso en duda su eficiencia, dañando gravemente la reputación de los Estados Unidos en el exterior.

J. F. Kennedy se mostró complaciente con la aplicación de la *Ley McCarran* y le parecía que no se hacía lo bastante para eliminar a los comunistas de entre los cuadros del Gobierno; que respetaba bastante a Joe McCarthy y creía *conocerle bien, y puede que tenga razón*; que desaprobaba a Dean Acheson y a casi todos los miembros de la Administración Truman. Su notoriedad traspasaba poco a poco los límites de Boston y, por tanto, de Massachusetts. Se le consideraba un liberal pero no lo era. Él mismo lo admitió sin vacilaciones. Pero sus votos satisfacen a los liberales en un 80 o 90 por 100 de los casos. Donde su liberalismo deja mucho que desear es en la defensa de las libertades públicas. ¿Será más bien inclasificable? No se liga jamás a la presidencia ni a su propio partido. Sin duda expresa, ante todo, la opinión de sus electores. Defiende la adopción de medidas concretas para aliviar las miserias más profundas, al mismo tiempo que evita los gastos excesivos. Como muchos estadounidenses, es básicamente hostil al comunismo. Ni doctrinario ni ideólogo, Kennedy, durante estos seis años, se ha informado. No guía el movimiento general de la opinión; por el momento, se contenta con seguirlo.

Cuando se aproximaron las elecciones presidenciales de 1952, los republicanos se inclinaron por un candidato que transmitiese seguridad y tranquilidad. Por ello, se volvieron hacia un hombre sin ninguna experiencia política, el general Dwight D. Eisenhower, a quien se le identificaba popularmente con la resistencia a la expansión soviética, dada su función de comandante de las fuerzas de la OTAN. Para contentar a los conservadores, la convención eligió al senador Richard M. Nixon como compañero de campaña. Este personaje, miembro del Comité de Actividades Antiamericanas, había sido el más persistente acusador de Hiss. Por la parte demócrata se escogió al gobernador Adlai E. Stevenson, de Illinois. La elección de un sureño, el senador John J. Sparkman, de Alabama, como candidato a la vicepresidencia indicaba la cicatrización de la división de 1948 en el partido por los derechos civiles.

Los candidatos republicanos arremetieron contra los resultados de Truman, muy impopular, sobre todo en cuanto al comunismo, la corrupción y la guerra de Corea, en la que los Estados Unidos estaban inmersos desde junio de 1950. Al principio, Eisenhower dio una nota de imparcialidad olímpica que recordó a Dewey en 1948, pero a medida que fue desarrollándose la campaña se volvió más partidista. Además, en octubre ya había reconocido lo profundo que era el descontento popular por el estancamiento en Corea y prometió ir allí para darle a la guerra *un final rápido y honorable*. El día de las elecciones obtuvo una notable victoria personal, según señala M. A. Jones.

Con el triunfo, las figuras más importantes del republicanismo estimaron que McCarthy diera por finalizada su imprudente cruzada. No fue posible. Su paranoia anticomunista, fuera de todo sentido común, le llevó más lejos aún. Sus dardos envenenados no sólo se dirigieron contra el Departamento de Estado, sino también sobre otros departamentos y organismos gubernamentales, la Iglesia protestante y las universidades exclusivistas, las que en conjunto formaban parte de lo que él denominaba *el aparato comunista*. Eisenhower, a pesar de estar resentido por las acusaciones de deslealtad contra su mentor, el general Marshall, había apoyado al senador durante la campaña de 1952 en interés de la unidad del partido. Incluso como presidente fue reacio a criticarle directamente, ya que creía que acabaría autodestruyéndose, lo que ocurrió a su debido tiempo.

Hacia el Senado

Coincidente con los comicios presidenciales se realizaron las legislativas. Kennedy tenía la convicción de que el escaño de representantes no satisfacía sus aspiraciones. Tenía treinta y cinco años y un prometedor futuro, pero él quiere ir deprisa. Su ambición a corto plazo se ceñía a un escaño de senador.

En el sistema de gobierno estadounidense, ese puesto era más importante que el de representante. El primero es elegido por todo el Estado; el segundo, por una circunscripción más o menos amplia. Uno forma parte de una asamblea de 100 miembros (96 en aquella época, ya que ni Alaska ni Hawai tenían aún la categoría de Estado); el otro, de una asamblea de 435 miembros. Las funciones más importantes, especialmente en política extranjera, están confiadas al Senado. Hasta el momento se desempeñaba como portavoz de Cambridge y de una parte de Boston. Sus electores se reconocían en él, porque veían en él la imagen del éxito que soñaron para ellos mismos o para sus hijos. El escaño senatorial imponía atraer al electorado mayoritario de todo Massachusetts. Las dificultades serán infinitamente superiores, como bien determina Burns; entre ellas, arrebatarle el poder a los *brahmanes*, que con sus desprecios hicieron sufrir a su padre y al abuelo materno. Ahora sueña con vengarse. La familia ha logrado demostrar su fuerza conquistando una fortuna. Le queda adquirir el poder político, no solamente sobre la comunidad irlandesa o italiana, sino también sobre los *viejos americanos.*

En 1952 las elecciones legislativas en el Estado estaban limitadas a un puesto. Los dos senadores eran republicanos: Leverett Saltonstall, amigo de la familia Kennedy, cuyo mandato expiraba en 1954; el segundo se llama Henry Cabot Lodge, que pertenecía a una de las familias más prestigiosas de Massachusetts. Su abuelo, que llevaba el mismo nombre y apellidos, no sólo fue un acérrimo enemigo del presidente Wilson, sino que también había derrotado a su abuelo *Honey* Fitz en las elecciones senatoriales de 1916. En cuanto al Lodge de 1952, fungía como senador desde 1936. Brillante inteligencia, fuerte cultura, sólida experiencia y gran influencia. Un adversario de semejante talla significaba un escollo difícil de superar

En abril de 1952, hizo pública su decisión. *Me presento* —declaró— *contra Henry Cabot Lodge Jr., para el puesto de senador de Massachusetts, en el Senado de los Estados Unidos*. No se trataba de una decisión precipitada. Desde su ascenso a representante recorrió su Estado, sobrepasando muy a menudo los límites de su circunscripción, bajo el pretexto de estar prestando un servicio al Congreso. Aceptó toda clase de invitaciones e incluso las promovía. Los clubes femeninos, las asociaciones de antiguos combatientes, las reuniones profesionales, todo le sirvió a la hora de dirigirse, aunque fuera brevemente, a grupos o a multitudes. Evitó hablar de asuntos políticos. Hacía hincapié en los problemas locales, las cuestiones de interés particular o la necesidad de ahorrar. De más de 350 pueblos y ciudades de Massachusets, ¿cuáles son las que Kennedy no hubo visitado? Uno de sus colaboradores llegó a afirmar que Kennedy había hablado con un millón de personas y estrechado 750.000 manos. Su *máquina* electoral nunca se mantuvo ociosa. Por ello, cuando comenzó la campaña ya era bastante conocido, aunque no en igual magnitud que la de su opositor, Cabot Lodge. Miles de voluntarios se prestaron a ayudar a Kennedy por razones políticas o personales. A unos 300 de ellos se les comisionó a los puntos estratégicos del Estado. Su hermano Robert, de veintiséis años, tuvo a su cargo la coordinación del trabajo de los voluntarios y profesionales pese a su inexperiencia —sólo ha participado en las campañas precedentes de su hermano—; tiene talento para el mando, sentido de la organización y cierto conocimiento del medio.

La mayor preocupación de los Kennedy era el posible efecto de la controversia sobre McCarthy, quien estaba llevando a cabo una campaña de apoyo a Lodge, que incidiría mucho en amplios sectores de la población que normalmente se decantaban por el Partido Demócrata. Para evitar ese handicap, Joseph P. Kennedy conversó amigablemente con McCarthy y éste, que estimaba la amistad y el apoyo de los Kennedy, accedió a los deseos del embajador de *salirse* de Massachusetts.

De todas formas, uno de los colaboradores más cercanos de J. F. K., el novio de su hermana Eunice, J. Shriver, que se casarían en 1953, escribió un memorando a Stevenson, donde le alertaba que podía hacer uso del anticomunismo como bandera para ganar votos, porque el historial de *Jack* no tenía nada que envidiar al del compañero de Eisenhower, Richard Nixon:

Jack tomó la delantera en la Cámara de Representantes, le explicó. Consiguió la primera citación efectiva por perjurio de un jefe sindical comunista. Era... el hombre que había dirigido la huelga de Allis Chalmers en Milwaukee durante la guerra, la huelga que retrasó el programa de producción de destructores. Jack le citó por perjurio cuando testificó ante la House Education y Labor Committee, y el hombre fue condenado. Fue el primer individuo de ese tipo que fue condenado. Carece de base la afirmación de Mr. Nixon en sentido contrarío. Ésta sucedió en el año 1947. Nixon estaba en ese comité con Kennedy. Kennedy fue quien se cargó a (...), no Nixon. Estableció un precedente. Aquí es recomendable hacer hincapié en eso del anticomunismo.

Robert Kennedy publicó un largo estudio demostrando que Lodge tenía un historial *blando* en cuanto a los comunistas.

Como de costumbre, corrieron grandes sumas de dinero por ambas partes, a contrapelo de lo establecido por las leyes de Massachusetts, que prohibía las contribuciones superiores a 1.000 dólares. Ello no era problema. Ambos candidatos optaron por crear, para eludirla, sutiles fórmulas: *Para el progreso de la industria y de la pesca en Massachusetts, Para el progreso de la industria del calzado, Para el progreso de la industria textil, Para la construcción en Massachusetts*, etc., etc. En el caso específico de Kennedy cada miembro de la familia entregó 1.000 dólares a cada uno de los comités que recaudaban a su favor. Cuando era insuficiente, se buscaba testaferros. Se aseguró que de esta velada forma John pudo recibir unos 70.000 dólares, a los que se añadieron otros 200.000 provenientes de distintas contribuciones. Con todo este dinero se compraron preciosos minutos en la radio y en la televisión, espacios publicitarios en los autobuses, vallas en carreteras, en los Metros y la reproducción de millares de ejemplares de un artículo del *Reader's Digest* que narraba el episodio del Pacífico, los cuales fueron distribuidos en los salones de peluquería.

Para la Comisión Electoral, según los datos aportados por el equipo de Kennedy, éste había gastado oficialmente 368.000 dólares; en realidad, superaba el medio millón. Su contrincante, Lodge, no se quedó a la zaga. Su capital invertido, si diéramos crédito a sus declaraciones públicas, fue de unos 60.000 dólares. No contabilizó los gastos que el estado mayor de Eisenhower otorgó a Massachusetts, de los cuales una parte sustancial financió su campaña. Los analistas cifran en un millón de dólares el monto total.

Kennedy, por ejemplo, aprovechó las aptitudes de su madre. Sin embargo, su firma secreta es el té. Organizó 33 reuniones, en el curso de las cuales invitó a 70.000 personas, sobre todo mujeres. Lo que tan bien llevó a cabo en el hotel Commander de Cambridge, le produce los mismos efectos positivos que años atrás. Desde luego, antes de cursar una invitación, el equipo Kennedy las selecciona con sumo cuidado, pues deben estar representados todos los medios sociales. Participan también en emisiones de televisión, como la que fue titulada *El café en casa de los Kennedy*. A veces resulta que no hay ningún Kennedy libre.

Joseph Kennedy, como señala su biógrafo Koskoff, se mantuvo en un segundo plano a lo largo de toda la campaña, pero no debemos restar importancia a su papel. Él proporcionó todos los miembros claves, reclutando personalmente a algunos de los hombres más importantes. De su oficina de Nueva York vinieron Ford, Landis y Lynn Johnson, y también contrató a otros importantes colaboradores, como John Harriman, el editorialista de finanzas del *Globe*, y Ralph Coughlin, a quien recordaba favorablemente desde hacía algunos años. Gran parte de la campaña fue planeada con mucha antelación en sus oficinas de la *Gran Manzana*. A él también se le atribuyó la captación de muchos republicanos, influidos por las ideas de Bob Taft, para el equipo de su hijo. A instancias del padre, un seguidor de Bob Taft instituyó el grupo de los Independientes para Kennedy. Basil Brewer, viejo amigo de Joe, editor del *Standard-Times* de New Bedford y conservador *taftiano*, por así decirlo, acusó a Lodge de ser *un socialista adepto a Truman y a su New Deal*, y apoyó a *Jack* en sus artículos. *Jack* ganó New Bedford con facilidad, mientras el resto de los demócratas no hacían allí un buen papel. John Fox, editor del *Boston Post*, también apoyó a Kennedy. Fox había comprado el *Post* con la intención de ayudar a Lodge y trató de persuadir a Wilton Vaugh, el comentador político del periódico, para que dirigiera la publicidad de Lodge. Durante los últimos días de la campaña, empero, hubo un cambio de rumbo. Robert Lee y Maurice Tobin estaban con el embajador, según recordaba Lee algún tiempo después, cuando se recibió una llamada telefónica y (el embajador) tuvo que salir del apartamento para ir a visitar a Mr. Fox, que era entonces propietario del *Boston Post*. Según rumores, el *Post* estaba a favor de Lodge. Cerca de una hora más tarde, cuando el Sr. Kennedy regresó, afirmó que el *Post* apoyaría abiertamente a Kennedy dentro de dos días, en su campaña electoral para llegar a ser senador de los Estados Unidos.

Poco después de haber llegado a esa decisión, Fox recibió un crédito de medio millón de dólares de Joseph Kennedy para sanear las finanzas del periódico. Fox dijo años más tarde: *Creo que, en vista del escaso margen de votos que dieron la victoria a Kennedy; fue el* Post *el que le eligió,* y Martin y Piaut afirman que Kennedy habría seguramente perdido si el influyente *Post* hubiera apoyado a Lodge

Al igual que la mayoría de las campañas, los candidatos son ambiguos en sus programas; para la mayoría son decepcionantes y reflejan la carencia de una verdadera intención de remedar los males que acuciaban a sus estados o países. La cuestión era ganar votos prometiendo aquello que solicitaban los electores. No por mera coincidencia, y sí por esencia, los dos, Lodge y Kennedy, presentaban más semejanzas que divergencias. En su conjunto, están de acuerdo en cuanto a los problemas interiores e internacionales. Ni uno ni otro desean hablar de la guerra de Corea, donde los Estados Unidos estaban metidos hasta el fondo. Ni uno ni otro deseaban aludir en lo más mínimo al macarthismo, que expandía sombras tenebrosas sobre la ciudadanía. Kennedy se vería obligado a tomar partido y no quería perder electores. Lodge no podía aplaudir a su colega en el Senado sin desdecirse de la opinión que le merecían las palabras y los métodos del senador por Wisconsin. Los criterios sobre la problemática mundial, la situación interna; la campaña es lo menos ideológica posible. Los candidatos se contentaron con evocar determinados problemas de interés local para seducir al mayor número de electores.

F. D. Roosevelt Jr. y John McCormack, ambos muy populares entre los votantes judíos, hicieron mucha propaganda en sus barrios a favor de Kennedy. A pesar de que éste tenía un historial algo confuso en relación con el problema judío y de que Lodge había sido más claramente pro-semita, Kennedy acabó por ganar en todos los distritos judíos.

Con el nombre de su padre *Jack* fue recibido por los hombres de negocios de las pequeñas poblaciones con un entusiasmo que ningún otro demócrata habría podido conseguir.

Sin los recursos personales y financieros del padre, ¿habría Kennedy derrotado a Lodge en 1952? Posiblemente no. Incluso con el dinero y la influencia de su padre, la victoria fue muy reñida, demasiado para confiarse. Por eso —nos dice Sorensen— John Kennedy empezó su campaña para la reelección en el mismo momento en que había sido elegido.

Los resultados son inesperados. Kennedy obtiene 1.211.984 votos; Lodge, 1.141.247 votos, o sea, un 51,3 por 100 para el primero y un 48,3 por 100 para el segundo; el resto de votos pasó a candidatos menores. Los periodistas no cesaron de solicitar un encuentro con *el vencedor de Lodge*. Kennedy concedió entrevistas a todos los medios que lo solicitaron. No hay duda de que esta victoria constituyó un gran éxito personal. ¿Pruebas? En el escrutinio de las elecciones presidenciales Eisenhower alcanzó la mayoría de votos en Massachusetts, en tanto que Stevenson tuvo que contentarse con el 45,5 por 100 de los sufragios. Un republicano sucedió a un demócrata para el cargo de gobernador del Estado. Si nos atenemos a las consultas más importantes, el único demócrata elegido fue John Kennedy. Desde luego, puede sacarse la conclusión de que ha sido él, más que el candidato demócrata, quien ha cautivado a los electores.

El historiador D. Horowitz achacó la derrota de Lodge a su error de subestimar a Kennedy y preocuparse más por la victoria de Eisenhower que por la propia. Desatendió un tanto su Estado adoptando la figura de líder nacional, lo que le mantuvo alejado de las preocupaciones de Massachusetts; también se alegó que la condición de republicano liberal, como tantos que existen en la costa atlántica, le granjeó el rechazo de los republicanos conservadores, muy sensibles a la influencia de McCarthy. Al mismo tiempo, le echaron en cara estar muy próximo a las posiciones de los demócratas en el campo de los asuntos exteriores. Estos conservadores se inclinaron a votar demócrata, dado que les daba garantías. John Kennedy fue más prudente. A partir de entonces, ya Kennedy será un poco más sincero en expresar el punto de vista de las minorías étnicas, de los nuevos *brahmanes* frente a los *brahmanes* tradicionales, que se sienten más identificados con Lodge. Visto lo visto, no quedan más alternativas que asegurar que en 1952 el macarthismo, su aceptación o no, influyó más en los resultados que los propios orígenes nacionales de unos y otros, las tensiones sociales en el interior de Massachusetts, o incluso las consecuencias de la guerra de Corea.

El fin de McCarthy

20 de enero de 1953: El Partido Republicano asumió la dirigencia política de los Estados Unidos, mediante sus representantes Dwight D. Eisenhower (presidente), Richard Nixon (vicepresidente) y John Foster Dulles (secretario de Estado). Veinte años de continuo gobierno demócrata quedaban atrás. Los republicanos

tendrían mayoría simple en los escaños senatoriales (48 por 47) y de representantes (221 por 212). Mayoría que simplificó las discrepancias entre los poderes Legislativo y Ejecutivo, posibilitando así que las proyecciones de la política exterior e interior de la nueva Administración no encontrasen serios obstáculos legales para su ejecución.

En su discurso inaugural el general *Ike* dejó esbozada parte de sus intenciones. En primer término aclararía que una de sus funciones como gobernante era facilitar, por cualquier medio, que el capital privado norteamericano fluyera con mayor rapidez e intensidad hacia el exterior. Ello incluía, *como un fin serio y explícito de nuestra política exterior, la proyección de un clima amigable para las inversiones en los países extranjeros.*

Para no ser menos que sus antecesores, enarboló su eslogan propagandístico: *la política del buen socio*, frase utilizada por los republicanos en las elecciones del 48 y caída en el olvido por no surtir el efecto deseado entre los sufragistas de aquella contienda. Sin embargo, cuatro años después, el general *Ike* la desempolvaría y recibiría 442 votos electorales (33,9 millones de votos), equivalentes a la mayor cantidad obtenida por otro candidato en la historia de los Estados Unidos.

La Good Partner Policy o del *Buen Socio* se tradujo como el predominio de un grupo de los grandes monopolios en todas las esferas de decisión estadounidense.

La aceptación popular del programa del ex jefe de la Organización del Tratado del Atlántico Norte (OTAN) hasta 1952 fue algo esperado por el descrédito que acumuló su antecesor. Sin embargo, Eisenhower no alardeó de su alianza tácita con los grandes consorcios al explicar, con lujo de detalles, las características de lo que él autodenominaba nueva orientación. *De ahora en adelante* —decía— *el Estado buscará asociarse más con todos los ciudadanos, a fin de coadyuvar una desconcentración de la explotación de los recursos a disposición de la nación.* Palabras éstas que recordaban la tesis diversionista del *Poder Compensador*, que circulaba en esos años y cuyo principal ideólogo era John Kennet Gaibraith, entonces catedrático de Economía en la Universidad de Harvard.

La escritora norteamericana Betty Kirk, en un extenso artículo titulado «Los Estados Unidos en la América Latina», publicado en *Cuadernos Americanos*, febrero de 1958, aseguraba que la nueva orientación conllevó que se empleara, entre otras cosas, los ingresos fiscales destinados a desarrollar los recursos naturales pertenecientes a la nación, en provecho de la industria privada.

La prensa norteamericana —pagada por magnates demócratas— atacó la clara alianza gobierno-monopolios *republicanos.* Así, el *New York Times,* en editorial del 22 de diciembre de 1952, diría: *El nombramiento de cuatro grandes industriales convierte cada vez más al gobierno de Eisenhower en un Quién es Quién del mundo de los negocios americanos. Parece como si se fuera a hacer una abdicación total de los poderes gubernamentales a favor de la industria.*

No es el momento de preguntar al *New York Times,* a sus dueños, qué elementos reales tenían para diferenciar a Eisenhower de sus antecesores. Empero, nuestro juicio es el siguiente: En época de Franklin D. Roosevelt —escogido al azar para no hundirnos innecesariamente en lo remoto de la esencia y no contingencia de este fenómeno— ciertos grupos monopolistas le sostuvieron en el poder, facilitaron su política desarrollista, su *buena vecindad.* Con el advenimiento de un nuevo gobierno —ya demócrata, ya republicano— nuevos grupos de familias (corporaciones) siempre están representados en el Gobierno. Ésa es la *dialéctica* de la democracia representativa.

Que esta fusión se hiciera más evidente en tiempos de D. Eisenhower se debía a que el capitalismo monopolista de Estado en los Estados Unidos había llegado a un grado mayor de desarrollo. ¿Era acaso la misma coyuntura histórica de Roosevelt, de Truman, en la que Estados Unidos pujaba por asumir el predominio absoluto del sistema capitalista? Ciertamente, no.

¿Qué factores influyeron para que el gobierno se convirtiera cada vez más en mero instrumento para un nuevo crecimiento de los dominios privados?

El economista norteamericano Víctor Perlo, en su extraordinario ensayo *El Imperio de las Altas Finanzas,* lo analiza de la siguiente forma:

Antes de la Segunda Guerra Mundial, el capitalismo monopolista de Estado se difundió más extensamente en países europeos, donde el sistema se encontraba en aguda crisis y dichas medidas serán necesarias para los grandes negocios, no sólo para aumentar las ganancias, sino también para mantener su existencia misma (...).

Muchos poderosos magnates norteamericanos que habían atacado las tibias medidas de intervención gubernamental en la economía del New Deal *(...) admiraron la sociedad gobierno-negocios que se desarrollaba con tanta intensidad en la Alemania nazi. Du-*

rante la Segunda Guerra Mundial el capitalismo monopolista de Estado se desarrolló en Estados Unidos en escala de masas. (...).

Después de la Segunda Guerra Mundial no se produjo el «retorno a la normalidad», como en 1921. Por el contrario, nuestros propios amos del capital arrebataron la antorcha de la «hegemonía mundial», que había dejado caer el Eje, y al seguir esta política de largo alcance desarrollaron una gran actividad en la profundización y en la invención de nuevas formas de relaciones del gobierno y el mundo de los negocios. (...) Todos surgieron en un ambiente político y económico dominado por la expansión de las corporaciones en el exterior, por presupuestos supermilitares y por la continuación de los peligros de la guerra.

Nada resulta más simbólico de este proceso que la selección realizada por Eisenhower de tantos hombres de negocios para su gabinete. El pueblo estadounidense irónicamente comentaba que a *Ike* le ayudaban a gobernar *ocho millonarios y un fontanero, y el fontanero no duró mucho.*

En la conformación de su gabinete merece especial atención el nombramiento de John Foster Dulles como secretario de Estado (1953-1959), pues fue el argumento principal a la hora de diseñar la política exterior. Hombre de grandes dotes intelectuales y trabajador incansable, nieto de un secretario de Estado (John W. Foster) y sobrino de otro (Robert Lansing), su carrera diplomática había comenzado en la Conferencia de La Haya de 1907 y había incluido la asistencia a la Conferencia de Versalles de 1919 y a la de San Francisco de 1945. También se le había convocado para negociar el tratado de paz con Japón de 1951. Como creía en la diplomacia personal, pasó gran parte de su tiempo como secretario de Estado viajando entre Washington y las capitales extranjeras. Con ello no se hizo querer por los funcionarios del Departamento de Estado y los representantes diplomáticos, cuyas funciones hacía superfluas. Tampoco el contacto personal facilitaba siempre las negociaciones. De hecho, algunos aliados europeos acabaron pensando que su combinación de rectitud y tortuosidad hacía imposible trabajar con él. Pero a veces le forzaban desde arriba a los rodeos porque, aunque se le permitía mucha libertad en la dirección cotidiana de la política exterior, el control último siempre recaía en el presidente, que era mucho menos pasivo de lo que los contemporáneos creían.

El propio Eisenhower declararía en diversas oportunidades que los republicanos estaban interesados en hacer el gobierno más bien pequeño que grande, y en encontrar algo que el gobierno pudiera dejar de hacer, más que en buscar nuevas cosas que el gobierno tuviera que hacer.

¿Cómo se reflejó esta estructura socio-político-económica, generada por el capitalismo monopolista de Estado en las relaciones con la América Latina, tradicional área de influencia de Estados Unidos? ¿Qué papel jugaron los gobiernos al sur del río Bravo en la consolidación de los intereses metropolitanos? ¿ Se conformaron con su *destino manifiesto* o lucharon contra él? ¿Resultó la *Nueva Oportunidad* enarbolada por *Ike* en el plano interno una extensión a su *mare nostrum*?

A la política cavernaria de Truman los republicanos sacarían provecho para denostarlo ante los votantes en la campaña de 1952 y dar a sus vecinos latinoamericanos la imagen de una nueva época. Táctica que no por usada dejaba de rendir ciertos iniciales frutos.

> *La política del buen vecino* —diría Ike el 13 de octubre de 1952— *se ha convertido por sus negligencias y cambios en una política del vecino pobre. Con la iniciación de la guerra hemos cortejado a la América Latina. Luego, al finalizar ésta, hemos olvidado inmediatamente a dichos países. Aquí, también nuestra política ha sido vacilante y cambiante. (...) Eso cambiaría de llegar yo al gobierno.*

No queremos ni podemos desmentir las apreciaciones de Eisenhower, porque son enteramente válidas. La falacia está en por qué se dice y para qué se dice.

Las promesas hechas en las Conferencias de Chapultepec (1945), Río de Janeiro (1947), Washington (1951), de que iban a revisar a fondo las relaciones comerciales con ellos, *no solamente habían sido incumplidas sino que, además, en cada oportunidad los Estados Unidos habían sido más y más exigentes con respecto a los países latinoamericanos, obligándoles a alinearse a favor de su política guerrera y agresiva,* como bien enjuicia Manuel García Espinosa, en su monografía *La política económica de los Estados Unidos hacia América Latina entre 1945 y 1961*.

Eisenhower agudizaría esta cruda realidad. Por datos oficiales de la CEPAL se puede apreciar que en América Latina fueron invertidos aproximadamente 2.100 millones de dólares por gobiernos o entidades extranjeras entre 1946 y 1952; intervalo de tiempo en que solamente los Estados Unidos obtuvieron por concepto de ganancias la astronómica suma de 7.200 millones de dólares. Aunque resulte irónico, paradójico, América Latina financió en gran medida la escalada de injerencia norteamericana en el ámbito mundial. Capital extraído de ese subcontinente se utilizó en la continuación de la guerra de agresión contra el pueblo vietnamita, cuando el colonialismo francés se mostró incapaz para detener la lucha revolucionaria, tras la gran derrota de Dien Bien Phu (1954); contra Corea, en la que además Estados Unidos exigió una cuota de hombres provenientes de algunos ejércitos latinoamericanos a título de *defensa de la democracia*. La verdadera razón de este desenfrenado e injustificado belicismo, denunciada por las fuerzas progresistas y honestas del mundo, fue hacer de Vietnam y Corea bastiones del anticomunismo en el Asia.

Inmediatamente después de su elección, en 1952, Eisenhower cumplió su promesa de campaña de ir a Corea y poco después de acceder al cargo se reiniciaron las negociaciones en punto muerto. Se firmó un armisticio el 27 de julio de 1953. Determinaba el alto el fuego y una conferencia para acordar el futuro de Corea, que se celebró en Ginebra en la primavera de 1954, pero no logró concertar nada.

Con el fin de la guerra de Corea, la atención pasó a Indochina, donde los franceses reprimían desde 1946 un levantamiento nacionalista encabezado por el comunista vietnamita Ho Chi Minh. En un principio, los Estados Unidos habían actuado con imparcialidad en lo que conceptuaron como una guerra colonial, pero cuando en 1949 los comunistas chinos comenzaron a proporcionar armas a Ho, el gobierno de Truman consideró a los franceses cruzados anticomunistas y empezó a enviarles ayuda militar y económica. Ésta se incrementó con Eisenhower hasta que en 1954 los Estados Unidos financiaron cerca del 80 por 100 del esfuerzo bélico francés. Pero su ayuda no evitó el deterioro continuado de la posición francesa. En la primavera de 1954 los comunistas de Vietminh ya controlaban la mayor parte de Vietnam y ponían sitio a la guarnición francesa en la remota plaza fuerte de Dien Bien Phu. Eisenhower creía que Indochina era la clave estratégica del sudeste asiático; si caía, afirmaba, los países vecinos comunistas se derrumbarían como una hilera de fichas de dominó.

Incluso antes de la caída de Dien Bien Phu (7 de mayo de 1954), el gobierno francés había decidido poner fin a una lucha sin esperanzas. Al mes siguiente, las negociaciones mantenidas en Ginebra dieron como resultado un acuerdo para el alto el fuego en Indochina y para la división del país en tres estados independientes y neutrales: Laos, Camboya y Vietnam. Sin embargo, Vietnam, pendiente de elecciones, que se celebrarían dentro de dos años, iba a dividirse a lo largo del paralelo 17 en una parte norte, comunista, y otra sur, no comunista. A los Estados Unidos no les satisficieron los acuerdos de Ginebra. Rehusaron firmarlos. Sin embargo, prometieron no interferir. Pero cuando fue patente que las elecciones estipuladas darían como resultado la victoria comunista en ambas partes de Vietnam, Washington apoyó al autocrático Ngo Dinh Diem, gobernante de la república de Vietnam del Sur, en su decisión de no celebrarlas. Los Estados Unidos creyeron haber encontrado en Diem un dirigente capaz de crear un régimen no comunista efectivo, lo bastante fuerte para resistir los intentos de subversión y agresión. A partir de 1954 le proporcionaron una ingente ayuda financiera y también le enviaron consejeros militares para entrenar al ejército survietnamita. Del mismo modo, en Laos apoyó a los elementos conservadores en sus esfuerzos por reprimir la contienda civil. No obstante, en ambos países aumentó la influencia comunista.

En una jugada más para contrarrestar la expansión comunista, Dulles estableció la Organización del Tratado del Sudeste Asiático (SEATO) en septiembre de 1954. Compuesta por los Estados Unidos, Gran Bretaña, Francia, Australia, Nueva Zelanda, Pakistán, Tailandia y las Filipinas, esta nueva alianza difería de la OTAN, cuyo modelo seguía de forma ostensible, en que los signatarios sólo aceptaban consultarse en el caso de ataque y no dependían de las contribuciones de los miembros a las fuerzas de defensa comunes, sino del poder de ataque estadounidense. Otra debilidad aún más sorprendente era que la India, Birmania, Ceilán e Indonesia se negaron a unirse. La organización era en buena medida una farsa.

Después de la muerte de Stalin en marzo de 1953, hubo signos de deshielo en la guerra fría. Sus consecuencias más tangibles fueron la conclusión en mayo de 1955 del tan retrasado tratado de paz austriaco y la celebración dos meses después de una cumbre de jefes de gobierno en Ginebra, la primera de estas reuniones desde Potsdam, diez años antes.

En los asuntos internos, si nos atenemos a la información de M. A. Jones en su obra citada, Eisenhower adoptó una postura media que denominó *conservadurismo dinámico*. En la práctica significó menor intervención gubernamental en la economía, emparejada con una continua preocupación federal por el bienestar individual. Su gobierno estaba formado por hombres de negocios: sus miembros más influyentes eran el secretario de Estado, John Foster Dulles, un rico abogado de empresa; el secretario del Tesoro, George Humphrey, un ejecutivo empresarial millonario de Ohío, y el secretario de Defensa, Charles E. Wilson, presidente de la General Motors. Entre las medidas concebidas para fomentar los negocios, estaba la conclusión de los controles económicos de la guerra de Corea y la concesión de reducciones fiscales y mayores reservas para la depreciación. También resultaba evidente la inclinación hacia la empresa privada, junto con la preferencia por la descentralización, en la actitud del Gobierno hacia el desarrollo de los recursos naturales. En 1953 Eisenhower persuadió al Congreso para que aprobara la Ley sobre Petróleo de las Zonas Costeras que, al transferir al Estado la propiedad de los ricos depósitos de crudo existentes mar adentro a lo largo del golfo de México y la costa pacífica, abría la puerta a su explotación por intereses privados. Al año siguiente el Gobierno concedió un contrato para la construcción de una enorme planta eléctrica nueva cerca de Menfis a la sociedad de servicios Dixon-Yates y no al organismo gestor del Valle de Tennessee, aunque el contrato fue cancelado después de que se suscitara un alboroto sobre ciertos aspectos dudosos del trato.

El problema más enojoso, y nos ceñimos en este punto a la valoración de J. O'Reilly en su libro *El pueblo negro de los Estados Unidos*, resultó ser el de los derechos civiles. La lucha negra por la igualdad entró en una nueva fase en mayo de 1954, con la histórica decisión del Tribunal Supremo en el juicio seguido por Brown contra el Consejo de Educación de Topeka, determinada por su presidente, Earl Warren, a quien Eisenhower había nombrado el año anterior. El caso marcó el punto culminante de la larga batalla entablada por la NAACP (Asociación Nacional Para el Avance del Pueblo de Color) en los tribunales contra la segregación racial. Hablando en nombre de todo el Tribunal, su presidente, Warren, revocó la decisión de 1896 en el juicio seguido por Plessy contra Ferguson, de que la segregación no violaba la Enmienda Decimocuarta, puesto que se proporcionaban iguales instalaciones para cada raza. Aunque en la práctica las instalaciones de los negros eran marcadamente inferiores, la doctrina de *iguales pero separados* había proporcionado la sanción legal para la segregación. Ahora, sin embargo, Warren la repudiaba de forma explícita, determinando que la segregación en las escuelas públicas era inconstitucional, puesto que *las instalaciones educativas instaladas son inherentemente inferiores.* En otra decisión al año siguiente, el Tribunal estableció que la desegregación en las escuelas debía proceder *con toda la celeridad premeditada.*

Los racistas sureños denunciaron indignados la decisión Brown como una violación de los derechos estatales y un intento de revolucionar su sistema social. En los estados limítrofes y de la parte superior se inició la desegración en las escuelas, al menos en las ciudades grandes, como Washington, Baltimore y San Luis, pero en el Sur Profundo hubo una resistencia determinada de los Consejos de

Ciudadanos Blancos militantes. Al comienzo del segundo mandato de Eisenhower, tres años después de la sentencia del Tribunal, menos de un 12 por 100 de los 6.300 distritos escolares del Sur habían sido integrados y en siete estados no se había admitido ni a un solo alumno negro en una escuela secundaria blanca. Eisenhower había evitado expresar su opinión sobre la decisión del Tribunal y se resistió a las sugerencias de que debía utilizar el poder federal para ponerla en práctica.

Capítulo VII

EN EL SENADO

La Ley 480 y el Caso Guatemala

La aprobación por el Congreso norteamericano de la llamada *Ley Pública 480*, en 1953, resultó otro mecanismo para empobrecer a los países al sur del río Bravo. El *bill* fue encubierto bajo la farisaica denominación de *ayuda al exterior*. Sin embargo, la práctica misma se encargó de demoler tales argumentos y demostrar, con crudeza, que era un instrumento de penetración a través de las exportaciones masivas de productos agrícolas *excedentes* a precio de dumping.

Ese año la agricultura norteña presentaba una tendencia decreciente en sus exportaciones, a lo que se unía la acumulación de excedentes agrícolas —producto de las compras que realizaba el Estado— y que eran almacenados a fin de mantener constante el precio. No importaba que miles de hombres necesitasen de ellos para subsistir. Lo importante era el precio. De ahí que se instrumentase una solución maltusiana para no transgredir la sagrada ley capitalista de la oferta igual demanda.

La *Ley Pública 480* declaraba en sus artículos 2 y 3 que *el gobierno de los Estados Unidos podía obsequiar excedentes agrícolas en casos de catástrofe o hambruna.* A primera vista aparentaba tener una intención humanitaria, pero cuando rastreamos en el fenómeno se visualiza nítidamente el verdadero propósito: influir en los países receptores de la *ayuda* alimentaria para su conversión en asiduos clientes, como correspondencia al humanismo de que eran objeto.

El Capítulo 1 era más explícito en sus enunciados: *se permitirá el intercambio de excedentes agrícolas con dinero local del país favorecido por la ayuda...* El producto de esas ventas fue utilizado, entre otras cosas, para sufragar los gastos del personal burocrático norteamericano en dichas regiones.

El valor del intercambio ascendió entre 1956-1966 a quince mil millones de dólares y representó el 30 por 100 de las exportaciones norteamericanas para ese período. Pero, por si fuera poco, imponía a los *beneficiados* la obligación de no *intensificar la producción de los artículos vendidos y mucho menos a exportar. (...) Además, debían transportar un cincuenta por ciento como mínimo, en barcos de bandera norteamericana, cuyos fletes eran fijados a precios de monopolio.*

Esta política provocó diferentes efectos negativos sobre la lenta evolución de la agricultura latinoamericana y de la economía en general, siendo uno de ellos el estancamiento de ciertos cultivos al tenerse que reducir el área de siembra debido a que ¡había excedentes en el mercado!

Pero, y sin ningún tipo de paliativos, fue la actuación de la Administración de Eisenhower en lo que respecta a Guatemala, en 1954, lo que completó el rosario de agresiones. Fue la gota que envenenó las relaciones entre la gran nación del Norte y las repúblicas atrasadas del Sur. ¿Por qué se invadió Guatemala? ¿Representaba la empobrecida república centroamericana un peligro para el hemisferio occidental? ¿O se trató simplemente de evitar que cundiera el ejemplo? Remitámonos a los hechos.

Elegido por el pueblo en 1950 y jefe de Estado en 1951, Arbenz caló la verdadera génesis del problema guatemalteco, la tenencia monopolista de la tierra y los métodos medievales de explotación. Por ello, y con clara comprensión de que las tenues medidas emprendidas por su antecesor Arévalo eran insuficientes para dar un viraje en el *statu quo*, se planteó valientemente erradicar la dependencia.

En junio de 1952, por el decreto 900 del Congreso, se sancionó la ley de Reforma Agraria. Ésta, a pesar de no ser radical, fue blanco de violentos ataques por la oligarquía nacional y los terratenientes extranjeros que tenían grandes extensiones de tierras sin cultivar.

Los magnates estadounidenses, aprovechando la histeria anticomunista estimulada por el macarthismo al calor de la *guerra fría* en su propio país y en el resto del mundo, empezaron a catalogar al gobierno de Guatemala de *comunista*. No era verdad.

Un año después de estar en vigor la Reforma Agraria, asumió la presidencia de los Estados Unidos Dwight D. Eisenhower. Arbenz fue desde un principio su principal obstáculo a eliminar. *Ike* en sus memorias escribiría: *Al llegar a la presidencia (...) existían varios problemas (...); uno era con relación a Guatemala (...) en 1950: un oficial militar, Jacobo Arbenz, tomó el poder y (...) tuve la fuerte sospecha de que era un muñeco manejado por los comunistas...*

Pero la Reforma Agraria, que es el gran motivo del escándalo armado en defensa de la *democracia*, no era todo.

A fin de romper con la prepotencia ejercida por la Internacional Ferroviaria y la Electric Bond and Share —monopolios norteamericanos del transporte y el fluido eléctrico, respectivamente—, los dirigentes guatemaltecos se dieron a la tarea de construir centrales hidroeléctricas en varios departamentos en coordinación con la Empresa Hidroeléctrica del Estado; caminos y carreteras que atenuasen la dependencia a los ferrocarriles de la UFCO (United Fruit Company, que monopoliza el cultivo y la venta del plátano); se inician las obras del puerto y del muelle de Santo Tomás, en la bahía de su nombre, y a pocos kilómetros de Puerto Barrios, que sería la cabecera de la proyectada carretera al Atlántico.

Eran motivos suficientes. En marzo de 1954 se realizó la X Conferencia Interamericana y en ella fue aprobado, implícitamente, el derrocamiento del *comunismo* en la tierra del Quetzal.

El coronel Carlos Castillo Armas, apoyado por la OEA, la UFCO, la CIA, el Departamento de Estado, las satrapías latinoamericanas invadieron Guatemala. Sin un pueblo armado que defendiese las conquistas alcanzadas y con la mayoría de los oficiales del ejército en su contra poco pudo hacer Arbenz. Nueve días después de haber comenzado la *revolución platanera* debía capitular ante el enemigo.

Foster Dulles, secretario de Estado, hablaría desde los Estados Unidos por radio y televisión: *Dirigidos por el coronel Castillo Armas los patriotas guatemaltecos se levantaron para desafiar a los líderes comunistas —y cambiarlos—. De este modo la situación ha sido curada por los propios guatemaltecos.*

Lo que no señaló Foster fue que, tan pronto el nuevo *gobierno democrático* asumió el poder, suspendió la Reforma Agraria, reconoció la dictadura de Trujillo y disolvió el Congreso, privó de sus derechos políticos a las masas analfabetas (más del 70 por 100 de la población), restituyó los grandes latifundios United Fruit Co., expropiados por Arbenz. Fueron destituidos los líderes sindicales del país y anuladas las enmiendas a la Ley de 1947, que garantizaba derechos a los trabajadores y gremios obreros.

Senador cazado

J. F. K. tenía casi treinta y seis años cuando prestó juramento y entró en la Cámara Alta. Un senador tiene asignado unos 37.000

dólares anuales para su secretariado, pero él gasta bastante más y muy rápidamente. Según James McGregor Burns, que ha tenido acceso a los archivos de Kennedy antes de las elecciones de 1960, los gastos del senador superaban en 72.000 dólares la dieta que se le asignaba anualmente. Sostenimiento de la casa de Washington: 19.913 dólares. Gastos de despacho en Washington y Boston: 21.500 dólares. Viajes: 11.000 dólares. Abonos, cotizaciones, donativos: 1.700 dólares. Por Navidad, Kennedy mandó millares de cartas. Por supuesto, saca el dinero de su fortuna personal. Sea como fuere, Kennedy mantuvo a su alrededor grandes talentos. Un joven abogado de Nebraska, Theodore Sorensen, entró en el equipo y le designó asistente encargado de las relaciones con el Senado; además escribía los discursos, preparaba los dossieres y, a veces, desempeñaba algunas misiones políticas. Sorensen, de hecho, se convirtió en uno de sus más entrañables compañeros, no sólo por su capacidad, sino también por su comprensión del ideario de Kennedy, por expresarlo fielmente. Pocos como él supieron proyectar al joven senador a otros ámbitos. En el Senado, Kennedy integró la Comisión de Trabajo y Asistencia Pública. Luego, en la comisión sobre las operaciones del gobierno que preside McCarthy.

A este éxito profesional se le sumó, de forma natural, una imagen pública de joven elegante, rico, locuaz, de sonrisa cautivadora y, sobre todo, una figura apetecida por el sector femenino. Son pocas las revistas o semanarios que no le tengan en sus páginas. Los flashes de las cámaras le presentaban en una tribuna, en un parque, en una de las casas de descanso de su familia o nadando en una piscina. La *prensa rosa* especulaba: ¿Está soltero? ¿Tiene novia? ¿Por qué sigue soltero? Preguntas y más preguntas que sólo él podía responder.

Primero de forma discreta y después abiertamente, J. F. Kennedy estableció, desde 1951, una relación con la joven Jacqueline Lee Bouvier, que tenía entonces veintidós años y se enorgullecía de su lejana ascendencia francesa. Sus padres, John Vernon Bouvier III, uno de los financieros más poderosos de Wall Street, y Janet Lee, hija del vicepresidente de la banca Morgan, pertenecían a la alta sociedad neoyorquina, eran de origen francés y de religión católica. De niña aprendió a cabalgar casi al mismo tiempo que aprendió a caminar. Fue a la selecta escuela primaria Porter, sin destacarse del resto de los alumnos. Realizó sus estudios secundarios en el Vassar College de Nueva York. Cuando tenía trece años sus padres se divorciaron y su madre se volvió a casar con

H. D. Auchincloss. Pronto llegaron dos hermanos más por la parte materna y, aunque no hubo conflictos familiares, se volvió algo distante y fantasiosa.

En 1948 su madre decidió enviarla a Europa. Estuvo en París durante un año y estudió en la Sorbona, donde se graduó de bachiller en Artes. Hablaba francés perfectamente, también español e italiano, gustaba de leer poesía y tenía una gran afición por la pintura y la escultura. Pero a pesar de esto lo que *Jackie* quería era convertirse en periodista. De vuelta a Estados Unidos, decidió independizarse y empezar desde abajo, a pesar de ser rica. Sus primeros pinitos como reportera los realizó para el *Post and Times* de Washington; de allí al *Time Herald*, donde fue apadrinada por un periodista amigo, Charles L. Barlett, encargándose de la sección *Crónicas mundanas*, entrevistando y fotografiando, primero, a figuras de la sociedad y luego a políticos, momento en que fugazmente conoce a su futuro esposo. Tras volver de Londres, desde donde informó sobre la coronación de Isabel II, su amigo Barlett organizó una cena con el fin de presentarle formalmente a John F. Kennedy.

Su elegancia, su belleza y su espíritu sedujeron a John Kennedy, pero para cortejarla no le enviaba flores, como era usual en los de su categoría social, sino libros. Su primer regalo fue una colección sobre economía. Pero la campaña electoral era absorbente. El romance avanzaba lenta, discreta y privadamente. Los encuentros no son nada frecuentes en 1952. De cuando en cuando, él la llama por teléfono desde algún bar perdido en el fondo de Massachusetts. A veces, también la invitaba a Palm Beach o a Hyannis Port, donde ocasionalmente se reunía con otros miembros de la familia, y a veces participaba prudentemente en sus juegos y, finalmente, tras haber sido víctima de una fractura de tobillo en un partido de fútbol americano, prefiere la equitación, el tenis, la lectura o el paseo.

Jackie estaba feliz, pero ignoraba que el senador mantenía relaciones con la periodista de televisión Nancy Dickerson, la modelo Pamela Farrington y la actriz Audrey Hepburn. Por esta última, Kennedy estaba totalmente deslumbrado. Le parecía más exquisita, inteligente y culta que Jacqueline. Tras su victoria electoral en noviembre de 1952, John Kennedy se decidió a contraer matrimonio con la refinada novia Jacqueline. Los esponsales se anunciaron a comienzos del verano de 1953 y provocaron los desordenados festejos de los que los Kennedy tienen, sin duda, el secreto. El 12 de septiembre celebra la boda el arzobispo de Boston, monseñor Cushing, en presencia de 800 personas. La recepción que sigue reúne a 1.200 invitados. A decir verdad, Jacqueline es una baza para su marido, aunque no sea ésta la razón fundamental de su matrimonio. Ella, con su presencia y sus actividades, hace del senador algo más que un político. Le introduce en el mundo intelectual y artístico. Contribuye a modificar ventajosamente la imagen de un hombre político, confiriéndole nuevas dimensiones.

El matrimonio no fue fácil. Kennedy estaba demasiado absorbido por la política y por sus escapadas amorosas. Pero *Jacki*e no era tonta y se había dado cuenta de las infidelidades de su marido. Después de cuatro años de matrimonio y cuando por dos veces Jacqueline había visto frustrada su maternidad, nació su hija Caroline, en noviembre de 1957. En noviembre de 1960 nació su hijo John John y en diciembre se instalaron en la Casa Blanca. *Jackie* se dedicó a cuidar a sus hijos y a redecorar el hogar presidencial.

Mientras tanto, Kennedy además de los problemas políticos se ocupaba de las estrellas de Hollywood: Jean Simmons, Lee Remick, Angie Dickinson, Jane Mansfield, Sofía Loren y una relación, que duró dos años y medio, con Marilyn Monroe.

En septiembre de 1962 Jackie pierde a su hijo Patrick a los dos días de nacer. Para salir de la depresión se fue a Atenas. Allí fue invitada por Aristóteles Onassis a realizar un crucero, lo que aceptó con su hermana Lee.

A principios de noviembre de 1963 Kennedy emprendía la campaña para su reelección cuando el día 22 se produjo la tragedia en Dallas. Kennedy se desplomó en sus brazos, manchando de sangre su traje rosa. Pocos días después dejó la Casa Blanca con la bandera que había cubierto el féretro de John F. Kennedy. Tenía treinta y cuatro años y sus hijos Caroline y John acababan de cumplir seis y tres años, respectivamente.

Posteriormente, *Jackie* se casaría con Aristóteles Onassis en 1968, hasta la muerte de éste en marzo de 1975. Tras varios romances, fue apaciguando su vida amorosa y se instaló en Nueva York en 1978 creando su propia empresa editorial, Doubleday, en la que trabajó hasta el final de sus días. En 1992 se le diagnosticó un cáncer y antes de morir escribió sus memorias y dejó una grabación titulada *Confesiones autobiográficas*, de doce horas de duración, que fueron donadas a la biblioteca Kennedy de Boston, con la prohibición de publicarlas antes de cumplidos los cincuenta años de su muerte. Murió en 1994.

Tras este breve paréntesis explicativo de la que se convertiría en primera dama de los Estados Unidos, volvamos al futuro presidente.

La actitud de J. F. K. era la de un oportunista; sus más importantes decisiones las motivaban consideraciones electorales. Todo servía para sus fines políticos. Inclusive su boda con *Jackie* fue convertida en un asunto político, con muchos líderes políticos y todos los senadores en la lista de invitados. Muchos ayudantes de las campañas electorales estaban también allí. Ése era el método favorito de su padre: pensar en el objetivo final. Al diablo con lo demás.

Sin embargo, este hombre, al que todo parecía sonreír, tiene que ingresar en el hospital en octubre de 1954, a causa de su maltrecha espalda. Ya en 1944 le habían colocado una placa para mantenerle sujetas dos vértebras. Diez años más tarde no quedaba más alternativa que someterle a una delicada intervención quirúrgica, pues de no hacerse las perspectivas son poco halagüeñas: quedar inmovilizado sobre una silla de ruedas durante el resto de su vida o de desplazarse apoyándose en muletas. Todo fue bien. El 21 de octubre le fusionan dos vértebras. Comenzó una larga convalecencia. En febrero de 1955, los cirujanos se mostraron insatisfechos con los resultados. Era necesario volver a operar. Los riesgos son mucho mayores, pero Kennedy decidió asumirlos. Le retirarían la placa. Días más tarde comenzó su recuperación. No fue hasta mayo de 1955 cuando se incorporó a su trabajo senatorial.

El cuadro médico es aterrador. Su estado físico es lamentable; sus glándulas suprarrenales funcionan mal; su pierna izquierda es casi dos centímetros más corta que la derecha, lo que acentúa las alteraciones del equilibrio. Un calzado ortopédico mejora la posición del cuerpo; sufría del estómago a causa de una posible úlcera; oye mal por un oído y en privado tiene que usar gafas: ¿cómo no admirar su ritmo de trabajo? Los desplazamientos, las fatigas, la energía poco común que marcaban su vida antes de 1953 retornaron en 1955. Más aún, el senador recorrió ahora más kilómetros, pronunció más discursos. Esta incesante y agotadora actividad, conocida la salud del hombre, resultaba digna de admirar.

Kennedy frente al macarthismo

Su ausencia de Washington —desde octubre de 1954 a mayo de 1955— le eximió de comprometerse públicamente contra Joseph McCarthy, pues no estaba presente en el Senado el día en que una mayoría de senadores *censuró* al senador de Wisconsin. Era en diciembre de 1954. Tampoco lo deseaba. De ahí que tuviese preparada para el momento una salida leguleya: votaría en favor de la censura, pero la basaría en las actividades del ayudante de McCarthy, Roy Cohn, y no en ningún fallo del mismo McCarthy. Su grave recaída le facilitó no dar la cara. En el acta de esa histórica sesión no consta su voto ni a favor ni en contra. Su amigo Charles Spalding, que le conocía desde hacía mucho tiempo, estaba con él el día que lo trasladaron del hospital a Florida. *¿Sabes una cosa?*, le dijo a Spalding. *Cuando lleguemos abajo, sé exactamente lo que va a suceder... Esos periodistas se inclinarán sobre mi camilla. Habrá unas noventa y cinco caras inclinadas sobre mí con señales de gran interés y todos dirán lo mismo: Díganos, senador, ¿qué hay del asunto McCarthy? ¿Sabes lo que voy a hacer? Voy a ponerme la mano en la espalda y voy a gritar ¡AAAYYYY! y cubrirme con la sábana; espero que así podamos salir.*

Kennedy también era un esclavo del poder de McCarthy. Como católico confeso, era un anticomunista nato. Las denuncias del senador, a menudo sin fundamento, con las encuestas televisadas de las comisiones especiales del Senado y mediante la práctica de la sospecha generalizada, habían exacerbado el miedo a ese *fantasma que vagaba por Europa*. Con su intolerancia, una forma de terror moral, limitó las libertades personales. Su savia fue la cobardía de muchos. Como tantos otros estadounidenses, John Kennedy eludía una posición definida. Estaba de acuerdo con sus ideas, no así con la generalidad de sus formas. Su hermano Robert fue miembro, en 1953, de la comisión presidida por McCarthy, aunque durante poco tiempo, de marzo a septiembre de 1953. El propio John fue miembro de la comisión. Además, conviene recordar que fueron pocos los senadores que votaron contra la elección de McCarthy para presidir la comisión. Pocos le negaron los créditos necesarios y aún fueron menos los que denunciaron públicamente sus métodos. En el curso de la campaña presidencial de 1952, ni siquiera Eisenhower defendió a su antiguo jefe, el general Marshall, cuando McCarthy le acusó de ser demasiado *blando* con los comunistas. La actitud de Kennedy fue conformista. Pudo más la preservación del escaño que la defensa, con mayor vigor, de las libertades públicas.

A decir verdad, hay otra interpretación, la de Burns, que es más verosímil. Kennedy odia la mentalidad del macarthismo, su vulgaridad y su cinismo. Pero no comparte la indignación, virtuosa y tardía, de ciertos liberales que han esperado a 1954 para expresar su opinión. En contraposición, no es hostil al propio McCarthy. Considera que el senador ha sido elegido por el pueblo, que corresponde a sus electores, no a sus colegas, detenerle en su cruzada. Y además, añade: *Maldita la gracia que me hacía insubordinarme contra lo que McCarthy había hecho en 1952 o en 1951, ya que mi hermano había trabajado con él en 1953. He aquí el fondo del problema.*

No hay bastante macarthismo, según el *Boston Post*; hay poco antimacartismo, según algunos de sus corresponsales liberales. Lo que sí fue innegable es que, después de diciembre de 1954, no repudió públicamente a McCarthy. Cuando en los comicios de 1960 se le preguntó sobre el espinoso tema: *Si os halláis en el hospital*, dijo, *creo que os preocuparéis por otras cosas antes que por seguir los debates que se desarrollan delante de una comisión.* Algunas semanas más tarde completó la declaración: *He dicho que habría sostenido la «censura». Lo he repetido en numerosas ocasiones*». Había sido fácil condenar, una vez superada la epidemia, al responsable de la enfermedad. Kennedy, llegado el caso, quiso hacer demagogia.

Durante ese intermedio Kennedy tuvo tiempo para escribir lo que sería su segundo best-séller: *Profiles in Courage.* En sus páginas indagó sobre el concepto del valor y cómo éste se podía percibir en algunas personalidades de la historia norteamericana, sobre todo políticos. Para mayor información hizo que le trajeran la documentación, por cajas, desde la Biblioteca del Congreso. Sorensen le ayudó a clasificar los documentos y Kennedy escribió, de su propia mano, el primer bosquejo del manuscrito, antes de dictar una segunda versión a una dactilógrafa. El título no es fácil de traducir, si bien podría interpretarse como *Bosquejos de hombres valerosos.* Seleccionó las biografías de ocho personalidades, más o menos conocidas, con suficientes pruebas, en un momento u otro de su vida, de gran valor político. Cuatro de ellos pertenecían a los primeros años de la República: John Quincy Adams, Daniel Webster, Thomas H. Benton y Sam Houston. Los otros cuatro han desempeñado un papel importante en el siglo XIX (Edmund G. Ross y L. Q. C. Lamar) o en el XX (George Norris y Robert A. Taft). Más tarde, para corresponder a las peticiones de las editoriales y de los directores de periódicos, Kennedy añadió más retratos.

A lo largo de su lectura se puede apreciar que no tiene una idea preconcebida, pues incluyó demócratas, liberales, federalistas, conservadores, republicanos. Lo que intentó, por encima de la anécdota significativa, fue encontrar el justo medio. El hombre político razonable tiene que resistirse a las presiones de los extremos. La democracia que él admira está gobernada por el centro. *La verdadera democracia* —escribe— *es aquella que vive, crece e inspira, y deposita su fe en el pueblo; la fe de que el pueblo no elegirá, simplemente, hombres que representarán sus puntos de vista con capacidad y fidelidad, sino que también elegirá hombres que ejercerán concienzudamente su capacidad de razonar; la fe de que el pueblo no condena a aquellos que por devoción a los principios tienen que adoptar soluciones impopulares, sino que recompensará el valor, respetará el honor y, en última instancia, reconocerá el derecho.* El compromiso es necesario. El valor consiste a veces en aceptar el compromiso.

En esta obra sí, la mayoría de los críticos y biógrafos de Kennedy concuerdan en que era una obra fruto de la madurez intelectual del autor.

Bien escrito, variado en sus temas, el libro se vende bien desde el momento de su aparición. En los tres primeros años se difunden 700.000 ejemplares. Se multiplicaron las traducciones, aparecieron ediciones abreviadas para la juventud. Los periódicos publicaron reseñas de admiración, como si experimentaran una profunda sorpresa al ver que un senador puede ser también escritor. El *Christian Science Monitor* refleja la opinión dominante cuando concluye: *Es una espléndida bandera que el senador Kennedy ha izado en su mástil.*

Arthur Krock, que servía en uno de los Comités que otorgaban el Premio Pullitzer, hizo lo que pudo para que *Profiles in Courage* lo ganara.

Primer intento fallido

Los sondeos mostraban su creciente popularidad. Y Kennedy se acerca aún más a los universitarios del Massachusetts Institute of Technology (el famoso MIT) y de Harvard.

La energía que no ha utilizado durante los largos meses de convalecencia tuvo que mostrarla de inmediato. Primero, en su Estado, asegurándose el control de la *máquina* demócrata. Después, en el ámbito nacional, ya que ese año de 1956 habría elecciones presidenciales y él quería desempeñar un importante papel en ellas. Nadie duda que el candidato demócrata a la magistratura suprema será, una vez más, Adlai Stevenson. ¿Pero quién le acompañará?

Fue, pues, la convención presidencial de 1956 cuando Kennedy saboreó por primera vez la lucha por la presidencia como aspirante a candidato a la vicepresidencia, y le gustó.

Quienes le rodeaban le empujaron a tentar la suerte. Sorensen, por ejemplo, está persuadido de que Kennedy poseía numerosos argumentos a su favor para ser nominado: *Es joven, sin ser joven como Frank Clement; hoy por hoy está completamente restablecido de su operación en la espina dorsal; el heroísmo del que dio muestras durante la guerra se ha hecho célebre; su mujer es muy bonita; vive en un Estado que le conviene por sus dimensiones, su situación geográfica y sus tendencias políticas; tiene más experiencia en el Congreso que Humphrey, Wagner o Clement; es el autor de un libro de éxito que ha sido muy bien acogido; él mismo es muy conocido y popular; ha dado pruebas de su capacidad para captar votos, a pesar de tener que hacer frente a muchas e importantes desventajas; su filosofía, moderada, se acerca a la de Stevenson; tiene mucho encanto, sobre todo en televisión; mantiene relaciones de amistad con los jefes de partido de todas las regiones; mantiene hábil postura sobre la ley Taft-Hartley y aceptable sobre la cuestión agrícola*. En una palabra, el candidato ideal.

Tanto Sorensen como John Bailey, el presidente del comité demócrata de Connecticut, quien firmó un memorándum que hizo llegar discretamente a las prestigiosas e influyentes revistas *Time* y *U. S. News and World Report,* recapacitaban teóricamente sobre la importancia vital de asegurar el voto católico. Aseguraban que cierto número de católicos, ricos o pobres, ciudadanos o campesinos, obreros o granjeros, hombres o mujeres, marcaban la casilla a favor de los demócratas, si en la *papeleta* demócrata aparecía un católico conocido. Ahora bien, alertaron, estos electores incondicionales se agrupan en algunos estados, en algunas ciudades del Norte. Representan un veinte o un treinta por ciento del censo electoral de catorce estados, muy poblados, y de ahí su importancia en el seno del colegio de los grandes electores. Estas consideraciones se apoyan sobre obras de ciencia política y sobre el análisis de los resultados de 1952. Kennedy, por ejemplo, ¿no ha obtenido más votos en Massachusetts que el propio Stevenson? Si Stevenson hubiese ido al copo de los votos católicos habría añadido a su cuenta cuarenta y nueve grandes electores. Además, contrariamente a lo que se estimaba, un candidato católico no perdía los votos de los protestantes, sobre todo si aspiraba a la vicepresidencia y no la presidencia. En conclusión, los demócratas no ganarían las elecciones presidenciales si no presentaban un candidato católico para la vicepresidencia, sobre todo por la necesidad de apuntalar a Stevenson, divorciado y liberal.

Pese a la aparente solidez del argumento, ello no convence del todo, principalmente a uno de los senadores más influyentes, H. Humphrey: *¿Un voto católico? Es un punto de vista espiritual*, respondió. *Lo que perjudicará su candidatura no es que sea católico y esto le haga perder votos protestantes, sino que es de Boston y sale de Harvard. Sus cualidades y sus defectos se parecen demasiado, a los ojos del campesinado del Medio Oeste y del Sur, a los de Stevenson. Con Kennedy, la «papeleta» demócrata no sólo no se verá completada, sino que será arrastrada a los abismos.* Cuatro años más tarde, la polémica renacerá sin que, en esta ocasión, Kennedy la haya deseado.

No todos los consejeros de Kennedy, como bien recogen en su libro Morrison y Commanger, compartieron el entusiasmo de Sorensen. El padre, que por aquel entonces pasaba sus vacaciones en Cannes, expresó con vehemencia su desacuerdo por teléfono. No creía en el éxito de Stevenson, y además, si se consumaba la derrota, achacarían ésta a la presencia de Kennedy, el católico. Así de fácil. Su hijo pagaría un precio tan alto que, quizá, repercutiría muy negativamente sobre sus aspiraciones futuras. Pero sus temores y consejos, si bien oídos, no fueron seguidos. John Kennedy decidió probar su fortuna en las primarias de la Convención Nacional del Partido. Si la Convención no le designaba, cuando menos habría llamado la atención del público sobre su persona, abonando de esa manera sus postulaciones para las elecciones siguientes.

La Convención se efectuó en Chicago, en agosto de 1956. En la primera vuelta, Stevenson fue investido para encabezar la lista, como la mayoría esperaba. Pero a diferencia de anteriores mítines, Stevenson declinó pronunciarse sobre quién le acompañaría. Se lavó las manos como Poncio Pilatos.

Dejó en manos de los delegados la elección entre J. F. Kennedy, senador por Massachussets, y Estes Kefauver, senador por Kentucky, los dos candidatos con mayores posibilidades. La primera ronda: Kennedy 304, Kefauver 483, el resto se pierde entre los otros aspirantes. Pero se necesitan 686 votos, equivalentes a la mayoría absoluta.

A su culminación se produjeron los consabidos cabildeos, contactos, promesas, todo era válido con tal de conseguir una mayoría de compromisarios. Al parecer Kennedy y su grupo se movieron más activamente, pues en la segunda ronda de escrutinios Kennedy obtuvo 618 votos contra 551 y medio en favor de Kefauver. Se ha beneficiado de la adhesión de Texas, por medio del senador Lyndon B. Jonhson que puso todos los votos de ese Estado a su favor: *Texas da con orgullo sus votos a este valeroso marinero que lleva todavía las cicatrices del heroísmo.* Los estados del Medio Oeste y de las Rocosas le rechazaron, porque estimaron improcedente su negativa a aceptar la subida de los precios agrícolas, que, según opinión de Kennedy, perjudicarían a los agricultores de Nueva Inglaterra. Se imponía otro escrutinio. Sin embargo, el bostoniano tomó una decisión inesperada e inusual. Renunció a la nominación y exhortó a sus compañeros de partido, que dieran su apoyo unánime a Kefauver. Pocos, en ese momento, comprendieron el golpe magistral del senador treintañero. No había solidaridad, ni tampoco amor a la unidad del partido, sino conocimiento, certeza de que a la larga Kefauver sería el seleccionado. Optó por mostrar magnanimidad, desinterés, lo cual, en los siguientes comicios presidenciales, sería una base sólida para conseguir mayores adhesiones.

Por primera vez en su vida —y también por última— Kennedy salió derrotado. Stevenson fracasó. Kennedy apareció en la prensa como el gran sacrificado en aras del partido. Y, sobre todo, las cámaras de televisión le han hecho célebre en todos los Estados Unidos. Se le ha oído hablar con ardor y coherencia. Dinámico y simpático. Sin duda, su fracaso en Chicago ha sido, como escribe uno de sus biógrafos, *una de las mayores fortunas de su vida.* Baste la confesión que le hizo a su madre en 1957: *Joe era la estrella de nuestra familia. Todo lo hacía mejor que los demás. De haber vivido, se habría metido en la vida política; habría sido elegido para la Cámara de Representantes y para el Senado, al igual que yo. Y, como yo, habría intentado obtener la investidura para la vicepresidencia en la Convención de 1956. Pero, contrariamente a lo que a mí me ha sucedido, él no habría sido derrotado, y entonces Stevenson y él habrían sido batidos por Eisenhower, y hoy la carrera política de Joe estaría arruinada.*

Se oteaba el porvenir. Su nombre, más bien su apellido, suscitaba confianza, certidumbre de victoria. La máquina electoral no podía mantenerse ociosa. Los diarios, las revistas, la televisión o la radio debían ser aliados directos o indirectos. Jacqueline con su glamour contribuiría notablemente a que su figura se agigantara, a que se le reconociera como un político capaz, culto, de buenos gustos, de amistades y colaboradores provenientes de las mejores universidades. Sus veladas fueron reconocidas, antes y durante su mandato presidencial, como sinónimos de elegancia y buen gusto.

El segundo mandato de Eisenhower

La moderación de Eisenhower encajó bien con el talante nacional. Su sola presencia en la Casa Blanca ayudó a recobrar la tranquilidad política y disipó, en parte, la crispación del período macarthysta. Dos graves ataques de enfermedad en 1955 y 1956 habían puesto en entredicho su disponibilidad para presentarse a un segundo mandato pero, una vez recobrado por completo, fue vuelto a postular por aclamación en la convención republicana de 1956.

Stevenson no pudo vencer. Además, la súbita y simultánea erupción de la crisis de Suez y la revuelta húngara contra la ocupación soviética permitieron a los republicanos ganar a los votantes indecisos, quienes prefirieron que *Ike* siguiera dirigiendo los asuntos internacionales. La victoria fue más impresionante que la de 1952. Volvió a ser un triunfo personal. Por primera vez, desde 1848, un presidente reelecto no logró tener mayoría al menos en una cámara del Congreso.

Poco después de su reelección el país experimentó una breve pero aguda recesión económica, la peor desde los 30. El aumento de la agitación por los derechos civiles dio como resultado violentos enfrentamientos raciales en el Sur.

Fue uno de los grandes problemas sociales de su segundo período, pero el problema iba más allá de simples leyes. El racismo no podrá cambiarse mediante legislación, porque las ideas se pueden coartar pero no cambiar. Es el hombre quien debe reflexionar por sí mismo, evaluar las motivaciones históricas que condujeron a esa discriminación y, luego, tomar conciencia de la sinrazón de la segregación de una u otra raza. Por ello ni Eisenhower, ni sus predecesores, ni sus sucesores han podido eliminar la *cuestión negra*. Primero se impone cambiar la sociedad y crear un hombre nuevo. Idílica especulación teórica. ¡Tres siglos de esclavitud real aún resultaban un fardo demasiado pesado!

Los mismos negros sureños habían comenzado a luchar contra la discriminación con una confianza y tenacidad inusitadas. Las experiencias de la Segunda Guerra Mundial habían hecho que muchos de ellos, sobre todo los jóvenes, no estuvieran dispuestos a seguir aceptando la desigualdad, al igual que ocurrió al término de la Primera Guerra Mundial. La expansión de la televisión en los años 50 les reveló, de forma más general, por primera vez lo próspera que era la clase media blanca y, al mismo tiempo, sus propias carencias. El despertar de África, con el surgir de estados africanos negros independientes, resultó un estímulo tremendo para el orgullo racial. El resultado fue una serie de manifestaciones. La más célebre comenzó en Montgomery (Alabama) en diciembre de 1955, cuando 50.000 residentes negros boicotearon los autobuses de la ciudad en protesta contra la segregación. El movimiento estaba dirigido por un joven ministro baptista negro, el doctor Martin Luther King Jr., que había abrazado el ideal gandhiano de la desobediencia civil mediante la resistencia pasiva. A pesar de las detenciones masivas y de la intimidación, se mantuvo el boicot hasta que, en noviembre de 1956, el Tribunal Supremo declaró que era inconstitucional la segregación de los pasajeros de autobuses. El éxito de la no violencia llevó a su adopción en otras partes.

Aunque en 1956 el número de negros sureños registrados para votar ascendía a 1.200.000 —el doble de la cantidad de 1947—, sólo era un cuarto de los que tenían derecho. En agosto de 1957 el Congreso intentó proporcionar un remedio con la aprobación de la primera Ley sobre Derechos Civiles desde la reconstrucción. Medida más débil que la que Eisenhower había propuesto en un principio, establecía una Comisión de Derechos Civiles para investigar la negación del derecho de voto y daba poder al Departamento de Justicia para entablar acciones judiciales en favor de los derechos de voto de los negros. Pero ninguna medida resultó efectiva. En el Sur Profundo en especial, las autoridades estatales continuaron impidiendo que la gran masa de negros aptos votara.

La postura del congresista John Kennedy sobre derechos civiles puede describirse como muy *tenue*, con palabras de encomio para la delegación del Sur. Por lo que atañe a la Ley de Derechos Civiles del año 1957, votó en favor de la enmienda que requería juicios por jurado para los presuntos violadores de la ley. La enmienda fue aprobada por un escaso margen y redujo las posibilidades de aprobación de la ley a cero. Nunca un jurado de Mississipi había reconocido a un blanco culpable del asesinato de un negro, y los habitantes de Mississipi tenían más consideración por los votos de los negros que por su vida. La actitud del senador Kennedy provocó que un considerable número de ciudadanos le insultaran y le acusaran de cobarde, mentiroso y oportunista.

Kennedy no iba contra los derechos civiles; pero era uno de los temas que no se tomó en serio. Koch sabía bien esto:

Nunca vi a un negro en las reuniones de los Kennedy en todos los años que los traté. Y nunca oí hablar del asunto. Por lo que respecta a los muchachos, no parecía que tuvieran ningún prejuicio racial, pero nunca expresaron preocupación por la cuestión negra.

The Times reaccionó con violencia al ver que John Kennedy florecía, por decirlo así, de la noche a la mañana y se convertía en un dedicado defensor de los derechos civiles durante la campaña de 1960. La falta de sinceridad del hijo de su antiguo amigo provocó una cierta desconfianza en el editorialista del *Times.*

En septiembre de 1957, Eisenhower no tuvo más alternativa que utilizar la fuerza, cuando el obstruccionismo del gobernador Orval Faubus frustró la operación de una desagregación gradual en Little Rock (Arkansas). Los enfrentamientos entre negros y blancos racistas se hicieron virulentos, cruentos. Enfrentado a un desafío abierto a la autoridad federal, el presidente mandó un destacamento de paracaidistas para escoltar a los niños negros hasta la escuela. Sin embargo, durante el resto de su mandato, el ritmo de la desagregación se mantuvo lento. En lugar de aceptarla, muchos padres blancos trasladaron a sus hijos a escuelas privadas o se negaron por completo a mandarlos a la escuela. Lo más común fue que encontraran modos para eludir la desagregación, en lugar de desafiarla de forma directa: elaboradas leyes sobre *la ubicación del alumno* permitieron rechazar las solicitudes de los negros a escuelas particulares por motivos diferentes a la raza.

El mundo que heredó Kennedy

Con respecto a la política exterior en este segundo mandato, Eisenhower y Foster Dulles mantuvieron su proyecto de reducir la influencia de Moscú, según declaraciones propias. Los acontecimientos sucedidos en Hungría en octubre de 1956, cuando los húngaros iniciaron una revuelta anticomunista, coincidieron con la crisis de Suez que, de hecho, la oscureció. Se originó por el fracaso de los intentos de Dulles por atraer al dirigente nacionalista egipcio, el coronel Gamal Abdel Nasser, de su trayectoria antiisraelí y pro soviética. Dulles presionó a los británicos con el fin de que retiraran sus fuerzas de la zona del canal de Suez, y luego prometió ayudar a financiar una enorme presa y una planta hidroeléctrica que Nasser propuso construir sobre el Nilo en Asuán. Estos gestos no desviaron en absoluto a Nasser. Concluyó un tratado sobre armas con la Unión Soviética, reconoció a la China comunista e intensificó sus incursiones fronterizas sobre Israel. Molesto por su conducta, Dulles retiró abruptamente la oferta de financiar la presa de Asuán (19 de julio de 1956). Nasser tomó represalias nacionalizando el canal de Suez, propiedad en su mayor parte de accionistas británicos y franceses, pues decidió que los beneficios que producía proporcionarían los fondos para el proyecto de la presa. Gran Bretaña y Francia reaccionaron con furia, porque no estaban dispuestas a tolerar que Egipto controlara su contacto con el petróleo del Oriente Medio. Sin informar a su aliado estadounidense, pero en colusión con Israel, que lanzó una guerra preventiva sobre Egipto el 29 de octubre, los dos países anunciaron dos días después que estaban enviando tropas a Egipto para —así lo declararon— separar a los beligerantes y proteger el tránsito por el canal.

La intervención anglo-francesa fue condenada de forma casi universal. Los Estados Unidos y la Unión Soviética, por una vez en el mismo lado, compitieron mutuamente en su denuncia. Pero cuando los rusos amenazaron con acudir en ayuda de Egipto, Eisenhower se alarmó tanto que aumentó su ya intensa presión sobre Gran Bretaña y Francia para que dieran por terminada la expedición. Enfrentadas a la hostilidad estadounidense, tuvieron que someterse. El fiasco de Suez tuvo consecuencias de largo alcance. También la Unión Soviética fortaleció su posición en el Oriente Medio. Pero la alianza de la OTAN se vio sacudida y las relaciones anglo-estadounidenses se hicieron jirones durante un tiempo. Además, el derrumbamiento de la influencia británica y francesa en el Oriente Medio pareció abrir la vía para otra penetración comunista. La respuesta de Eisenhower fue buscar y obtener (marzo de 1957) la autoridad del Congreso para proporcionar ayuda militar y económica a todo país del Oriente Medio amenazado por un golpe militar comunista. Se conoció como la doctrina Eisenhower. Sin embargo, resultó que la principal amenaza a la estabilidad de la zona provino de Nasser y no de la Unión Soviética.

Con la muerte de Dulles en el verano de 1959, Eisenhower asumió de forma más abierta el control de la política exterior, que siempre había poseído. Más o menos al año siguiente, cuando el gobierno comenzó a recoger la cosecha de todo lo sembrado, los acontecimientos sucedidos en distintas partes del mundo dañaron mucho el prestigio estadounidense. En África, la negativa de los Estados Unidos a adoptar una postura fuerte contra Bélgica, su aliada de la OTAN, durante los problemas del Congo, permitió a la Unión Soviética crear malestar entre los nacionalistas africanos y el Occidente. En América Latina, el apoyo del gobierno a las dictaduras reaccionarias inflamó el antiamericanismo popular. Ya manifestado en la hostil recepción otorgada al vicepresidente Nixon en Venezuela en 1958, este sentimiento alcanzó nuevas alturas tras la revolución de Fidel Castro en Cuba en 1959, a la que dedicaremos una especial atención por su gran significación política para la América Latina y las regiones atrasadas del mundo, y para Eisenhower y Kennedy que la convirtieron en blanco predilecto de sus agresiones, que aún hoy, años después, se mantienen.

Aún más preocupante para los Estados Unidos fue el incidente del U-2. En mayo de 1960, justo antes de que se celebrara una cumbre en París de la que se había esperado que relajara las tensiones mundiales, los rusos anunciaron el derribo dentro de su territorio de un avión de reconocimiento estadounidense U-2. En un primer momento, el Departamento de Estado declaró que el piloto había perdido el rumbo mientras efectuaba una investigación meteorológica, ante lo que el premier soviético Kruschev proporcionó pruebas irrefutables de que el aeroplano había estado cumpliendo una misión de espionaje. Eisenhower podía haber satisfecho el protocolo diplomático afirmando, a pesar de ser inverosímil, que el vuelo no había sido autorizado. Pero aceptó francamente la responsabilidad de éste y de otros más. Esta admisión hizo naufragar la cumbre, que se disolvió en medio de recriminaciones e insultos.

De este modo, la presidencia de Eisenhower finalizó con la previa al recrudecimiento de la guerra fría. Sin duda, compartió la responsabilidad con Dulles por excederse en los compromisos estadounidenses y por lo que resultaron ser desastrosas intervenciones en países extranjeros, sobre todo en Irán —donde los Estados Unidos organizaron un golpe para mantener al sha en su trono— y en Indochina.

La consecución del sueño familiar

En 1958, Teddy, que acaba de cumplir los veintiséis años, es el *campaign manager* para la campaña senatorial de Massachusetts. En un segundo plano, el padre sigue ejerciendo una influencia discreta. Como de costumbre, tranquiliza a los conservadores y moviliza a amigos influyentes que aportan sustanciales contribuciones. Sus intervenciones podrían hacer temblar al candidato, si se molestara en conocerlas, tanto más cuanto que Kennedy se esfuerza en mejorar su imagen de marca. Tiene que aparecer a la vez como un candidato independiente de las *máquinas* y de las influencias conservadoras. Ya no es Massachusetts, es el país entero el que ha sido fichado. El despacho del Senado es demasiado pequeño. Kennedy alquila cuatro habitaciones en un edificio vecino. Allí trabajan secretarias que dan respuesta a un correo cada día más voluminoso, establecen las listas de los principales responsables del partido en cada uno de los Estados, clasifican los informes, los estudios, los comunicados, los sondeos. Al frente de este enorme secretariado se encuentra Steve Smith, el marido de Jean.

La reelección para el Senado en 1958 es una etapa. Decisiva en cierto modo, ya que si Kennedy experimentara dificultades para batir a su adversario, esto significaría que perdería lo esencial de sus bazas para las elecciones presidenciales. Pero se produce el caso inverso. Obtiene 1.362.962 votos. Su adversario, otro católico que ya se ha cruzado en el camino de Kennedy, Vincent J. Celeste, tiene que contentarse con el veintiséis por ciento de los sufragios. La victoria ha sido triunfal. Kennedy saca la conclusión, no sin razón, de que en lo sucesivo Massachusetts y toda Nueva Inglaterra, sin duda, le son adictos. Dispone, por tanto, de una sólida base de operaciones.

Hay que reconocer que durante este tiempo Kennedy no ha cumplido plenamente con sus obligaciones de senador. En 1953-1955 ha participado en el 81 por 100 de los escrutinios. Es mucho, si se tiene en cuenta la intervención quirúrgica que ha sufrido. En 1955-1957 su participación desciende a un 60 por 100. En los dos años siguientes asciende a un 83 por 100; se mantiene poco más o menos así, con un 77 por 100 en 1959, y se hunde hasta un 35 por 100 en 1960. Pero estas cifras inducen a error. Sólo reflejan los escrutinios. En los debates de las comisiones y de las subcomisiones, las ausencias de Kennedy son más frecuentes aún. A decir verdad, ha estado ausente tan a menudo en 1959 que sólo tres demócratas le aventajan en esto. En 1960 ocupa, en lo que a participaciones en los escrutinios se refiere, el penúltimo lugar entre los senadores de su partido.

En 1959 pide, junto con Humphrey y Fulbright, que la ayuda al extranjero sea un poco menos militar y un poco más importante. Es un voto piadoso. Desearía también que los beneficiarios de las becas de estudios, según el título de la ley sobre defensa nacional, dejen de verse sometidos a un juramento de lealtad. Necesita un año para obtener una satisfacción parcial.

En la cuestión de las relaciones entre la Iglesia y el Estado, adoptó una actitud firme contra la proposición de que los Estados Unidos mantuvieran relaciones diplomáticas regulares con el Vaticano.

En el curso de las vacaciones parlamentarias de 1959, por ejemplo, visita Ohio, Wisconsin, Indiana; en octubre y en noviembre se le ve de nuevo por Indiana, pero también en Virginia occidental, en Nueva York, en Nebraska, en Louisiana. Pasa por Milwaukee, llega hasta la costa del Pacífico y se dirige hacia Nueva York. Poco después acude a Illinois, California, Oregón, Wisconsin, Oklahoma, Delaware, Kansas, a Iowa, Nebraska y Colorado, y de nuevo a Oklahoma. Es fácil imaginar, tal como lo cuenta Sorensen, que el senador y su equipo se han convertido en expertos conocedores de las líneas aéreas de Estados Unidos. Hasta el momento en que, en 1959, compra un avión personal, al que llama *Caroline*, por el nombre de su hija, que entonces contaba dos años de edad. Cabe imaginar también las recepciones interminables e idénticas, los hoteles y los moteles monótonos y tristes que el candidato frecuenta, las bromas, las impaciencias, viajes a veces divertidos, raramente en compañía de Jacqueline, agotadores siempre. Y luego, agarrados siempre a sus faldones, adulados y detestados, los periodistas, sin los cuales las declaraciones de Kennedy no habrían sido difundidas y los talentos del senador acabarían por ser ignorados.

Kennedy no olvida que conviene levantar pronto, en cualquier caso más pronto que los habituales competidores, una organización que trabaje para el éxito de la empresa. Incluye en ella, como ya lo ha hecho en otras circunstancias, a profesionales de la política, a aquellos que le siguen desde hace años y cada vez creen más en él, a otros que se incorporan al equipo y se integran, aficionados y voluntarios, a amigos y, desde luego, a la familia. Todos los Kennedy se hallan ahora en edad de participar activamente en una campaña.

En 1960, cuando el anciano Eisenhower se preparó a abandonar la Casa Blanca, obligado por la Enmienda Duodécima que limitaba la presidencia a dos mandatos, los dos grandes partidos se volvieron en busca de hombres más jóvenes, cada uno de los cuales se había identificado con la más apacible política de los cincuentas. Los republicanos nombraron al vicepresidente Richard Nixon, cuyos viajes oficiales al exterior, a los que se había dedicado mucha publicidad, le habían otorgado la apariencia de ser el elegido como su heredero y cuya disposición durante años para asumir la carga de las campañas y la recolección de fondos le habían ganado el sólido apoyo de los cargos del partido. Este oscuro y fullero personaje, como lo demostró con creces el *Caso Watergate*, había nacido el 9 de enero de 1913 en Yorba Linda (California). Estudió Derecho en la Duke University Law School, donde se graduó en 1937. Al no conseguir ingresar en un despacho de abogados de Wall Street volvió a Whittier para ejercer como abogado. Ingresó en la Marina en 1942, siendo destinado al Pacífico Sur durante la Segunda Guerra Mundial, como capitán de corbeta. Regresó a Whittier en 1946 y fue elegido diputado republicano a la Cámara de Representantes en 1947. Como miembro del Comité de Actividades Antiamericanas (1948-1949), fue uno de los instigadores del *Caso Hiss*. En 1951 fue elegido senador y ya en 1952 fue nominado como vicepresidente en la candidatura de Dwight D. Eisenhower, cargo que ocupó durante los dos períodos del general.

La candidatura demócrata fue más contestada, pero finalmente recayó en el senador John F. Kennedy. Su carrera como senador había pasado desapercibida, pero era el candidato de mayores perspectivas.

Ninguno de los candidatos despertó gran entusiasmo. Nixon, que había sido un ardiente partidario de McCarthy, era tortuoso y carente de imaginación. Al no enfrentarse a McCarthy, Kennedy quedó abierto a la crítica de que debía haber mostrado menos perfil y más valor. Pero en su discurso de aceptación, que delineaba una *nueva frontera*, Kennedy dio indicios de que sus críticos acaso lo hubiesen juzgado mal, pues empezó a elaborar el tema de su campaña: la necesidad de sacrificio, imaginación y audacia *para poner al país de nuevo en marcha*.

El senador Kennedy se enfrentaba a una desventaja formidable: era católico, y todos recordaban bien la derrota de Al Smith.

Pero mediante una campaña generosa, bien organizada y enérgica en las primarias clave, demostró su atractivo popular y se libró de su rival principal, el senador liberal Hubert H. Humphrey. Postulado con un programa que prometía continuar y extender el *Nuevo Trato* y el *Trato Justo*, Kennedy se comprometió a dirigir al pueblo estadounidense hacia una *nueva frontera* vagamente definida, expresión que después se utilizó para describir los propósitos de su gobierno. Sabedor de que su religión podía resultar un obstáculo en el Sur, hizo una apuesta para lograr su apoyo eligiendo como compañero de campaña al dirigente de la mayoría del Senado, Lyndon B. Johnson, de Texas, que también había aspirado a la candidatura.

Sin embargo, la religión recibió menos énfasis durante la campaña que la política exterior. Mientras que Nixon defendió los logros del gobierno de Eisenhower y resaltó su experiencia propia en asuntos externos, Kennedy alegó que con los republicanos la posición de los Estados Unidos en el mundo había declinado. Se extendió sobre una supuesta deficiencia de misiles, afirmando que la Unión Soviética había sobrepasado a los Estados Unidos en armas nucleares, y también criticó a Eisenhower por no tratar de la presencia comunista en Cuba.

Las encuestas mostraban que Nixon aún iba delante de su rival cuando aceptó participar en una serie de cuatro debates televisados por todo el país, a finales de septiembre y octubre. Nixon, que se había valido hábilmente de la televisión en 1952, pensó que podría aumentar su ventaja, pero fue superado en el decisivo primer debate, en que Kennedy mostró un equilibrio y una madurez que borraron la impresión de que tan sólo era un improvisador, carente de la experiencia de Nixon, quien en realidad había llevado las riendas durante las enfermedades de Eisenhower. Kennedy también mejoró su situación entre los votantes negros, que se habían mostrado fríos hacia él. Cuando, el 19 de octubre, Martin Luther King fue sentenciado a cuatro meses de trabajos forzados en una penitenciaría de Georgia por una cuestión técnica, y muchos pensaron que no saldría vivo de allí, Kennedy telefoneó a la esposa del doctor King para expresarle su preocupación, y el hermano de Kennedy, Robert, logró la liberación del ministro. Este hecho hizo virar a grandes números de votantes negros hacia Kennedy, y el voto negro le dio el margen de la victoria en varios estados decisivos.

Las elecciones resultaron ser una de las más apretadas en la historia estadounidense. Kennedy salió ganador con un margen de sólo un 0,1 por 100. Raza y religión fueron cruciales para los resultados. Obtuvo una mayoría popular de sólo 118.000, de un total de cerca de 68 millones de votos: dos décimos del uno por ciento, aun cuando en el Colegio Electoral tuvo una mayoría más confortable, de 303 contra 219. Sin embargo, por pequeño que fuese su margen, Kennedy y Johnson habían puesto fin a ocho años de gobierno republicano, pese a las desventajas de juventud, catolicismo, un Sur descontento y la inmensa popularidad de Eisenhower. Aunque Kennedy no había hecho hincapié en el tema de los derechos civiles, su llamada por teléfono a la madre de Martin Luther King para interesarse por él cuando estaba en la cárcel de Atlanta le ganó el grueso del voto negro. En el conjunto del país, su catolicismo le hizo perder más votos que ganarlos.

Pero estas pérdidas fueron sobre todo en el Sur, donde podía permitírselas, mientras que en el Norte urbano su religión le obtuvo el voto católico, que probablemente fue crucial para otorgarle estados como Illinois y Michigan, con lo que le puso en la Casa Blanca.

Capítulo VIII

LA PRESIDENCIA

La Nueva Frontera

El 20 de enero de 1961 John Fitzgerald Kennedy iba a cumplir el sueño familiar: un Kennedy reconocido como el presidente de la nación más poderosa del mundo. Atrás quedaban más de cien años de intenso quehacer familiar para llegar al cenit del poder; su madre, sus hermanas y amigos reconocían en él al hombre capaz de inmortalizar la valía de los irlandeses católicos que habían huido en busca de un destino mejor. Su padre no cabía en sí de gozo, toda su vida había luchado por hacerse un nombre en los negocios, en los que amasó una fortuna cercana a los 400 millones de dólares; y en la política, donde a lo máximo que había llegado era a embajador. Ahora, su segundo hijo, pronto sería el jefe de la Casa Blanca.

Ese día, sobre Washington, caía una copiosa nevada. El frío polar era intenso, pero allí, en el Capitolio, miles de sus conciudadanos esperaban ansiosamente sus palabras. A Kennedy se le notaba extremadamente feliz.

En sí el discurso constituyó, según la opinión de Sorensen, una sinopsis apretada de las esperanzas e intenciones del programa presidencial de sus compromisos ante amigos y aliados, viejos o nuevos. De sus peticiones a los comunistas para buscar nuevos caminos de paz, y de sus llamamientos a los compatriotas para que le ayudasen a cargar con el peso sacrosanto de la libertad. Cada uno de esos imperativos estaba contenido en frases demasiado breves para prestarse al resumen y, a la vez, demasiado importantes para omitir cualquier parte de las mismas.

No conmemoramos hoy la victoria de un partido, sino una fiesta de la libertad, que simboliza de consuno un final y un comienzo, una renovación y un cambio. Porque acabo de pronunciar ante vosotros, ante el Dios Todopoderoso, el mismo juramento solemne que nuestros antepasados prescribieron hace un siglo y tres cuartos de otro.

El mundo es hoy muy diferente, pues el hombre tiene en sus manos mortales poder para abolir cualquier tipo de pobreza entre los humanos, lo mismo que las distintas formas de la vida, y sin embargo, la misma revolucionaria creencia por la que nuestros mayores lucharon, se discute ahora en el entero planeta: la idea de que los derechos del hombre no se originan en la generosidad del Estado, sino en la mano de Dios.

No debemos olvidar hoy que somos los herederos legítimos de aquella primera revolución. Sepan todos a partir de este punto y hora, amigos y adversarios, que se ha entregado la antorcha a una nueva generación de norteamericanos, nacidos en este siglo, endurecidos por la guerra, disciplinados por una amarga y precaria paz, orgullosos de nuestras tradiciones y nada dispuestos a ser testigos, a permitir el lento deshacerse de esos derechos del hombre ante los cuales este país siempre estuvo comprometido, y respecto de los que nos comprometemos en el tiempo presente, en la patria como en el resto del mundo.

Sepan todas las naciones, las que nos quieren bien como aquellas que nos desean males, que estamos dispuestos a pagar cualquier precio, soportar toda dificultad, resistir cualquier carga, apoyar a cualquier amigo o enfrentarnos a todo enemigo, a fin de asegurar la supervivencia y el triunfo de la libertad.

A esto nos comprometemos. Y a más todavía.

A aquellos viejos aliados cuyos orígenes espirituales y culturales compartimos, ofrecemos la lealtad de unos fieles amigos. Unidos, poco es lo que no podremos hacer en una multitud de empresas comunes. Divididos, apenas resultaremos capaces de nada, porque no nos atreveremos entonces a enfrentarnos, desunidos y en duda, a un potente desafío.

A esos nuevos estados a los cuales damos la bienvenida en las filas de la libertad, ofrecemos nuestra palabra de que no ha desaparecido la forma colonial de control para dar paso, simplemente, a una más férrea tiranía. No esperamos que siempre compartan nuestros puntos de vista, pero sí que logren defender su propia independencia. Queremos que recuerden cómo en otras épocas, quienes estúpidamente buscaron el poder amparándose en los más pujantes, acabaron siendo engullidos por éstos.

A esos pueblos que, albergándose en chozas y aldeas de la mitad del globo, luchan por quebrar las ligaduras de la miseria masiva les ofrecemos nuestros mejores esfuerzos para ayudarles a ayudarse a sí mismos, durante tanto tiempo como sea necesario, no porque de otro modo podrían auxiliarles los comunistas, no para buscar voto alguno, sino porque es lo justo. Si una sociedad libre no puede ayudar a los muchos que son pobres, mal logrará salvar a los pocos que viven en la riqueza.

A nuestras repúblicas hermanas del sur de la frontera les ofrecemos algo especial: convertir nuestras buenas palabras en realidades plenas, en una nueva Alianza para el Progreso, para asistir a los hombres y a los gobiernos libres en sus intentos de sacudirse las cadenas de la pobreza. Ahora bien, esa pacífica revolución caracterizada por la esperanza no deberá ser presa de las potencias hostiles. Sepan todos nuestros vecinos que nos uniremos a ellos para oponernos a la agresión o a la subversión dondequiera que aparezcan en las Américas, y sepan todos los demás países que este hemisferio quiere seguir siendo dueño de sus propios destinos.

A esa asamblea mundial de estados soberanos, las Naciones Unidas, nuestra última y mejor esperanza en una era en que los instrumentos bélicos han superado a los de la paz, le renovamos nuestro compromiso de apoyo: para impedir que se convierta en un ágora de mutuas injurias, para reforzar su protección hacia los novatos y los débiles, para ampliar el área en que su mandato tiene influencia.

Finalmente, a esas naciones que se constituyen por propia voluntad en adversarios, a ellas no ofrecemos sino una petición: que ambos bandos puedan empezar de nuevo la búsqueda de la paz, antes de que las oscuras fuerzas de la destrucción, desencadenadas por la ciencia, hagan desaparecer a toda la humanidad en una autodestrucción planeada o accidental.

No les tentamos ofreciéndoles la debilidad, porque sólo cuando nuestras armas sean suficientes más allá de toda duda podremos estar ciertos, sin género de disputas, de que jamás será preciso emplearlas. Por otro lado, no podrán dos grandes y poderosos grupos de naciones sentir alivio ante el presente rumbo, hallándose ambos bandos sobrecargados por el costo del armamento moderno, justamente alarmados por la continua expansión del átomo mortífero, y aun así compitiendo para alterar el incierto equilibrio del terror que gobierna la posibilidad de una guerra última para la humanidad.

Comencemos, pues, de nuevo recordando unos y otros que cortesía no es sinónimo de debilidad, y la sinceridad siempre debe probarse. Negociemos; no movidos por el temor, pero sin temer nunca a negociar.

Exploremos ambos bandos cuáles son los temas que nos unen, en vez de obsesionarnos por los problemas que nos dividen. Formulemos los de aquí y los de allá, por vez primera, propuestas serias y precisas para la inspección y control de armamentos, y coloquemos ese poder absoluto para destruir a los demás bajo el control total de todas las naciones.

Invoquemos ambos lados las maravillas de la ciencia en lugar de sus horrores. Lancémonos juntos a explorar las estrellas, a conquistar los desiertos, a destruir las enfermedades, a aprovechar las profundidades marinas, a alentar las artes y el comercio...

Unámonos para encabezar en todos los rincones de la Tierra el cumplimiento del mandato de Isaías de «deshacernos de las cargas pesadas y liberar a los oprimidos».

Y si un principio de colaboración puede hacer retroceder ese mundo de sospechas, hagamos que ambos bandos se unan para un nuevo esfuerzo; no un nuevo equilibrio de poder, sino una nueva ley para todos, a cuyo abrigo los fuertes resulten justos, reciban seguridad los débiles y sea preservada la paz.

Todo esto no se acabará en los primeros cien días. No se logrará en los primeros mil; ni siquiera se conseguirá durante la vida pública de esta Administración. Quizá tampoco en nuestra existencia humana, o en la del planeta sobre el cual vivimos. Pero, al menos, intentémoslo.

En vuestras manos, conciudadanos míos, más que en las mías, residirá el éxito o el fracaso de nuestro futuro. Desde la fundación de nuestra patria, cada generación de americanos ha sido llamada a dar testimonio de su lealtad nacional. Las tumbas de los jóvenes americanos que respondieron a ese llamamiento jalonan el globo.

Ahora las trompetas nos llaman de nuevo. No es una invocación para portar armas, aun cuando ciertamente las necesitemos; no es un llamamiento al combate, si bien en la batalla estamos ya. Es una llamada a compartir la carga de una lucha larga, que no cesa, mayor un año, disminuida otro, en tanto nos regocijamos en la esperanza, mantenemos nuestra paciencia en las tribulaciones... Un combate contra los enemigos comunes del género humano: la tiranía, la pobreza, la enfermedad, la guerra misma.

¿No podemos forjar contra ellos una alianza grande y extensa, unidos el Norte y el Sur, el Este y el Oeste, susceptible de asegurar una vida más plena para toda la humanidad? ¿Querréis uniros en este histórico empeño?

En la larga historia del mundo apenas un puñado de generaciones ha obtenido el privilegio de defender la libertad en su hora de mayor peligro. No pretendo eludir esa responsabilidad, antes bien, le doy la bienvenida, y no creo que nadie entre nosotros quisiera cambiarse con cualquier otro pueblo, con pasadas generaciones. La energía, la fe, la devoción que traemos a este cometido, iluminará a nuestro país y a quienes lo sirven, y ojalá que el resplandor de ese fuego interior alumbre verdaderamente el globo.

Y así, compatriotas míos, no preguntéis lo que vuestro país puede hacer por vosotros, decid más bien lo que vosotros podéis hacer por la patria.

Colegas míos, ciudadanos del mundo, no preguntéis lo que vuestro país América puede hacer por vosotros, sino qué podemos hacer juntos por la libertad del hombre.

Para terminar, seáis ciudadanos de América o del mundo, exigidnos el mismo nivel de fortaleza y sacrificio que os pedimos. Con una conciencia tranquila por toda recompensa, con la Historia como último juez de nuestros actos, avancemos al frente de la tierra que amamos, pidiéndole su ayuda y su bendición, pero sabiendo que en este mundo la obra de Dios ha de ser, auténticamente, la nuestra.

¿Cuántos creyeron en las palabras del presidente norteamericano? ¿Cuántos sintieron renacer la fe ante su exhortación a explorar las estrellas, conquistar los desiertos, erradicar las enfermedades, penetrar en las profundidades del océano y estimular las artes y el comercio? Quizá muchos, desde el norteamericano sencillo hasta los estadistas de los llamados gobiernos neutrales. En Europa, en África, en Asia, en América Latina, indudablemente, muchos confiaron en las palabras de Kennedy. Pero muy pocos sabían en aquel momento que unas horas después el presidente norteamericano pediría a la CIA *una información detallada* sobre los planes para lanzar un ejército mercenario sobre una pequeña isla del Caribe, enviaría tropas a Vietnam, a Laos, daría la espalda al movimiento negro de su nación, presionaría sobre Berlín, etc.

Kennedy, que deliberadamente se proclamó el portavoz de *una nueva generación de norteamericanos*, organizó un gobierno notable por su juventud. Su gabinete era diez años más joven que el de Eisenhower. Él, que en sí era el hombre más joven elegido para la presidencia, no tuvo reparos en nombrar para puestos claves a hombres aún más jóvenes que, como dijo un observador, eran los oficiales de menor graduación de la Segunda Guerra Mundial, que habían llegado al poder: Sorensen, consejero especial adjunto al presidente; Pierre Salinger, a cargo de las relaciones con la prensa y, de cuando en cuando, de ciertas misiones diplomáticas; Mc George Bundy, decano de la Facultad de Artes y Ciencias de Harvard, se convirtió en asistente especial para los Asuntos de Seguridad Nacional; Walt Rostow, profesor de Historia Económica adjunto de Bundy en 1961 y luego funcionario importante del Departamento de Estado; Arthur Schlessinger, profesor de Historia de Harvard, *asistente especial* y encargado de los asuntos interamericanos; Jerome Wiesner, profesor de Ingeniería en el MIT, asistente especial para la ciencia y la tecnología; Robert McNamara, presidente de la compañía Ford, jefe del Departamento de Defensa; Dean Rusk, de la Fundación Rockefeller, secretario de Estado; su hermano Robert, attorney general —cargo similar a ministro de Justicia—; el conocido economista John Kenneth Galbraith, embajador en la India. Era su *Brains Trust.* A ese personal brillante debemos sumar a destacados veteranos como el general Maxwell D. Taylor, a quien sacó de su retiro y le nombró su representante militar, y en 1962 le nombró presidente del Comité de los jefes de Estado Mayor; U. Alexis Jonson, subsecretario adjunto para los Asuntos Políticos del Departamento de Estado; y para concluir esta inconclusa lista, el sempiterno candidato presidencial Adlai Stevenson, a quien se le asignó como embajador en la Organización de Naciones Unidas.

Desde su primer día de gobierno, dio un tono a la Casa Blanca que no sólo contrastó agudamente con el de los años de Eisenhower, sino que difería de todo lo que hubiese presenciado Washington. Kennedy y su círculo crearon un estilo que recordaba a algunos el ambiente palaciego de las monarquías europeas de los siglos XVIII y XIX. Su cabeza: J. F. Kennedy, quien citaba por televisión fragmentos de la obra de Madame de Stael, confraternizaba con los ganadores del premio Nóbel, a quienes definió *como la más extraordinaria colección de talento, de conocimiento humano, que se haya reunido jamás en la Casa Blanca*; fomentaba las artes y se preocupaba de contratar famosos arquitectos, como Mies van der Rohe, para que diseñara nuevos edificios federales, a la par que su esposa remodelaba la Casa Blanca para hacer de ella un bello *objeto nacional.*

Pero ese cambio de formas y estilo no era exactamente el éxito que deseaba legar a la historia de su país. Era consciente de que el verdadero logro debía derivarse de su quehacer gubernamental: *Me postulé para presidente* —había declarado— *porque no quiero que se diga que los años en que nuestra generación tuvo poder político... fueron los años en que el país empezó a declinar. No quiero que los historiadores que escriban en 1970 digan que el equilibrio del poder... empezó a ponerse contra los Estados Unidos y contra la causa de la libertad.* La referencia al *equilibrio de poder* fue un indicio de que su política exterior mantendría el rumbo de contención o enfrentamiento al comunismo internacional dirigido por la Unión Soviética. En ese campo llegó a superar a Foster Dulles, por lo menos eso legó. ¿Acaso la solución de la crisis de Berlín no fue obra suya? ¿No finalizó la invasión de bahía de Cochinos contra la revolución cubana planteada por *Ike?* ¿No fue él un actor directo en la *crisis de los misiles*? ¿No fue él quien comenzó a empantanar a los Estados Unidos en la guerra de Vietnam?

En Laos y Vietnam del Sur, dos de los estados creados en Indochina por el Acuerdo de Ginebra de 1954, los regímenes pro occidentales parecían a punto de sucumbir a la presión de las guerrillas comunistas. Como Eisenhower, Kennedy creía que Indochina era la pieza clave del sudeste asiático y por ello un interés estadounidense vital. Tras advertir que los Estados Unidos no tolerarían la conquista comunista de Laos, colaboró con la Unión Soviética para lograr la pacificación y neutralización del país, resultado que ya se había alcanzado en el verano de 1962. En Vietnam del Sur trató de frenar la fuerza creciente del Vietcong (comunistas vietnamitas), mediante nuevas medidas de contrainsurgencia, acompañadas de presión sobre el gobierno de Ngo Dinh Diem para que llevara a cabo una reforma política y económica. Envió ayuda militar y, a pesar de los recelos acerca de la participación directa, extendió de forma constante el número de *asesores* militares estadounidenses hasta que a finales de 1963 llegó a los 16.000. No obstante, el Vietcong continuó ganando terreno, mientras que el régimen corrupto y represivo de Diem se hizo cada vez más impopular. Después de que éste hubiera suprimido de forma brutal las manifestaciones budistas, Kennedy decidió retirar la ayuda económica. Luego, el 1 de noviembre de 1963, con la aquiescencia si no aliento de los Estados Unidos, una camarilla militar derechista asesinó a Diem y tomó el poder. Continúa siendo un asunto de conjeturas si Kennedy, en caso de haber vivido, podría haber evitado verse arrastrado a la vorágine de Vietnam, pero en el momento de su muerte parecía no tener otra alternativa en mente salvo continuar con la participación.

Los grandes cambios que se estaban produciendo en la balanza de poder mundial —la división creciente entre Moscú y Pekín, la recuperación de Europa, el surgimiento del nacionalismo africano y asiático—, las aspiraciones de América Latina de fomentar sociedades más justas, sobrepasaron los límites conservadores de Kennedy. Frente a esas transformaciones no sólo opuso los métodos del anticomunismo visceral (a escala internacional), sino también las negociaciones, proyectos reformistas, promesas... todo, con tal de contener el fantasma del comunismo. Su concepción del papel que debían jugar los Estados Unidos en el mantenimiento —como mínimo— de la paridad de fuerzas, ya lo había señalado desde sus palabras de investidura: *Sepan todas las naciones, las que nos quieren bien como aquellas que nos desean males, que estamos dispuestos a pagar cualquier precio, soportar toda dificultad, resistir cualquier carga, apoyar a cualquier amigo o enfrentarnos a todo enemigo, a fin de asegurar la supervivencia y el triunfo de la libertad. A esto nos comprometemos. Y a más todavía.*

La confrontación entre los Estados Unidos y la Unión Soviética seguía en pleno vigor en todos los terrenos. La carrera de nuevos armamentos, como refiere Salom en su *Historia Universal*, había abordado con brío el campo de los proyectiles balísticos y teledirigidos; la enconada competición alcanzaba cotas muy altas, dado que los factores psicológicos jugaban en la cuestión tanto como los puramente militares. Los Estados Unidos se habían entregado a un gran esfuerzo para neutralizar la ventaja soviética respecto a lo que se había llamado *arma absoluta.*

Para apuntalar la nueva versión del *Destino Manifiesto*, Kennedy ordenó la construcción de los *Minutemen* y de los *Polaris*. Los primeros son los *ICBM* que transportan, a una distancia de 10.000 kilómetros, una carga nuclear de un megatón, o sea, el equivalente a un millón de toneladas de TNT. Los segundos, lanzados desde submarinos, tienen un radio de acción más corto, del orden de los 2.000 kilómetros y una carga nuclear de 0,7 megatones. En enero de 1961, los Estados Unidos poseían 16 *Atlas* ICBM, 32 *Polaris* y 600 bombarderos de amplio radio de acción. La URSS estaba dotada de 35 ICBM y de 200 bombarderos. Según datos aportados por Kaspi, en el momento en que estalló la crisis de Cuba, en octubre de 1962, la superioridad estratégica de los Estados Unidos era considerable: 300 misiles frente a 100; 1.600 bombarderos de amplio radio de acción frente a 300.

Procedió a extender y acelerar su programa, lo que significó la introducción de ese nuevo tipo de proyectiles balísticos intercontinentales de combustible sólido y el aumento del número de submarinos Polaris con armas nucleares. Al mismo tiempo, apoyó los esfuerzos del Departamento de Defensa para fortalecer las fuerzas convencionales. Aprobó el aumento de las asignaciones de defensa, con el fin de ampliar las divisiones de combate, fortalecer tácticamente a los combatientes e incrementar la capacidad estratégica de los puentes aéreos y las fuerzas de contrainsurgencia. Además, en un esfuerzo desenfrenado por superar a la Unión Soviética en la *carrera espacial*, Kennedy consiguió que el Congreso le autorizara a incrementar el presupuesto para el programa Apollo, concebido para desembarcar un hombre en la Luna. Tras haber gastado 24.000 millones de dólares, se logró este objetivo el 20 de julio de 1969, cuando dos astronautas estadounidenses asentaron su módulo lunar en la superficie del satélite. Aunque hoy, treinta y cinco años después, muchos especialistas aseguran que ese arribo lunar fue un montaje al estilo de Hollywood.

La coalición conservadora del Congreso

El círculo de Kennedy tenía esperanzas de que la primera sesión del Congreso en 1961 pudiera compararse con los Cien Días de Roosevelt de 1933, pero el joven presidente pronto descubrió que en materia de legislación doméstica, como en cuestión de política exterior, tan sólo podía anotarse triunfos limitados.

Las dos cámaras del Congreso tenían, en enero de 1961, una mayoría demócrata. La Cámara de Representantes se componía de 263 demócratas y 174 republicanos; el Senado, de 64 demócratas y 36 republicanos. Disponía, supuestamente, de una mayoría confortable. Es una ilusión. Ese año envió al Congreso 355 proyectos. Se aceptaron 172, lo que significó el 48,4 por 100. Al año siguiente, de 298 proyectos, sólo se aprobaron un 44,6 por 100. La proporción de los logros descendió en 1963 al 27,2 por 100. Proyectos tan importantes como la reducción de los impuestos o la protección de los derechos civiles son *olvidados* tras un año o más de discusiones. Kennedy los calificó, sin embargo, de prioritarios. Como compensación, el presidente obtuvo brillantes éxitos en el campo de la defensa nacional (se satisficieron el 95,6 por 100 de sus peticiones), en el de la vivienda y, en menor grado, en el de la agricultura. En las elecciones legislativas de noviembre de 1962, en la Cámara, la mayoría demócrata permaneció intacta. ¿Qué sucedía realmente para que el Congreso mantuviera su oposición a las peticiones, sobre todo las referentes a reformas sociales? La respuesta hay que buscarla en su composición real.

Los republicanos formaban un grupo relativamente homogéneo, seguimos a Kaspi, pero los demócratas se agrupaban en dos tendencias: los demócratas liberales que, en general, procedían del Norte, del Medio Oeste y del Oeste, y los demócratas conservadores del Sur, que gozan de una posición política particularmente ventajosa, pues su elección y, luego, su reelección es casi una rutina. Todos sus votos, todas sus tomas de posición públicas se explicaban por el problema negro, y se abstraían de otros.

He aquí por qué los demócratas del Sur se alían con los republicanos y se oponen a los demócratas liberales, integrando una coalición conservadora. Los miembros de la çoalición proceden entonces a un intercambio de buenas intenciones, lo que, en términos políticos americanos, se denomina el *log-rolling,* es decir, intercambio de favores mediante el voto.

Los republicanos ayudaban a los demócratas del Sur a luchar contra la no segregación. Los demócratas del Sur ayudaban a los republicanos a contener las iniciativas progresistas de Kennedy. Y el presidente no podía reclamar la lealtad de los demócratas del Sur, ya que la elección de éstos no estaba ligada directamente con el futuro político de Kennedy.

El presidente, por tanto, no podía contar con una mayoría fiel y adicta. No hay incondicionales. Todo lo contrarío. Hay una lucha permanente entre un poder ejecutivo dinámico, innovador, decidido a actuar, y unos legisladores dedicados a la defensa de su circunscripción, poco preocupados o incapaces de tomar conciencia de los intereses nacionales.

Quedaba, sin duda, una solución que Kennedy no ha empleado. Si aceptamos la tesis de James McGregor Burns en *The Deadlock of Democracy (El punto muerto de la democracia)*, en los Estados Unidos existen cuatro y no dos partidos principales. Demócratas y republicanos se hallan divididos en dos tendencias, expresándose una en el Congreso y la otra en la Casa Blanca. Las dificultades de Kennedy se explicaban entonces de forma simple: el electorado del presidente no coincide con el de los demócratas del Congreso. Por tanto, habría hecho falta que el presidente se batiera para hacer elegir una mayoría de partidarios suyos en el Congreso, lo que habría debilitado y quizá aniquilado la coalición conservadora. Este partido presidencial agruparía a los liberales, los negros, los habitantes de las ciudades y de los suburbios, los jóvenes, todos ansiosos de promover un programa de *Welfare* y de derechos civiles. El presidente se habría comprometido en persona en la batalla electoral. Una vez alcanzado el objetivo, la legislación recomendada por la Casa Blanca habría sido adoptada.

Es más fácil enunciar la teoría que ponerla en práctica. El Partido Demócrata es, tradicionalmente, una alianza entre los liberales del Norte y los sudistas inclinados hacia el conservadurismo. Y a esta alianza debe Kennedy su elección. Además, las *máquinas* son tan indispensables como los movimientos de opinión. Sin duda, ésta es una de las razones que justificaban la ambigüedad de Kennedy.

La coalición conservadora de demócratas sureños y republicanos norteños, que se había opuesto a casi toda reforma social innovadora durante una generación, no tenía ningún interés en llevar al país hacia nuevas fronteras. El Congreso rechazó las peticiones de Kennedy de atención médica a los ancianos *(Medicare)* y de un Departamento de Asuntos Urbanos y Alojamiento, en tanto que la ayuda federal a la educación volvía a verse obstaculizada por la incapacidad de resolver el asunto centrado en la demanda de los obispos católicos, que pedían concesiones a las escuelas parroquiales.

Los críticos de Kennedy deploraron que no aprovechase su gran popularidad para obtener apoyo a las medidas del gobierno y su falta de sutileza al tratar con los congresistas. Reconocieron que la coalición conservadora planteaba dificultades, pero señalaron que tenía enormes mayorías demócratas en ambas cámaras y se quejaron de que el presidente no se arriesgara nunca a sufrir una derrota.

Pese a esa oposición, Kennedy obtuvo algunos éxitos. Mediante un apretado margen, ganó una enconada lucha para quitar a los conservadores el control de la poderosa comisión de reglas de la Cámara, la cual tenía entre sus funciones examinar cualquier proyecto de ley, incluso si otra comisión lo había debatido ya. Es la que acepta o deniega una *regla* y define también las condiciones en las que el proyecto será discutido en sesión plenaria o en las comisiones. Puede decidir que un proyecto sea presentado, o no, a la Cámara. Durante su mandato logró que se aprobase una legislación que elevaba el salario mínimo; liberalizó los beneficios del seguro social, extendió la compensación de desempleo de emergencia, asignó fondos para la salud mental, dio más alojamientos y canalizó dinero de las obras públicas hacia las zonas necesitadas; también se le aceptó una Ley Federal de Control de Contaminación del agua y el establecimiento de tres playas nacionales, una de ellas en el lugar favorito de vacaciones del presidente, Cabo Cod. Tampoco se puede obviar su papel en la recuperación económica, aun cuando al principio procedió con excesiva cautela. Ocupó la presidencia en el momento en que casi el 7 por 100 de la fuerza laboral estaba desempleada en la cuarta recesión desde la Segunda Guerra Mundial. Algunos de los asesores liberales del presidente le apremiaron a estimular la economía mediante gastos sociales, pero adoptó un programa más modesto, que incluía un crédito más libre. Junto con mayores gastos militares y de carreteras, estas medidas sacaron al país de la recesión. Para mantener estos avances, subrayó la importancia de mantener el nivel de precios y el aumento de ofertas de trabajo.

No debe sorprendernos, por tanto, que el presidente encontrara tantas dificultades para que se aprobasen leyes referentes a los derechos civiles de los negros norteamericanos, o de otro tipo de contenido social y, en cambio, tuviese casi vía libre para sus planes de defensa.

La cuestión racial

En la campaña presidencial los dos partidos adquirieron firmes compromisos, divergentes en pequeñas cuestiones, pero idénticos en el fondo. Kennedy, en más de una ocasión, definió el programa que seguiría en caso de ser elegido; en primer lugar pediría al Congreso la adopción de una legislación completa sobre la igualdad de derechos. Aseguraba que en los campos que dependieran del gobierno federal, intentaría suprimir la segregación y la discriminación, tanto si se trataba del empleo, de la vivienda o del acceso a las urnas. El presidente, finalmente, ejercía un papel moral educando a la opinión sobre las necesidades de la igualdad y de una sociedad libre.

El aspirante demócrata, desde su época de senador, había tomado conciencia de que la Cámara a la que él pertenecía era renuente a medidas radicales con respecto a los derechos civiles de los negros. En la primavera de 1960 encomendó, como destaca Schlessinger, a Harris Wofford, de la Facultad de Derecho de la Universidad de Notre Dame, que se había unido a su plantilla durante la campaña como experto en asuntos asiáticos, que se concentrara en la cuestión de los derechos civiles. El padre Theodore Hesburgh, presidente de Notre-Dame y uno de los miembros dirigentes de la Comisión de Derechos Civiles, había traído a Wofford a Washington en 1958 como su consejero y director de la sección investigadora de la discriminación racial en la vivienda, experiencia que dejó en Wofford una firme conciencia de los recursos potenciales que la acción del Ejecutivo podía emprender en el campo de los derechos civiles. A Kennedy le gustó esta manera de ver las cosas, porque correspondía a su concepción de un presidente dinámico, y al mismo tiempo porque los debates sobre derechos civiles de 1957 y 1960 le habían dejado bastante pesimista sobre un ulterior progreso en el Senado.

Wofford preparó entonces una serie de reuniones entre Kennedy y los dirigentes negros. Cada reunión hizo avanzar un poco al candidato en su compromiso. En la Convención demócrata insistió en una plataforma electoral firme en cuanto a los derechos civiles y después de la sesión especial de agosto se unió a otros 237 senadores demócratas para hacer una declaración condenando la actuación en el campo de los derechos civiles de los republicanos. La Administración Eisenhower, declaraban los senadores, había evitado cuidadosamente toda oportunidad de acción ejecutiva: no había, por ejemplo, emitido un decreto para acabar con la discriminación en los programas federales para la construcción de viviendas, algo que *el presidente hubiera podido hacer de un plumazo*. La declaración concluía: *Prometemos hacer que, en su próxima sesión, el Senado estudie un proyecto de ley sobre los derechos civiles, proyecto que cumplirá las promesas de la plataforma demócrata*.

En sus discursos de precampaña también habló del tema negro, como parte insoluble de toda la problemática social de los Estados Unidos. Uno de los más importantes al respecto fue el que pronunció en Wisconsin en el mes de octubre:

Un niño negro tiene, cualquiera que sea su talento natural, estadísticamente la mitad de las oportunidades de acabar los estudios de la escuela secundaria que un niño blanco, un tercio de las oportunidades de acabar los estudios universitarios, una cuarta parte de las oportunidades de llegar a ser un hombre de negocios y cuatro veces más probabilidades de quedarse sin trabajo. Sólo un presidente resuelto a usar todos los recursos de su cargo puede aportar el liderato, la determinación y la dirección... necesarios para eliminar la discriminación racial y religiosa de la sociedad americana.

Insistió en que la mejor oportunidad estaba en el poder ejecutivo sin ninguna acción por parte del Congreso.

Aprovechó también para reclamar medidas más radicales que protegiesen el derecho al voto de esa minoría americana; así como que no se les discriminase en la obtención de empleos y viviendas.

Pese a estas menciones de la discriminación racial, su aparente identificación y público compromiso de favorecer la desagregación, Schlessinger asegura que el hecho más impactante para que el voto negro se inclinase a su favor fue la gestión para liberar a Martin Luther King, cuando fue condenado a cuatro meses de trabajo forzado, por participar en una sentada en Atlanta, Georgia, el 19 de octubre.

Harry Wofford, el 25 de octubre, contactó con el candidato y le sugirió que llamase por teléfono la esposa de King. Meditó los pros y los contras. Fue una corta conversación pero muy útil. Su hermano Robert se encargó de convencer al gobernador de Georgia. A los pocos días el joven pastor sería excarcelado. Poco tiempo después declararía a la prensa:

Estoy profundamente en deuda con el senador Kennedy, que ejerció una enorme presión para hacer posible mi puesta en libertad. Hacía falta que el senador Kennedy tuviera mucho valor para hacer esto, sobre todo en Georgia...

Si en 1960 sólo los blancos hubieran acudido a las urnas, Nixon se habría llevado el 52 por 100 en los votos. En el Colegio Electoral, Kennedy no se hubiera podido llevar los estados de Illinois y Michigan, sin hablar de Texas, Carolina del Sur y posiblemente Louisiana, de no haber contado con el amplio apoyo de los negros. Con que hubiera perdido los dos primeros estados de los mencionados, ya no habría ganado las elecciones.

Las promesas del candidato sólo pudieron cumplirse parcialmente. A los pocos días de asumir la presidencia declaró que no había necesidad de legislación para la protección de los derechos civiles. Sin embargo, no era cierto. La comunidad negra seguía sufriendo una severa discriminación racial. Pero Kennedy temía, a inicios de su mandato, provocar las iras de los republicanos y demócratas conservadores, y arrastrar durante todo el período el lastre de una fuerte oposición para otros planes. No era engaño, sino debilidad legislativa total para acometer con firmeza la extirpación del tumor racista que carcomía la salud de la sociedad norteamericana. El presidente sólo puso en práctica aquello que no molestaba en demasía a los electores del Sur, que tanta importancia habían tenido en su victoria. Emitió un firme decreto ejecutivo contra la discriminación entre los empleados del Gobierno federal e hizo un esfuerzo para promover a negros a altos puestos federales. ¡Más negros en la Administración federal! Era un paliativo engañoso. En puestos intermedios el número de funcionarios negros aumentó en un 36,6 por 100 de junio de 1961 a junio de 1963. En los puestos superiores el crecimiento fue de un 88,2 por 100.

El nombramiento de Robert C. Weavur como administrador de la Vivienda, que un cuarto de siglo antes había sido miembro del gabinete negro del *New Deal*, puso a un negro a cargo de programas que, como King había observado, afectaban de manera tan trágica a su raza. George Weaver, del sindicato AFL-JCIO, se convirtió en secretario adjunto de Trabajo; dos periodistas negros —Carl Rowan y Andrew Hatcher— fueron nombrados, respectivamente, vicesecretario de Estado adjunto para Asuntos Públicos y vicesecretario de Prensa, con Pierre Salinger, en la Casa Blanca; John Duncan se convirtió en el primer comisario de color para el Distrito de Columbia.

En febrero, Clifton R. Wharton, un funcionario negro del Servicio Exterior, fue nombrado embajador en Noruega, siendo el primero de una serie de embajadores negros que Kennedy nombraría en el futuro. En octubre, Thurgood Marshall fue designado juez del Segundo Tribunal de Apelación; era el primero de los cinco negros que fueron nombrados jueces vitalicios durante el mandato de Kennedy.

El presidente también fusionó el antiguo Comité de Empleos Gubernamentales con el Comité de Contratos Gubernamentales, que había estado encabezado por el vicepresidente Nixon en los días de Eisenhower, y estableció así un solo Comité Presidencial para la Igualdad de Oportunidades, dirigido por el vicepresidente Johnson. Las realizaciones de este comité sobrepasaron con mucho las del de Nixon, y la experiencia determinó indudablemente que Johnson ampliara su conocimiento del problema y su preocupación por él.

Se nombró un embajador negro para Finlandia. La oficina de asuntos urbanos estaba dirigida por un negro. Un juez negro accedió a una de las audiencias territoriales federales y jueces negros tomaron asiento en los tribunales federales. Estos nombramientos no son demasiado abundantes, pero su significación política es indiscutible. Y Kennedy, por sobre todas las cosas, era un político. Alrededor de su hermano Robert Kennedy se reunió un equipo de liberales blancos, consagrados al triunfo de la igualdad, entre los que figuraba el asistente del secretario de Justicia, Bruke Marshall, responsable de la división de derechos civiles en el Departamento de Justicia. El presidente consideró que su Departamento de Justicia debería ser el centro de la acción federal en los derechos civiles. Robert se puso en marcha.

Al descubrir que había menos de diez fiscales negros en el Departamento, se lanzó a una campaña especial de reclutamiento y multiplicó por cinco este número para finales de año. Así mismo nombró, por primera vez en la Historia, fiscales federales negros (en San Francisco y Cleveland). También aumentó la plantilla de la División de Derechos Civiles. Cuando fue a la Universidad de Georgia para conmemorar el Día de la Ley, en mayo de 1961, dijo ásperamente a su auditorio (y fue aplaudido por ello): *Haremos cumplir la Ley en todos los dominios y en todas las regiones del país... Si las órdenes del Tribunal son contravenidas, el Departamento de Justicia se pondrá en acción.*

Desde mediados de la década de 1950 el movimiento negro a favor de la reivindicación de sus derechos civiles se había caracterizado por la no violencia, a imitación de Gandhi, que profesaba su líder Martín Luther King. Pero según se produjeron los acontecimientos en los años 60, la violencia racista no pudo menos que estimular en cientos de miles de jóvenes negros la seguridad de que tenían que defenderse e incluso llevar la lucha al enemigo.

La década comenzó con las protestas denominadas *sit-ins*. En febrero de 1960, a cuatro estudiantes negros de la Universidad Agrícola y Técnica de Greensbord, Carolina del Norte, se les negó el servicio en el comedor de la Universidad. Decidieron permanecer sentados en sus sitios hasta que el comedor fuera cerrado. Su ejemplo se expandió a través de los Estados del Sur. Los negros utilizaron la misma táctica: sentarse. A raíz de este movimiento se fundó el Congreso de la Igualdad Racial (CORE). Un año más tarde, James Farmer, que había sido director de programas de la NAACP, se convirtió en el director nacional del CORE. Las huelgas sentadas dieron lugar a huelgas de rodillas, huelgas de rezar y otras formas de protesta no violenta, y pronto a la formación de otro grupo más, intenso en sus emociones y radical: el Comité Pacífico de Coordinación de los Estudiantes (SNCC).

A lo largo de 1961-1963 la mayoría de los movimientos por la igualdad del negro se concentraron en los Estados del Sur, los cuales eran considerados los pilares de la segregación. Los *sit-ins* y otros manifestantes fueron reprimidos con inusitada crueldad. Los Consejos de Ciudadanos Blancos y Ku-Klux-Klan utilizaron todos los medios a su alcance para aterrorizar a las comunidades negras.

A pesar de todo, el movimiento continuó creciendo. El primer año de la presidencia de Kennedy coincidió, por tanto, con el momento más importante de este secular enfrentamiento.

Miles de jóvenes se unieron a los negros para combatir la segregación en los medios de transportes. En su mayoría eran estudiantes universitarios del Norte, quienes decidieron viajar en autobuses alquilados con los negros a lo más profundo del sur, a Mississipi, en claro desafío a los racistas. Éste fue el inicio de los llamados *Viajes de la Libertad*, como se les conoció popularmente, los cuales atrajeron una vez más la atención nacional e internacional hacia las exigencias del pueblo negro de los Estados Unidos, los mismos que se proclamaban *defensores de la democracia* en todo el mundo.

La próxima iniciativa para retar a la elite blanca y racista de los estados sureños fue ayudar a inscribirse a los negros para votar y explicarles sus derechos según la ley federal. Se tomó como base de operaciones la última parada de los *Viajes de la Libertad*: el estado de Mississipi. Ello significó grandes riesgos, por cuanto ese estado era el reducto por excelencia del racismo; más aún, aquellos negros que se habían arriesgado a votar fueron víctimas de torturas, pérdida del trabajo o muerte. Estos vejámenes también fueron sufridos por los *viajeros*, quienes fueron arrestados, torturados o en el mejor de los casos atacados por turbas frenéticas o amenazados de muerte. No se amilanaron y continuaron organizando piquetes, violando así la más inviolable ley del Sur —la que prohibía la unidad entre negros y blancos—, como bien explica Richard O'Reilly en su interesante libro.

En ese año, los Kennedy sólo pudieron emprender catorce procesos a favor de los negros víctimas de la discriminación en el momento de la inscripción en las listas de votantes, pese a que la propia Comisión de Derechos Civiles comprobó que miles de negros, en el Sur, habían sido privados del derecho de voto. Las principales agrupaciones que defendían los derechos de los negros: la National Association for the Advancement of Colored People (NAACP); Congress of Racial Equality (CORE); la National Urban League; la Southern Christian Leadership Conference (SCLC), animada por Martin Luther King; la Student Non-Violent Coordinating Committee (SNCC); los sindicatos; las Iglesias de todas las confesiones; la American Civil Liberties Union y la de los Americans for Democratic Action, criticaron acremente la actitud pusilánime del Gobierno. El 11 de junio creyó oportuno pronunciar un discurso televisado:

Se trata de una cuestión moral, les dice a sus conciudadanos. *Los Estados Unidos, que defienden la libertad en todo el mundo, ¿no sabrán combatir por ella en su propio territorio? Los negros estadounidenses viven en unas condiciones insostenibles. Para ellos no existe la igualdad de oportunidades. No podemos decirle al 10 por 100 de la población que no pueden tener este derecho, que sus hijos no pueden tener la oportunidad de desarrollar sus talentos, sean cuales fueren, y que la única manera de obtener sus derechos consiste en bajar a la calle y manifestarse.*

Una semana más tarde sometió al Congreso un programa legislativo, entre las que destacaban las siguientes medidas: protección del derecho al voto, restricciones severas y uniformes de los exámenes de aptitud, acceso a todos los lugares públicos (hoteles, moteles, cines, teatros, terrenos deportivos, almacenes de venta al por menor, estaciones de servicio, restaurantes, etc.), desde el momento en que son frecuentados por viajeros que franqueen los límites de un Estado; no segregación en todos los establecimientos escolares durante dos años. Se especificaba además que cualquier infracción a las leyes acarrearía ir a los tribunales por desacato. Las acusaciones serían llevadas directamente por el secretario de Justicia, cartera desempeñada por su hermano Robert.

1962 siguió el mismo patrón del año anterior. El Comité Coordinador Estudiantil de la No Violencia continuó su labor de registro de votantes en Mississipi. En medio de esta tensa situación los negros, con inequívoca ironía, enviaron miles de plumas estilográficas al presidente para que tuviera mano dura y acabara de firmar leyes más radicales y de forma definitiva, no de carácter temporal. En otoño de ese año la opinión pública se fijó en un nuevo caso simbólico: el de James Meredith, veterano del ejército, a quien se le había negado su admisión en la Universidad estatal de Mississipi, asentada en la ciudad de Jackson. La NAACP inició un proceso legal que logró un fallo favorable, pero Ross Barnet, gobernador del Estado, se negó a acatarlo. A él se le sumaron el cuerpo legislador del Estado y la delegación de los congresistas que representaban al Estado en el Congreso Federal.

El propio presidente intentó disuadir al gobernador en el curso de una larga conversación telefónica. En vano. Meredith fue a matricularse acompañado de varios alguaciles federales y abogados del Departamento de Justicia. A las puertas del centro universitario la caravana fue detenida por el mismo gobernador y unos pocos policías estatales. Los federales desistieron. Pareció una victoria del racismo. A pesar del proceso de desacato a los tribunales contra el gobernador, Meredith fue rechazado en una segunda oportunidad.

Sabedores de que el mundo entero seguía el proceso, John y Robert Kennedy no tuvieron más opción que buscar una solución definitiva, aunque para ello se hiciera necesario recurrir a la violencia gubernamental. El gobierno federal disponía, desde 1957, de la autoridad suficiente para perseguir ante los tribunales cualquier intento de eludir el cumplimiento de los derechos civiles de un ciudadano. Si se alteraba el orden, podía mandar tropas para restablecerlo o utilizar a la Guardia Nacional o enviar a los *marshals*, que eran, en definitiva, representantes de la autoridad federal, que disponían de poderes de oficiales de policía. Se escudaron en esa disposición.

El domingo 30 de septiembre, Meredith fue nuevamente escoltado a la sede universitaria por un verdadero ejército de agentes federales. A la entrada, con maneras provocativas, esperaban más de 700 policías estatales y miles de racistas civiles, que conformaban una rabiosa multitud. La refriega comenzó de inmediato. Los racistas, frenéticos, volcaron automóviles, rompieron vidrieras, atacaron a los periodistas, a los agentes federales; durante horas se mantuvo la violencia. Los Kennedy ordenaron más refuerzos. La *paz* llegó. El ingreso de un joven en la Universidad costó tres muertos y casi 400 heridos, muchos de ellos de gravedad. Su culpa: ser negro.

De Berlín a Cuba

El sentimiento de misión global que subyacía en la determinación de Kennedy de intensificar la capacidad militar estadounidense fue evidente en otros rasgos de su política exterior. Esta nueva fase de la guerra fría cobró nuevas dimensiones, que, sobre la base de sus proclamados propósitos de actividad y energía, afianzaba la posición norteamericana de hacer simultánea la firmeza con una voluntad de negociación en aquellos puntos que se juzgasen susceptibles de crear acuerdos que pudiesen.mejorar la atmósfera, y llegar incluso al fin de la pugna y a la coexistencia pacífica. El deseo negociador se mostró por ambos bloques en los primeros meses de 1961 y culminó en una entrevista Kennedy-Kruschev en Viena durante los días 3 y 4 de junio. Los puntos más candentes se centraron en Berlín, Laos o, en su mayor amplitud, en el Sudeste asiático, y en Cuba, donde la tensión se había incrementado más aún tras la fracasada invasión de abril. Puntos todos ellos de forcejeo, que se alzaban sobre el fondo de una serie de pruebas atómicas de potencia creciente, pero también sobre negociaciones casi constantes, sostenidas tanto respecto a los problemas directos por la preocupación de acercar posturas con respecto al desarme y la suspensión de los ensayos nucleares. Aún habría que agregar al cuadro la batalla técnico-psicológica, de no escaso alcance político, emprendida en la exploración del espacio exterior a la Tierra: primer vuelo orbital en torno al planeta del cosmonauta soviético comandante Gagarin, en abril de 1961; primeros cosmonautas norteamericanos (capitanes Shepard y Grissom) en mayo y julio, respectivamente; vuelo más prolongado del ruso Titov (agosto) y emulación norteamericana, con el teniente coronel Glenn, en febrero de 1962, y el comandante Carpenter, en mayo; lanzamientos del *Ranger IV* a la Luna, de los *Vostok III* y *IV*. No encontraron eco las propuestas de Kennedy (18 de marzo de 1962) de colaboración en la empresa.

Como sabemos, desde el momento del bloqueo de 1948, Berlín se había convertido en permanente punto de fricción entre la URSS y los Estados Unidos.

Kruschev y el resto de dirigentes de la URSS estaban, sin duda, convencidos de la manifiesta superioridad del comunismo y de su victoria a largo plazo, pero en quince años tres millones de alemanes del Este habían logrado cambiar de zona merced al estatuto de Berlín, que mantenía un sistema de ocupación militar que ya había desaparecido en Alemania occidental.

A este problema permanente en las relaciones entre las dos superpotencias el líder soviético no pareció haber buscado de forma coherente ni la confrontación ni la negociación, sino que se lanzó a un ejercicio de presiones que pudieron dar la sensación de lo primero para luego dejar pasar el tiempo sin llegar a una solución. Eran movimientos tácticos en función de obligar a una respuesta y, de acuerdo con ésta, responder en consecuencia.

La cuestión de Berlín fue replanteada en noviembre de 1958 cuando Kruschev asumió la tesis defendida por la RDA, denunciando el estatuto de ocupación cuatripartita de la ciudad. Para el dirigente del PCUS Berlín debía quedar incorporado a la RDA o internacionalizado bajo la responsabilidad de las Naciones Unidas. Pero lo grave de esta declaración soviética no residió en la defensa de esta tesis, sino en el hecho de que se daba a las potencias occidentales un plazo de seis meses para aceptarla; de no hacerlo, la URSS firmaría un tratado de paz con la Alemania Oriental, la cual de esta manera tendría el control de todas las vías de acceso a Berlín. De este modo, las potencias occidentales se encontraron con el dilema de poder llegar a enfrentarse en una guerra nuclear con los soviéticos en el caso de rechazarla, pero si capitulaban, era como aceptar la superioridad de su enemigo. La contrapropuesta occidental de tratar de resolver globalmente el problema de Alemania tampoco proporcionó ninguna vía de salida al conflicto. Así se demostró en la conferencia de los ministros de Asuntos Exteriores de los cuatro grandes reunidos en Ginebra durante el verano de 1959. El posterior viaje de Kruschev a los Estados Unidos en septiembre de ese año dio la sensación de cierta distensión y, además, dio lugar a la convocatoria de una conferencia de las máximas autoridades de las cuatro potencias vencedoras de la Alemania nazi en París en mayo de 1960. Sin embargo, en esta ocasión se produjo un nuevo fracaso cuando el secretario general del PCUS exigió con carácter previo a los norteamericanos que pidieran excusas por haber empleado aviones espías sobrevolando el territorio soviético —denominados U2—, uno de los cuales fue derribado y su piloto apresado. De nuevo se reprodujo la máxima tensión en los años siguientes cuando, no habiéndose llegado a ningún acuerdo, Kruschev denunció la política norteamericana desde las tribunas de la ONU en otoño de 1960. Cuando tuvo lugar una entrevista entre Kruschev y el nuevo presidente norteamericano, Kennedy, en Viena, en junio de 1961, no hubo tampoco ningún avance. La propuesta soviética volvía a ser la conversión de Berlín en una ciudad libre en el marco de un tratado de paz de los antiguos aliados con las dos Alemanias. Kennedy sintió la frustración de quien ni siquiera creía haber sido considerado como un igual por su interlocutor. La crisis llegó a su apogeo a mediados de agosto de 1961 cuando las autoridades del Este de Alemania tomaron la decisión de establecer un muro-frontera entre las dos zonas de ocupación de la capital. En adelante, la circulación entre ambas quedó imposibilitada por completo. También a lo largo de la frontera de las dos Alemanias se tomaron idénticas precauciones. Lo sucedido podía parecer el óptimo testimonio de la confrontación entre los dos mundos, pero en realidad acabó siendo relativamente satisfactorio para ambas superpotencias. Kennedy pudo denunciar lo sucedido como una prueba de que el comunismo sólo era capaz de evitar ese *voto con los pies* que hasta ahora se había producido por el procedimiento de levantar una barrera para evitar la libre comunicación.

Al terminar el año, la crisis se había relajado. Las compañías constructoras de refugios quebraron y las unidades de defensa civil se desbandaron. Sus críticos acusaron a Kennedy de que después de comportarse provocativamente en Cuba, había reaccionado exageradamente en Berlín. Sin embargo, así como había resistido las demandas de una intervención norteamericana en toda forma en Cuba, después del desastre de la bahía de Cochinos, había mostrado moderación así como firmeza en Berlín. Especialmente, había rechazado los consejos de atravesar el muro de Berlín, pues reconoció el peligro de un intercambio nuclear. El presidente dijo al país: *En la época termonuclear, todo error de juicio sobre las intenciones del otro bando puede traer más devastación en pocas horas que la que ha ocurrido en todas las guerras de la historia humana.* La experiencia de Berlín reforzó la determinación de Kennedy de extender y diversificar las fuerzas militares norteamericanas. Mientras que Dulles había dependido excesivamente de la potencia nuclear, Kennedy y su secretario de la Defensa, Robert McNamara, crearon una capacidad de lucha más equilibrada. Kennedy obtuvo la aprobación de un mayor presupuesto para la defensa, que se dedicó a la mayor formación militar y naval de la historia del país, aumentar el arsenal nuclear y en la construcción de submarinos Polaris. El régimen subrayó la importancia de las fuerzas tradicionales que podían combatir en conflictos limitados y en fuerzas especiales entrenadas en las guerras de guerrillas y en la selva.

En junio de 1963, acudió a Berlín a levantar acta de los supuestos males del comunismo y a garantizar un apoyo que, por otro lado, no significaba un riesgo de confrontación nuclear. Pero, al mismo tiempo, en su interior llegó a la conclusión de que lo sucedido, tras la mala experiencia de Viena, demostraba que Kruschev no quería la guerra. De ahí que pueda decirse que la construcción del muro de Berlín sentó las bases para que en la posterior crisis cubana se intentara llegar a un acuerdo. Por su parte, Kruschev había logrado dar satisfacción a los alemanes orientales sin poner en peligro la paz mundial, por más que no hubiera alcanzado todos sus objetivos y tuviera que dar marcha atrás al plazo de seis meses que él mismo se había impuesto para resolver el contencioso.

Una vez más J. F. Kennedy aprovechó una situación política para ganar *prestigio* y aparecer ante la opinión pública mundial como el paladín de la democracia y de los derechos humanos. Su discurso en Berlín, en junio de 1963, así lo atestiguó:

> *Dos mil años hace que se hiciera alarde de que se era «Civis Romanus sum». Hoy en el mundo de la libertad se hace alarde de que «Ich bin ein Berliner».*

Hay mucha gente en el mundo que realmente no comprende, o dice que no lo comprende, cuál es la gran diferencia entre el mundo libre y el mundo comunista. Decidles que vengan a Berlín.

Hay algunos que dicen que el comunismo es el movimiento del futuro. Decidles que vengan a Berlín.

Hay algunos que dicen en Europa y en otras partes «nosotros podemos trabajar con los comunistas». Decidles que vengan a Berlín.

Y hay algunos pocos que dicen que es verdad que el comunismo es un sistema diabólico, pero que permite un progreso económico. Decidles que vengan a Berlín.

La libertad tiene muchas dificultades y la democracia no es perfecta. Pero nosotros no tenernos que poner un muro para mantener a nuestro pueblo, para prevenir que ellos nos dejen. Quiero decir en nombre de mis ciudadanos que viven a muchas millas de distancia en el otro lado del Atlántico, que a pesar de esta distancia de vosotros, ellos están orgullosos de lo que han hecho por vosotros, desde una distancia en la historia en los últimos dieciocho años.

No conozco una ciudad, ningún pueblo que haya sido asediado durante dieciocho años y que viva con la vitalidad y la fuerza y la esperanza y la determinación de la ciudad de Berlín occidental.

Mientras el muro es la más obvia y viva demostración del fracaso del sistema comunista, todo el mundo puede ver que no tenemos ninguna satisfacción en ello; para nosotros, como ha dicho el alcalde, es una ofensa no sólo contra la historia, sino también una ofensa contra la humanidad, separando familias, dividiendo maridos y esposas, y hermanos y hermanas, y dividiendo a la gente que quiere vivir unida.

¿Cuál es la verdad de esta ciudad de Alemania? La paz real en Europa nunca puede estar asegurada mientras a un alemán de cada cuatro se le niega el elemental derecho de ser un hombre libre y que pueda elegir un camino libre.

En dieciocho años de paz y buena confianza esta generación de alemanes ha percibido el derecho a ser libre, incluyendo el derecho a la unión de sus familias, a la unión de su nación en paz y buena voluntad con todos los pueblos.

Vosotros vivís en una defendida isla de libertad, pero vuestra vida es parte de lo más importante. Permitidme preguntaros a vosotros como yo concluyo, elevando vuestros ojos por encima de los peligros de hoy y las esperanzas de mañana, más allá de la libertad meramente de esta ciudad de Berlín y todos los pueblos de Alemania avanzan hacia la libertad, más allá del muro al día de la paz con justicia, más allá de vosotros o nosotros de toda la humanidad.

La libertad es indivisible y cuando un hombre es esclavizado ¿quién está libre? Cuando todos son libres, ellos pueden mirar a ese día, cuando esta ciudad está reunida y este país y este gran continente de Europa estén en paz y esperanza.

Cuando ese día finalmente llegue y la gente del Berlín occidental pueda tener una moderada satisfacción en el hecho de que ellos están en la línea del frente casi dos décadas.

Todos los hombres libres, dondequiera que ellos vivan, son ciudadanos de Berlín. Y por tanto, como hombres libres, yo con orgullo digo estas palabras «Ich bin ein Berliner».

Esta crisis, como enumera Kaspi, también tuvo otras consecuencias inesperadas en alguno de sus restantes protagonistas o de quienes experimentaron sus efectos. Los dirigentes británicos —MacMillan por ejemplo—, que siempre habían sido partidarios de llegar a acuerdos con los soviéticos, vieron confirmada la oportunidad de sus planteamientos. De Gaulle pensó que la URSS, con el planteamiento de la cuestión berlinesa, no hacía otra cosa que desviar la atención de sus problemas internos; en adelante, un eje fundamental de su política consistió en fomentar su relación con la Alemania Federal. Ésta se sentía amenazada por la posibilidad de que otros tomaran por ella una decisión que le afectara: quiso, por consiguiente —incluso desde la época de Adenauer—, por una parte tener asegurada la retaguardia gracias a la colaboración francesa y, por otra, abrirse a la posibilidad de un acuerdo con los soviéticos. Quizá, sin embargo, el impacto más aparentemente sorprendente de la crisis de Berlín fue el que tuvo sobre el alcalde occidental de la ciudad, Willy Brandt, el futuro dirigente de la socialdemocracia alemana en la época de la apertura al Este, tal como él mismo lo revela en sus memorias. La génesis de su política exterior la describe en el momento en que los alemanes orientales levantaron el muro de Berlín y, por más que Kennedy hiciera muchas declaraciones a favor de la libertad y la democracia de los berlineses, no fue, sin embargo, capaz de suspender sus vacaciones veraniegas y volver al menos a la capital de los Estados Unidos para ponerse al timón de la política occidental.

Kissinger afirmó que, en la crisis de Berlín y en la posterior de Cuba, Kruschev dio la sensación de actuar como un maestro de ajedrez que después de hacer una apertura brillante se limitara a esperar que su contrincante se rindiera. Para los cubanos que vivimos aquellas tensas semanas de octubre nos quedó el recuerdo de la actitud viril de la dirección revolucionaria, con la que se identificó la mayoría del pueblo; y también nos quedó la gran frustración de vernos abandonados por Kruschev. Nos sentimos peones de los rusos en el gran tablero de ajedrez que habían diseñado para la confrontación con los Estados Unidos. Presionados por Kennedy, recogieron velas y ambas potencias se pusieron de acuerdo para mover o estabilizar ficha. Cuba sólo conoció los acuerdos finales. En realidad, de ambas crisis el dirigente soviético salió derrotado o, por lo menos, no victorioso. Cualquier interpretación con un mínimo de imparcialidad debe admitir que deterioró su prestigio mundial.

Capítulo IX

DE BAHÍA COCHINOS A LA CRISIS DE OCTUBRE

Revolución en Cuba

En Cuba, la caída de Fulgencio Batista, el 1 de enero de 1959, dio paso a una revolución político-social dirigida por el jefe de las fuerzas vencedoras, Fidel Castro. Las radicales medidas en pro de una reforma agraria —expropiaciones de terratenientes y de propietarios extranjeros—, así como la justa política del nuevo régimen respecto a los torturadores y asesinos de la defenestrada dictadura, contribuyeron a establecer un antagonismo entre Washington y La Habana, que se desarrollaría progresivamente después de un infructuoso viaje que Fidel Castro realizó a Estados Unidos a raíz de su triunfo. Se inició así una peligrosa tensión, sostenida por las acusaciones cubanas acerca del auxilio prestado por el Gobierno norteamericano a los exiliados de la isla opuestos al régimen castrista, y por las acusaciones estadounidenses de infiltración comunista en un país tan adentrado en su esfera de influencia, y donde ésta había tenido amplio desarrollo en los tiempos anteriores. Las medidas revolucionarias se fueron desarrollando a lo largo de 1959 y 1960: la Reforma Agraria, rebaja del 50 por 100 de los alquileres, rebaja de las tarifas telefónicas, intervención de la Cuban Telephone Company, confiscación de refinerías de petróleo y de otras muchas propiedades norteamericanas en Cuba.

Esas y otras medidas eran el cumplimiento del compromiso contraído por la Revolución en sus inicios: el establecimiento de la justicia social, la distribución equitativa de las riquezas nacionales, la elevación del nivel de vida del pueblo cubano, el mejoramiento de las condiciones de los campesinos, el acceso del hombre a la educación y a la cultura, la reforma agraria, el ejercicio pleno de la soberanía.

La fuga de Batista no trajo consigo un simple cambio de figuras, sino un cambio de estructura, un cambio social trascendental. La burguesía nacional se insolentó con las primeras leyes revolucionarias. El Gobierno y monopolios norteamericanos se espantaron. Pero las medidas y las leyes de la Revolución respondían a sus metas fundamentales.

Por ello la *Ley de Reforma Agraria* fue el punto crucial de la actitud norteamericana hacia la Revolución. Su empeño hasta el 17 de mayo de 1959 había sido torcerla, paralizarla. A partir de la puesta en marcha de la ley su intención fue aplastarla o extirparla del continente americano, como había hecho con Jacobo Arbenz en 1954. Para conseguirlo recurrió a actos que llegaron a poner en peligro la paz de toda la humanidad.

La Reforma Agraria, desde el punto de vista nacional, rompió una estructura que impedía el desarrollo de altos niveles de producción y eficiencia y de mejores niveles de vida para el pueblo; y no por azar fueron los inversionistas estadounidenses los más afectados. Eran los dueños mayoritarios de cuanta riqueza se generaba en Cuba: dueños de las tierras, de los bancos, del gran comercio, de los mejores hoteles, de los casinos, de redes ferroviarias, de los teléfonos, de la electricidad, de las plantaciones agrícolas, de los yacimientos minerales... Las leyes no iban contra los Estados Unidos, sino contra el capital extranjero, que no permitía una independencia económica y política. Pero, casualmente, los propietarios eran norteamericanos. No había otra opción si se pretendía hacer realidad la esperanza de millones de cubanos: ser realmente libres.

Lo que esa estructura significaba para los intereses económicos de los Estados Unidos en Cuba, y en América Latina en general, se reflejó en el hecho de que su quebrantamiento marcó el comienzo de una estela de agresiones políticas, económicas y militares que hizo rechinar las bases del derecho internacional y las más elementales normas de las relaciones entre los estados. Cuba tuvo que pagar —y sigue pagando—, como precio de su derecho a la autodeterminación y al ejercicio de su voluntad como Estado independiente y soberano, las consecuencias de una guerra no declarada en el campo político, en el económico y en el militar.

A finales de esa década de 1950 las inversiones norteamericanas en Cuba ascendían a mil millones de dólares, la octava parte del total invertido por los Estados Unidos en América Latina y Europa. Esta inversión fluía, más o menos, desde dos vertientes principales: el capital masivo de poderosos consorcios y corporaciones que dominaban la economía del país, y los recursos de la mafia estadounidense que intentaba convertir a la isla en la Meca turística del Caribe, un plan maestro que surgió de la famosa reunión secreta de los dirigentes de la mafia celebrada en 1954 en los montes Apalaches.

La mafia, en un pacto con el gobierno del dictador Fulgencio Batista, concibió la construcción de una gran cadena de hoteles y casinos, sobre todo en las ciudades de La Habana y Varadero, aprovechando todos los puertos de la costa norte. También se había planificado que Cuba, en un futuro cercano, funcionara como un gigantesco portaaviones para el flujo del tráfico de drogas entre América Latina y los Estados Unidos. Con el decursar del tiempo la vacante dejada por Cuba en este circuito sería ocupada por el nacimiento del Cartel de Medellín...

Los que habían sido depuestos buscaban una fórmula para retomar el control de la isla. En una reunión celebrada en el mes de mayo, el vicepresidente Richard Nixon y los directores de Pepsi Cola Internacional, Standard Oil, Ford Motor, Co., United Fruit Company y representantes de la mafia llegaron a un acuerdo: Nixon prometió derrocar al Gobierno cubano a cambio del respaldo a su candidatura para presidente de los Estados Unidos. Frustrada la ambición de Nixon, los capos se vincularon a la CIA, con el fin de asesinar a Fidel

La *Ley de Reforma Agraria* causó consternación entre los propietarios norteamericanos de ingenios azucareros. Era lógico. Representaba la pérdida de las tierras de las compañías de los Estados Unidos y reducía el valor de sus propiedades en Cuba y las dejaba sin el control sobre los abastecimientos de caña, pero al mismo tiempo establecía un ejemplo que el Gobierno norteamericano consideraba peligroso para el mantenimiento de su hegemonía política y económica en el hemisferio occidental.

Una de las causas fundamentales del atraso de la agricultura y de su carácter dependiente y de monocultivo es la existencia de la gran propiedad en manos de terratenientes. En Cuba esa situación estaba representada por el latifundio cañero y por el latifundio ganadero. En total, 28 grandes empresas azucareras controlaban más de dos millones de hectáreas de tierra, o sea, el 83 por 100 de las tierras dedicadas al cultivo de la caña, o el 22 por 100 del área nacional de fincas, o la quinta parte de las tierras cultivables del país. En el sector ganadero, cuarenta familias tenían el control de más de un millón de hectáreas.

Según el Departamento de Asuntos Económicos de la ONU, en un informe titulado *Defects in agrarian structure as obstacles to economic development,* uno de los efectos de este tipo de estructura es que la producción agrícola no está ajustada a la demanda de alimentos, particularmente de alimentos de alto valor nutritivo. La prevalencia de grandes fincas dedicadas a extensos pastos impide la expansión de la producción de alimentos para satisfacer las necesidades de la población urbana, así como las necesidades de la población rural. *La economía azucarera de las Indias Occidentales es un ejemplo, entre muchos, de los conflictos centralizados en este tipo de estructura agraria... En esta región, la desproporción entre la población y los recursos naturales es enorme.*

Para las empresas norteamericanas la reforma agraria en Cuba fue *una actitud altanera del doctor Castro,* pero para los campesinos, fundamentalmente, fue uno de los medios para cerrar la antigua brecha entre el hambre y la oportunidad de comer.

Cuba, decían los latifundistas, se enfrentaría a una catástrofe si ponía en vigor la *Ley de Reforma Agraria.* Economistas, políticos y filósofos diferían de ese punto de vista eminentemente interesado. Sartre, por ejemplo, decía que *los considerandos y los resultandos de la Ley representan la Carta de los países subdesarrollados.*

Al acusar de comunista al régimen revolucionario cubano en aquellos momentos, al insistir en que el clásico complot rojo está tomando forma a noventa millas y en que los Estados Unidos no pueden permitir y no permitirán que se establezca una nación comunista a sus puertas, el gobierno norteamericano estaba tratando de que el miedo condujera a la Revolución a una posición anticomunista y trazara una línea condescendiente con los inversionistas de su país.

Esto dio origen en algunos historiadores, algunos de buena fe, a interpretar que las agresiones norteamericanas empujaron a los *barbudos* por el camino del socialismo, lo cual equivaldría a admitir que los cambios estructurales que se materializaban en la isla no obedecían a un programa nacional-liberador, tal como Fidel lo dejó establecido en su defensa por los sucesos del ataque al Cuartel Moncada en 1953, y que es mundialmente conocida como *La Historia me absolverá,* sino que eran impulsos pasionales sin engarce histórico con las luchas y aspiraciones del pueblo cubano desde 1868. Lo más que hicieron las agresiones yanquis fue acelerar el proceso de radicalización.

Bahía de Cochinos

La idea de la fuerza como argumento en las diferencias cubano-norteamericanas surgió, como bien destacó el periodista J. A. Benítez en su ensayo *David-Goliat. Siglo XX,* en Washington a finales de 1959, cuando todavía no se habían nacionalizado las centrales azucareras, ni las empresas petroleras, ni la banca nacional y extranjera, ni las empresas norteamericanas y criollas. La *Reforma Agraria* era la única medida de trascendencia político-económica continental que se estaba ejecutando en esos momentos.

La idea se desarrolló durante noviembre y diciembre de 1959 y los primeros meses de 1960. En marzo tomó forma de invasión armada. El presidente Eisenhower escogió a la CIA para que elaborara los planes. Allan Dulles, director de la Agencia, designó responsable del proyecto a Richard M. Bissell, ex economista y hombre práctico. Entre los más *connotados éxitos* de Bissell, según confesó sin escrúpulos la revista *Fortune*, figuraba *la operación U-2 que fue, hasta su fracaso, la más económica y de mayor alcance e innovación de espionaje en estos tiempos.*

Después de la orden de Eisenhower comenzó a formarse el ejército mercenario: soldados y oficiales del ejército de Batista, prófugos de la justicia, elementos procedentes de las capas privilegiadas durante la tiranía batistiana, soldados de fortuna de distintas nacionalidades, pilotos norteamericanos, asesores militares de la CIA y el Pentágono. En la fusión las características socio-económicas de los componentes perdieron su identidad genérica e individual. Eran sencillamente mercenarios. El dinero para el reclutamiento y otros *gastos políticos* lo suministró el Gobierno de los Estados Unidos: entre 130.000 y 520.000 dólares mensuales hasta diciembre de 1960. Campamentos militares en Miami y Nueva Orleáns fueron rehabilitados como centros de reagrupación y entrenamiento. El gobierno somocista de Nicaragua cedió el puerto de partida de la invasión. El Pentágono proporcionó instructores militares y armas de todo tipo. Los centros principales de entrenamiento se establecieron en tres bases facilitadas por el Gobierno de Guatemala.

Eisenhower, personalmente, examinó el proyecto varias veces durante el verano y el otoño de 1960. A finales de noviembre, última vez que lo estudió, todavía no había cristalizado un plan de operaciones ni se había fijado fecha para la acción. En el Pentágono, el subsecretario de Defensa, Douglas, a cargo de operaciones semimilitares bajo la categoría de actividades colaterales de la guerra fría, mantenía el control sobre el proyecto y proporcionaba el talento militar y equipo que solicitaba la Agencia Central de Inteligencia.

Tanto el presidente electo, John F. Kennedy, como su opositor, Richard Nixon, también estaban al tanto de las operaciones que se elaboraban en el Departamento de Estado, en la Agencia Central de Inteligencia, en la Casa Blanca y en el Pentágono. La revista

Fortune informaba que, *al asumir la presidencia, Kennedy solicitó inmediatamente una información detallada sobre las condiciones y posibilidades de la operación auspiciada por los Estados Unidos.*

Días antes del traspaso de poderes —3 de enero—, el general Eisenhower decidió romper relaciones con Cuba. Las peores tradiciones norteamericanas recordaban que esa acción, por ser un acontecimiento inusitado, se proyectaba como anticipo de hostilidades.

En efecto, ciento cuatro días después se consumó la agresión militar. Con ella aspiraban, además, marcar el paso a América Latina en el aislamiento de Cuba. La *persuasión* unas veces, el *gorilazo* y el soborno casi siempre, convencieron a la mayoría de gobiernos latinoamericanos en el transcurso de cinco años.

El ascenso a la primera magistratura de un nuevo presidente no alteró esos planes, a pesar del conciliatorio discurso inaugural de John F. Kennedy:

Comencemos de nuevo, de tal modo, recordando a ambas partes, que la civilidad no es un signo de debilidad y la sinceridad tiene que estar siempre sujeta a prueba. No negociemos por temor, pero no temamos jamás negociar.

El primer ministro Fidel Castro respondió al discurso de Kennedy declarando que *vamos a comenzar de nuevo. (...) No pediremos nada a Washington, ni esperamos favores o asistencia económica de Washington. No guardamos resentimiento por lo pasado, pero esperamos las acciones de la Administración de Kennedy. Nos alegraría una rectificación de la política de los Estados Unidos hacia Cuba, pero esperaremos por hechos, no palabras.*

Pero Kennedy y sus colaboradores más cercanos no tardaron en responder a la serenidad, la cautela y el tacto del Gobierno Revolucionario de Cuba, con amenazas y posiciones irreconciliables.

El 8 de febrero, ya decía: *Estamos dando al asunto de Cuba, y de la exportación de su revolución a toda la América Latina, alta prioridad... No podría decir cuáles son las acciones que se tomarán hasta que los señores (Adolph A.) Berle, (Thomas) Mann y (Dean) Rusk hayan terminado sus deliberaciones, las que hasta ahora están llevándose a cabo intensamente.* Horas antes había afirmado que en Cuba existía un gobierno dominado por una influencia extraña.

En febrero, anunciaría su plan continental de la Alianza para el Progreso. Era un proyecto lleno de promesas, ofrendas, votos y buenos augurios: *Continuaremos haciendo lo que nos corresponda y esperamos confiados los esfuerzos cada día mayores de todos los pueblos de América. Porque trabajando juntos y bajo el signo de la libertad, no hay objetivo ni ideal que nos esté vedado... Como primer paso en nuestra «alianza», he pedido al Congreso de los Estados Unidos que provea 500 millones de dólares para dar comienzo al desarrollo metódico del continente. Al mismo tiempo, los Estados Unidos enviarán a la América Latina una misión que determine procedimientos para utilizar nuestra abundancia de productos alimenticios a fin de aliviar el hambre.*

La mayor parte de la organización de la operación de bahía de Cochinos hay que otorgársela al saliente presidente, pero Kennedy la podía haber rechazado. No lo hizo; es más, agilizó con denuedo todos los pormenores de su primera incursión militar en el tradicional traspatio de los Estados Unidos. Declaraciones oficiales de funcionarios norteamericanos, informaciones de prensa y testimonios y pruebas de los prisioneros de playa Girón permitieron elaborar a J. A. Benítez el siguiente cuadro: la invasión se realizaría por una brigada de 1.400 hombres que serían transportados en seis barcos, con varias unidades tácticas de desembarco; la brigada llevaría equipo y pertrechos para diez días de batalla y para abastecer a *miles de guerrilleros* que serían reclutados después de establecida una cabeza de playa; la operación contaría con el apoyo de una fuerza aérea de 16 aviones B-26, cierto número de aparatos de transporte y un número indeterminado de *jets* de la Armada norteamericana; un grupo de destructores y el portaaviones *Boxer* escoltarían al convoy hasta las costas cubanas, en la bahía de Cochinos; la invasión sería precedida por ataques aéreos a La Habana, San Antonio de los Baños y Santiago de Cuba; barcos de guerra de los Estados Unidos simularían intentos de desembarco frente a las costas de La Habana y Baracoa, al norte de la provincia de Oriente; la brigada sería transportada por aire y de noche desde los campos de entrenamiento en Retalhuleu hasta el punto de embarque en Puerto Cabezas, Nicaragua; se fijó el 1 de marzo como día *D*, pero posteriormente fue aplazado para el 17 de abril; los barcos saldrían de Puerto Cabezas el 10 de abril.

El 4 de abril se realizó en la Casa Blanca la última de una serie de conferencias sobre la invasión. Bissell pasó revista final a la operación y allí estaba prácticamente todo el mundo relacionado con la alta estrategia: Rusk, secretario de Estado; McNamara, de Defensa; Douglas Dillon, del Tesoro; el general Lemnitzer, del Estado Mayor Conjunto; Allan Dulles, director de la CIA, así como Bundy, Paul Nitze, especialista de Kennedy en planes estratégicos en el Pentágono; Thomas Mann, entonces subsecretario de Estado para América Latina, y tres de los especialistas de Kennedy en asuntos latinoamericanos: Berle, Schlesinger Jr. y Richard Goodwin. También estaba allí una persona ajena al gobierno, el senador William Fulbright, presidente de la Comisión de Relaciones Exteriores del Senado. *Después que Bissell terminó su exposición y Dulles resumió los peligros y perspectivas, Fulbright habló y denunció abiertamente la propuesta: los Estados Unidos cometerían un error al meterse en eso... Kennedy decidió no hacer frente a la crítica. Rápidamente alegó ciertas consideraciones prácticas y entonces, paseando alrededor de la mesa, preguntó a algunos de sus asesores si creían que la operación debía llevarse a cabo. Sin excepción, la respuesta fue «sí».*

Seis días después de esa reunión, el presidente norteamericano autorizó la partida del convoy que aguardaba en Puerto Cabezas. Cuatro días más tarde ordenó el bombardeo a las ciudades cubanas y se retiró a descansar al pie de los montes Azules, en Glen Ora, Virginia.

Los estrategas norteamericanos hicieron descansar las posibilidades de éxito en los siguientes puntos: a) la sorpresa del ataque, y b) los informes de los servicios de inteligencia sobre la situación interna del país. Estos últimos establecían que *el Ejército Rebelde está desmoralizado; el gobierno no cuenta con unidades de tanques; los milicianos no desean pelear ni quieren a Castro; el 20 por 100 de los habitantes apoyará al gobierno, el 25 por 100 apoyará la invasión y el resto esperará resultados; muchas guarniciones se unirán a la invasión.*

Robert Kennedy, hermano del presidente, declaró en 1963:

El plan que finalmente se llevó a efecto fue aprobado por nuestros militares —el Pentágono, el Estado Mayor Conjunto y también la Agencia Central de Inteligencia—. Esto no fue algo planeado por unos cuantos hombres en la Casa Blanca y después puesto en operación.

En abril, el Departamento de Estado norteamericano publicó un *Libro blanco* sobre Cuba equivalente a un ultimátum al Gobierno Revolucionario. El canciller cubano Raúl Roa lo calificó de *una declaración de guerra no declarada.* En sus partes concluyentes decía que:

Los Estados Unidos y las naciones del hemisferio expresan una profunda determinación de asegurar futuros gobiernos democráticos en Cuba y total y positivo respaldo en sus esfuerzos de ayudar al pueblo cubano a lograr la libertad, la democracia y la justicia social... Pedimos nuevamente al régimen de Castro que rompa sus vínculos con el comunismo internacional.

Del *Libro blanco* se desprendía que el Gobierno norteamericano estaba en el umbral de una decisión importante. Las informaciones de prensa de los Estados Unidos también lo atestiguaban. El Gobierno norteamericano lo negó hasta el último minuto. Kennedy fue interrogado al respecto en una conferencia de prensa realizada en la Casa Blanca el 12 de abril. Su respuesta fue la siguiente:

Bajo ninguna circunstancia habrá una intervención en Cuba por fuerzas de los Estados Unidos. Este gobierno hará todo cuanto pueda, y creo que puede cumplir sus responsabilidades, para asegurar que ningún norteamericano esté envuelto en acciones dentro de Cuba.

No habían transcurrido setenta y dos horas de sus declaraciones cuando La Habana y otras ciudades cubanas fueron bombardeadas por aviones norteamericanos, procedentes de bases norteamericanas y pilotados por norteamericanos.

Ante los graves acontecimientos, el gobierno cubano emitió un comunicado donde denunciaba que:

A las seis de la mañana del día de hoy, 15 de abril de 1961, aviones B-26 de fabricación norteamericana bombardearon simultáneamente puntos situados en la ciudad de La Habana, San Antonio de los Baños y Santiago de Cuba, según informes recibidos hasta el presente. (...).

Nuestro país ha sido víctima de una criminal agresión imperialista que viola todas las normas del Derecho Internacional.

La delegación cubana ante la ONU ha recibido instrucciones de acusar directamente al Gobierno de los Estados Unidos como culpable de esta agresión a Cuba.

Se ha dado la orden de movilización a todas las unidades de combate del Ejército Rebelde y de las Milicias Nacionales Revolucionarias. Todos los mandos han sido puestos en estado de alerta.

Si este ataque aéreo fuese el preludio de una invasión, el país en pie de lucha resistirá y destruirá con mano de hierro cualquier fuerza que intente desembarcar en nuestra tierra. (...).

El 17 de abril, a las cuatro de la madrugada, tropas de desembarco, por mar y por aire, comenzaron a atacar varios puntos del territorio cubano al sur de la provincia de Las Villas, apoyadas por aviones y barcos de guerra norteamericanos. La agresión se materializó.

Su representante en las Naciones Unidas, Adlai Stevenson, aseguró al mundo el 17 de abril que las acusaciones formuladas por el representante de Cuba *son completamente falsas y yo las niego categóricamente.* El secretario de Estado, Dean Rusk, aseguró simultáneamente que *el pueblo norteamericano tiene derecho a saber si nosotros estamos interviniendo en Cuba o si intentamos hacerlo en el futuro: la respuesta a esa pregunta es «no».*

No era contradicción. No era contrasentido. Eran expresiones contrarias a lo que sabían el presidente Kennedy, el embajador Adlai Stevenson y el secretario de Estado Dean Rusk. Era una violación de la verdad.

La mentira oficial norteamericana se rompió la cabeza en los arrecifes y en el *diente de perro,* en los manglares y en la tierra de playa Girón. Se hundió simbólicamente en la bahía de Cochinos.

La confesión pública de Kennedy se produjo el 24 de abril; es decir, cuando su admisión de que el Gobierno de los Estados Unidos había violado los artículos 15 y 16 de la Carta de la Organización de Estados Americanos, y el inciso 1 del artículo 1 y los incisos 3 y 4 del artículo 2 de la Carta de las Naciones Unidas, no podía influir ya en las decisiones de la Asamblea General de la ONU. Pero no pudo evitar que, a él y a todo su personal involucrado, los hombres honestos del mundo les bautizaron como *farisaicos de levita.*

En realidad Kennedy no fracasó. La *culpa* fue del pueblo cubano organizado y fidelista. Él y sus asesores políticos y militares olvidaron que no todos los caminos son para todos los caminantes, creyeron que en playa Girón y en playa Larga hallarían una vía expedita, llena de rosas, como en Guatemala. Fue su gran error. Sólo encontraron espinas.

¿Qué hallaron en la península de Zapata?

Hallaron un ejército rebelde disciplinado, una milicia popular organizada, una heroica fuerza aérea rebelde de seis aparatos y a todo un pueblo atrincherado esperando órdenes a lo largo y ancho del Gran Caimán antillano.

En sesenta horas se vino abajo todo lo que habían preparado cuidadosamente durante más de un año.

El *Washington Start*, ya bajo el peso de la derrota y en medio de conferencias urgentes del presidente con personalidades nacionales como Eisenhower, Nixon, Hoover, MacArthur, Truman, Rockefeller, manifestaba que:

Un Castro triunfante presentará en adelante una amenaza mayor a nosotros y, mucho más importante que ello, a sus vecinos latinoamericanos... Si nada hacemos después de ese descalabro, Cuba se ha ido y ciertamente que los otros estados americanos casi con toda seguridad caerán ante los comunistas. Si hacemos algo más, y si aquel algo resulta ineficaz, el resultado será el mismo. En consecuencia, creemos que el señor Kennedy no está pensando en términos de un ejercicio fútil, y que sus conferencias con Eisenhower, Nixon y otros líderes republicanos, se realizan con la esperanza de unir todo el apoyo posible tras una efectiva acción.

El senador Barry Goldwater, que después sería candidato a la presidencia por el Partido Republicano, fue otro de los dirigentes políticos que se entrevistaron con Kennedy. Después de la reunión dijo:

Los Estados Unidos no pueden permitir que un país comunista exista cerca de sus playas... Los Estados Unidos deberían recurrir a un bloqueo aéreo y naval. Si esto falla, deberá recurrir a la Organización de Estados Americanos y, si esto también falla, entonces tendremos que tomar la acción nosotros mismos. Esto significa intervención militar directa. Si todo lo demás falla, yo lo apoyaría.

En Manila, durante una sesión conjunta del Congreso filipino, el entonces vicepresidente Lyndon B. Johnson pronunció un discurso en el que se refirió a Cuba diciendo que *un demagogo ha trastornado el sueño de un pueblo por una vida mejor en una pesadilla de dictadura comunista.* En Washington, el senador George Aiken reiteraba: *Hay creciente apoyo en los círculos oficiales a una acción drástica contra Cuba.*

Los senadores John G. Tower, Thomas H. Kuchel, Carl T. Curtiss y Keneth B. Keating abogaban por *la ocupación militar de Cuba*, el *bloqueo económico*, el *bloqueo naval* y el *boicot económico,* respectivamente.

Las declaraciones del presidente, de sus asesores, las de representantes y senadores demócratas y republicanos, y la campaña anticubana de prensa desatada después de la derrota de playa Girón reflejaban en cierto modo un estado histérico. Nunca antes país alguno al sur del río Bravo había logrado derrotar una agresión diseñada por los Estados Unidos. Era una afrenta mayúscula para el presidente, el Congreso, la CIA, el FBI, el Departamento de Estado, el Pentágono... La venganza estaba servida. Un nuevo período de tensiones se podía otear en el horizonte. Pero aún faltaban dieciocho meses para la Crisis de Octubre.

El 23 de abril de 1961, Kennedy decidió crear una comisión interdepartamental que investigara las causas del fracaso de la invasión y formulara propuestas adecuadas. La comisión estaría presidida por el general Maxwell Taylor, uno de sus asesores militares. Después de varias entrevistas sostenidas con los participantes del episodio, Taylor concluyó su informe el 13 de junio.

El documento discutía las causas del fiasco en términos de las acciones militares y paramilitares, y su principal argumento político cambiaba el centro de atención tradicional sobre el fenómeno cubano. El documento proponía que no se enfrentara a Cuba aisladamente, sino más bien en el contexto de la «guerra fría». Consideraba dos alternativas: coexistir con Cuba y aceptarla como una realidad, o incluirla en el programa de gobierno contra el comunismo internacional. La recomendación número 6 del informe concluye:

Coincidimos en pensar que no podremos vivir mucho tiempo con Castro como nuestro vecino... Su presencia sigue siendo un exponente eficaz del comunismo y del antiamericanismo dentro de la comunidad del hemisferio y constituye una amenaza real, capaz de derrocar a los gobiernos electos en cualquiera o en la mayoría de las débiles repúblicas latinoamericanas. Sólo existen dos formas de analizar estas amenazas: esperar hasta que el tiempo y el descontento interno las eliminen finalmente, o tomar medidas eficaces para forzar su eliminación. Si no fuera por el tiempo que demoraría, probablemente unos cuantos años más, existen pocas razones que nos lleven a pensar que la primera forma de acción pudiera resultar eficaz en el estado policial de Castro... La segunda se ha dificultado más después del fiasco de abril, y ahora sólo sería posible mediante la participación abierta de los Estados Unidos con todo el respaldo latinoamericano que pudiera obtenerse. Ninguna de las alternativas resulta atractiva, pero pudiera optarse por la primera sin tener que tomar una decisión... Si bien nos inclinamos personalmente por una posición de acción positiva contra Castro, reconocemos el peligro de abordar el problema de Cuba fuera del contexto de la situación de la «guerra fría»... Se recomienda que la situación cubana sea reevaluada a la luz de todos los factores que actualmente conocemos y se elaboren nuevas orientaciones para la acción propagandística, económica, militar y política... El general Taylor aconsejó al presidente reorganizar radicalmente su gobierno y que reevaluara las fuerzas militares de emergencia en el marco del equilibrio de fuerzas entre el bloque socialista y el bloque capitalista.

El presidente Fidel Castro, al analizar, treinta años después, la actitud de Kennedy durante la invasión de bahía de Cochinos, declaró: *No culpo a Kennedy por la invasión de bahía de Cochinos. A él no le gustaba la operación y tenía autoridad para detenerla, pero algunas veces, durante un primer mandato, un dirigente no siempre puede manejar bien la política. Él maniobró muy calmadamente al inicio del incidente que se acercaba a un desastre militar, demostró prudencia y valor asumiendo la responsabilidad por los actos...*

La Alianza para el Progreso

Desde el triunfo de la Revolución Rusa en 1917, los Estados Unidos se manifestaron enemigos declarados del comunismo, pero no fue hasta la década de los 40 cuando iniciaron la confección de un complejo entramado político-militar para contener esas *ideas extrañas*, lesivas a la democracia representativa. De ahí sus enérgicos esfuerzos por aislar del mundo del socialismo a los países de la región, tanto en el plano político como en el económico. Presionados por su *vecino del Norte*, algunos gobiernos latinoamericanos rompieron las relaciones diplomáticas establecidas con la URSS en los años de la guerra. Muchos se vieron obligados a suscribir con Estados Unidos acuerdos bilaterales que afianzaron aún más su orientación hacia Washington, en lo referente a las cuestiones de la seguridad, restringiéndose sustancialmente a causa de ello su libertad de realizar maniobras políticas.

Tal como se hizo constar en el curso de audiencias especiales en el Senado de Estados Unidos, uno de los principales objetivos del

Pentágono en América Latina era *convertir a Estados Unidos en suministrador exclusivo de armamentos* a esa región. Y en efecto, hasta mediados de los años 60, a los Estados Unidos les correspondió más del 70 por 100 de todas las compras de armamentos por los países de la región, al tiempo que permanecían en ésta, a un mismo tiempo, hasta 800 asesores militares estadounidenses. Tan marcada presencia político-militar de Estados Unidos desempeñó un papel considerable en el aplastamiento de las manifestaciones de las fuerzas democráticas y en la consolidación en el poder de toda una serie de dictaduras retrógradas. A su vez, los regímenes dictatoriales concedieron nuevos privilegios a los monopolios estadounidenses y apoyaron la política del imperialismo en la palestra internacional, en el marco de la ONU inclusive.

En los años 40-50, según el estudio de A. Glinxin, B. Martinov y P. Yakolev, la política estadounidense con relación a la América Latina estuvo dirigida a preservar las estructuras socioeconómicas existentes en los países de la región. El principal puntal de esa política seguía siendo la oligarquía burgués-latifundista, temerosa del efecto revolucionario que podía ejercer sobre los pueblos latinoamericanos el socialismo mundial. Tal como lo demostraron los acontecimientos de Guatemala, en la primera mitad de la década de los 50, Washington utilizó todo su poderío para aplastar cualesquiera intentos de efectuar cambios sociales capaces de debilitar, en algún grado, la histeria anticomunista de la *guerra fría.*

El afán de Washington de *resguardar* a América Latina del *peligro comunista*, y la política pro imperialista seguida por las elites gobernantes de la mayoría de los países latinoamericanos, se tradujeron en un artificial aislamiento de la región en la arena mundial y en una menor autonomía suya en el marco del sistema de relaciones internacionales.

A mediados de los años 50, cuando se empeoró en extremo la situación económica de dichos países, las relaciones interamericanas entraron en una etapa de crisis. Las masas populares reactivaron su lucha de clases y se presentó un auge del movimiento de liberación. En varios países de América Latina fueron derrocados regímenes dictatoriales reaccionarios, iniciándose la reevaluación de las orientaciones de política exterior y la búsqueda de nuevas alternativas. Enorme efecto produjo en el cambio de la situación internacional en el subcontinente el triunfo de la Revolución Cubana, que barrió la reaccionaria doctrina del *determinismo geográfico* e indicó a los pueblos latinoamericanos el camino de la posible emancipación.

En los últimos años de la presidencia de D. Eisenhower, los círculos oficiales de Washington intentaron definir los principios de la reestructuración de las relaciones interamericanas en provecho del robustecimiento de las posiciones de Estados Unidos por medio de recursos nuevos, más eficaces; sin embargo, los contornos del *enfoque flexible* comenzaron a perfilarse cuando llegó a la Casa Blanca, en enero de 1961, la Administración Kennedy, que había preconizado la variante de la modernización capitalista de los países latinoamericanos a través de la *Alianza para el Progreso.*

Este programa fue esbozado con cierta claridad por Kennedy en plena campaña presidencial. Según refiere Schlessinger, ello tuvo lugar en octubre (1960), cuando en un discurso en Tampa, Florida, el aspirante demócrata declaró su fe en que pronto *los americanos del Norte y los del Sur, los Estados Unidos y las naciones de América Latina, se agruparán en una «alianza para el progreso»*, que significaría *un gran esfuerzo para desarrollar los recursos del hemisferio entero, robustecer las fuerzas de la democracia y ampliar las oportunidades vocacionales y educativas de toda persona en ambas Américas.* Y también una *constante consulta* con las naciones de América Latina sobre los problemas del hemisferio y los problemas mundiales. Ella implicaría un cierto número de puntos de partida en la política de los Estados Unidos:

— Apoyar de manera inequívoca a la democracia y oponerse a las dictaduras.

— Facilitar fondos a largo plazo, esenciales para una economía de crecimiento.

— Estabilizar los precios de los principales productos de exportación.

— Ayudar a los programas de reforma agraria.

— Estimular la inversión privada y ofrecer alicientes a los negocios privados para que se sumerjan en la vida del país, mezclando el capital importado con el capital local, capacitar a los habitantes del país para que puedan desarrollar trabajos cualificados y hacer el mayor uso de la mano de obra local.

— Extender los programas de ayuda técnica.

— Ampliar los programas de intercambio de información y de estudiantes.

— Establecer un acuerdo sobre control de armas en el hemisferio.

— Fortalecer la OEA.

— Nombrar embajadores que entendieran los problemas de América Latina y se preocuparan de ellos.

El discurso de Tampa, según el propio autor, compendió, en ese momento, la visión que él tenía sobre América Latina antes de los comicios, pero él no tenía la sensación de haber llegado bastante lejos. De ahí que sugiriese a uno de sus cercanos colaboradores, Richard Goodwin, que formase un grupo de trabajo para América Latina y realizara un estudio sobre la región.

Este grupo, presidido por Berle, presentó su informe a principios de 1961. El problema, decía el informe, consistía en separar la inevitable y necesaria transformación social de América Latina de toda relación con la política de expansión comunista extracontinental y evitar que cayera en manos de dicha política. El objetivo comunista era sin duda convertir la revolución social latinoamericana en un ataque marxista a los Estados Unidos, lo cual requería una reacción aún más audaz e imaginativa que en años pasados.

Hacía hincapié en el peligro de rebelión armada y la guerra de guerrillas en el Caribe y países andinos. Puesto que *los buenos deseos no detienen a las balas, a las granadas de mano ni a las bandas armadas*, los Estados Unidos deberían estar dispuestos para ofrecer el apoyo militar necesario para defender a sus aliados. Pero advertían que la sola acción militar no detendría al comunismo. Una de las primeras tareas de la nueva Administración tendría que ser la formulación de una filosofía democrática positiva, y puesto que el papel de los Estados Unidos solamente podría ser complementario, deberá efectuarse un particular esfuerzo por colaborar con la democracia indígena de América Latina, *coordinando y apoyando los amplios movimientos progresistas democráticos, empeñados en la conquista de un gobierno representativo, una reforma social y económica (incluida la agraria), y resistiéndose a permitir la entrada de fuerzas no democráticas desde fuera del hemisferio. Debería saberse que los movimientos políticos que desean una transformación social y una intensificada cooperación con los Estados Unidos cuentan con la buena voluntad y el apoyo de los Estados Unidos lo mismo que se sabe que todo grupo comunista en América Latina cuenta con el apoyo de Moscú o de Pekín.*

Para conseguirlo, el informe proponía la formación de un centro de coordinación para el frente progresista democrático de América Latina.

En el orden económico, Washington debe ofrecer un plan económico de gran envergadura para todo el hemisferio, basado en la integración de varios programas de desarrollo que cubran varios años, elaborados primero sobre una base nacional... y luego combinados en un gran esfuerzo para toda la región. Estos programas deberían establecer objetivos de desarrollo industrial, agrícola y público para zonas básicas, así como medidas para lograr un equilibrio en el presupuesto interior y en la balanza exterior de pagos. Aunque la empresa privada tenga que desempeñar un importante papel, los Estados Unidos deberían dar relativamente mayor relieve al capital indígena frente al capital extranjero, y dar ya por terminada su oposición doctrinaria a los préstamos para empresas estatales. El hemisferio es lo bastante grande como para tener distintos sistemas sociales en los distintos países. Nuestra política económica y nuestra ayuda no deben limitarse a países en los que la empresa privada sea la única base o instrumento predominante del desarrollo. El Gobierno deberá sentar bien claro que la empresa privada no es el principio determinante o el exclusivo objetivo de la política americana.

Su importancia, valora Schlessinger, no obstante, residía en los nuevos elementos que aportaba a la forma de pensar oficial. Estimaba que la amenaza comunista no requería únicamente una reacción militar, como creía el Pentágono, ni una respuesta económica, como creían algunos latinoamericanos, sino ambas cosas. Además de la contención militar, exigía promover sistemática y semioficialmente partidos políticos democráticos y un nuevo empuje al desarrollo económico mediante planes de desarrollo de los distintos países. Estos elementos llevaban el programa del grupo de trabajo más allá del discurso de Kennedy en Tampa.

Al plantear sólo el hecho de la necesidad de un amplio programa de reformas para América Latina, Kennedy se hizo acreedor a ser considerado el primer presidente de los Estados Unidos que reconocía tácitamente la necesidad de cambios, aunque fuera desde arriba y para favorecer a los de arriba, en las anquilosadas estructuras de las sociedades de esa región.

Y precisamente esta clase de situación había surgido en el subcontinente, en el deslinde de los años 50 y los 60, y justamente ese mismo objetivo perseguían los círculos gobernantes de Estados Unidos al promover la concepción de *la revolución pacífica regulable* para América Latina. La esencia de dicha concepción se resumía en orientar en la dirección deseada por los Estados Unidos, y sin afectar sus intereses, el objetivamente maduro proceso de las transformaciones sociales; neutralizar, por medio de reformas aplicadas bajo la supervisión de Washington, el potencial revolucionario de la región; contener la difusión de las ideas comunistas y aislar en América Latina a la Cuba revolucionaria, esa *chispa capaz de inflamar a todo el hemisferio occidental.*

El programa perseguía, además, otro objetivo internacional más amplio, y era que a comienzos de los años 60 se formó, en el seno de los círculos gobernantes estadounidenses, la convicción (originada, en grado considerable, por el intensivo proceso de la descolonización) de que el centro de gravedad —en la rivalidad global de los dos sistemas— iba desplazándose paulatinamente hacia las zonas del mundo en desarrollo, donde se estaba librando la lucha por la liberación nacional y social. Por eso, pensaban los estrategas estadounidenses, precisamente por los países en desarrollo pasaba la principal línea del frente de la *lucha contra el comunismo*, de modo que Washington debía *prestar mucha mayor atención* a los procesos en marcha en los países de Asia, África y América Latina.

Deseosa de redactar un programa íntegro de política exterior con relación a los países en desarrollo, la Administración Kennedy puso sus miradas, ante todo, en América Latina que, en opinión de los políticos washingtonianos, podía responder con mayor eficiencia que Asia o África al *desafío del comunismo* y poner de manifiesto para los estados independizados las *ventajas* de la vía capitalista de desarrollo. La consolidación de las posiciones del socialismo en América Latina y la influencia de la Revolución Cubana sentaban *un precedente peligroso* y daban *un mal ejemplo* a los países atrasados. Washington concedió a esta región un lugar más notable.

La política continental norteamericana ante el desequilibrio surgido *in promptu* en el patio americano, ante la inestabilidad aparecida en el feudo, en la hacienda, fue configurándose a partir de la Conferencia de Santiago de Chile. Fue una política de *doble personalidad.* Una era agresiva, provocadora, insolente, inmoral. La otra era hipócrita, teatral, artificiosa. Una estaba dirigida a Cuba. La otra al resto del continente.

Los componentes de la segunda eran los proyectos de desarrollo económico, la *ayuda* financiera, los *alimentos para la paz*, los planes para la construcción de letrinas y alcantarillados. El desarrollo de una estaba subordinado al progreso de la otra. Se relacionaban mutua y recíprocamente, como asegura Benítez.

La política norteamericana fue revisada de arriba a abajo. Los procedimientos fueron reformados y las normas rectificadas. Cuba fue declarada tabú para el resto de las repúblicas americanas. No podía ser tocada, ni mirada, ni nombrada.

La creación del Banco Interamericano de Desarrollo (BID), con un capital de mil millones de dólares para préstamos, constituyó uno de los resultados del culto a la llamada *democracia representativa.* Fue el embrión de la *Alianza para el Progreso.* Para que pareciera más *interamericano* le buscaron un presidente latinoamericano.

El BID comenzó sus operaciones en Washington el 1 de octubre de 1960. Desde un punto de vista estrictamente económico era una organización cuya función consistía en extender créditos para el desarrollo de los países latinoamericanos. En la práctica llegó a ser brazo económico de la Alianza para el Progreso. El capital fue fijado en mil millones dé dólares, de los cuales 550 fueron aportados por los países latinoamericanos (excepto Cuba) y 450 millones por los Estados Unidos. Cada miembro del Banco —19 latinoamericanos y uno norteamericano— tenía 135 votos, más un voto adicional por cada 10.000 dólares contribuidos. Esta proporcionalidad ponía en manos de los Estados Unidos el 41,82 por 100 del total de votos de la Junta de Directores de la organización crediticia. Ningún país de América Latina podría recibir un préstamo sin consentimiento de los Estados Unidos, toda vez que el otorgamiento de los mismos estaba condicionado a la aprobación de las dos terceras partes de los votos y los Estados Unidos poseían más del 40 por 100 de los mismos. No era un banco, sino un instrumento de soborno.

Una asamblea auspiciada aparentemente por la Universidad de Columbia, en la que participaron hombres de negocios, industriales, financieros, *educadores* y funcionarios del Gobierno de los Estados Unidos, concluyó en el mes de octubre con la sentencia fatídica de que las repúblicas americanas y la patria de Lincoln, estaban *atadas por lazos geográficos e históricos, y por muchas ideas y aspiraciones comunes.*

El pensamiento norteamericano fue sintetizado en un informe sobre los lazos de los Estados Unidos con las naciones latinoamericanas, elaborado en la citada reunión:

América Latina es nuestra más importante zona de inversión y comercio. El comercio bilateral ascendente a unos ocho mil millones de dólares anuales hace a unos y a otros respectivamente el mejor socio comercial. Las inversiones privadas de los Estados Unidos, por más de nueve mil millones de dólares, y las inversiones del Gobierno norteamericano, por más de dos mil millones de dólares, representan un importante papel en el desarrollo económico de América Latina... El progreso económico para mejorar el nivel de vida en América Latina exige sumas masivas de capital para inversiones provenientes de todas las fuentes posibles, privadas y públicas, domésticas y extranjeras. Las inversiones privadas en grandes y pequeñas industrias tendrán que jugar el papel más importante en tal desarrollo... El estímulo de tales inversiones requiere la creación y planteamiento de condiciones de equidad y protección justas, incluyendo rápida y adecuada compensación en caso de expropiación... Consideramos que nuestros programas militares deben poner mayor énfasis en el entrenamiento, la ayuda técnica y la educación del personal militar, y que los Estados Unidos deben alentar el empleo de los recursos militares de América Latina para respaldar objetivos económicos y sociales. Un gran esfuerzo debe realizarse para estimular una comprensión más profunda de las tácticas inmediatas y a largo plazo, y de los peligros del comunismo en América Latina.

Tan pronto asumió la presidencia, Kennedy se daría cuenta de que su plan, pese a favorecer los intereses de su país, no era aceptado de forma unánime. Dentro del ejecutivo se manifestaron dos tendencias: la representada por los belicistas y, la segunda, por los negociadores. En la primera corriente se adscribieron los llamados *halcones de la guerra*, es decir, militares, funcionarios, congresistas que sólo deseaban el enfrentamiento militar contra la *expansión comunista*. No concebían las conversaciones como preámbulo de la paz. Su estrecha concepción se basaba en oponerse a todo tipo de revolución y reforma, y concentrar las fuerzas en ayudar a sus *amigos probados*: aquellos que otorgaban privilegios económicos, facilidades militares y votos en las Naciones Unidas y aliados para acabar con los comunistas, reformadores agrarios y fiscales, y demás descontentos y demagogos. *Si no apoyábamos a nuestros fieles amigos no haríamos más que convencer a América Latina de que no merecía la pena sostener nuestra amistad. El apoyo militar, el entrenamiento antiguerrilla y el firme respaldo de los Estados Unidos mantendría en el poder a cualquier gobierno amigo, y la estabilidad social que de ello resultaría atraería las inversiones y produciría el crecimiento. Y puede que con el tiempo los latinoamericanos aprendieran a gobernarse a sí mismos.* Tal era el pensamiento de estos señores.

Hubo una sofisticada apología de esta política, como recoge Schlessinger, y la encarnaba un ex diplomático en tiempos de Eisenhower, John Davies, Jr., quien en su libro *Foreign and Other Affairs* concluía que el proceso de desarrollo era tan intrínsecamente disgregador que la primera necesidad tenía que ser el mantenimiento del orden: *La cuestión básica no es si el gobierno es dictatorial o representativo y constitucional. La cuestión radica en si el gobierno, cualquiera que sea su carácter, es capaz de mantener a la sociedad lo suficientemente unida para llevar a cabo la transición.* Los gobiernos civiles progresistas tendían a ser inestables y blandos; los gobiernos militares eran estables en comparación y proporcionaban la seguridad necesaria para el crecimiento económico. Este argumento, que no carecía de fuerza en abstracto, resultaba menos satisfactorio aplicado a los casos concretos, porque eran raros los militares que verdaderamente habían fomentado el desarrollo en América Latina.

En Washington, la defensa de la alternativa derechista parecía proceder menos de un concienzudo análisis de las condiciones del crecimiento que de una inconsciente satisfacción con el orden social existente.

En ese primer año, los intereses militares particulares amenazaban con alterar la política de los Estados Unidos de una manera muy parecida a como los intereses de negocios la habían alterado treinta y cinco años atrás. Y, sin embargo, incluso durante la Administración de Eisenhower, la defensa de la contrarrevolución había sido un punto de vista minoritario, y en la nueva Administración tenía aún menos defensores. Después de todo, la tesis de que la fuerza era la única cosa que respetaban los latinos, no era precisamente inédita; como recuerda Schlessinger, no era otra cosa que una vuelta a la vieja política del *Big Stick* o *Gran Garrote* de la era del primer Roosevelt. Su principal resultado, cuando se probó anteriormente, fue hacer que los Estados Unidos se ganaran el odio universal.

Sin embargo, solapadamente continuaban las presiones para que se resucitara la vieja política. La principal voz de la línea contrarrevolucionaria dentro del Gobierno era la del almirante Arleygh Burke, quien representaba a la Armada en el Estado Mayor Conjunto. Para hombres de la textura mental de Burke, hablar de alianzas para el progreso sólo podía ser una ñoñería propia de obras de beneficencia.

Frente a esta importante oposición, Adolf Berle logró conciliar en un texto definitivo que le permitió proteger la idea de la *Alianza* de aquellos para quienes el anticomunismo era el único problema, al tiempo que protegía el funcionamiento de la Alianza de los comunistas que trataban de destruirla. Esta capacidad para combinar la conciencia de la amenaza comunista, con la creencia en la revolución social, fue posiblemente una de las razones por las que Kennedy le pidió a Berle que se incorporase a su Administración, como asegura Sorensen.

El 16 de febrero, Berle volvió a dar una definición del problema: *Desarrollar una política y unos programas capaces de canalizar la revolución que se está desarrollando en América Latina, para que tome una dirección conveniente, y evitar que se haga con sus riendas el bloque chino soviético.* La situación en América Latina —mantuvo Berle— se semejaba a la de Europa occidental en 1947. Lo que ahora había que hacer era enfrentar a los comunistas de América Latina con un dilema semejante, ofreciendo, por así decirlo, el equivalente moral del Plan Marshall, aunque, naturalmente, tenía que tratarse de un plan para el desarrollo de un continente postrado por la ignorancia y la pobreza, más que un plan para la reconstrucción de un continente con abundante mano de obra cualificada y empresarios. El programa se establecería sobre una base de diez años. Se decidió presionar para que se aboliese la prohibición de prestar ayuda a las empresas de carácter estatal. En las semanas siguientes, Dick Goodwin invitó a representantes de todos los organismos que tuvieran algo que ver con América Latina a una reunión en el Salón del Pez (así llamado por haber Roosevelt colgado en la pared un pez disecado; respetando la tradición, Kennedy había colocado un gran pez vela disecado, pescado por él mismo). Tras un prolongado examen de posibles proyectos, Goodwin solicitó a cada organismo que presentara sus recomendaciones.

El 8 de marzo llegó a manos de Goodwin un documento de particular importancia, firmado por un grupo de economistas latinoamericanos: Raúl Prebisch, del CEAL; Felipe Herrera, del Banco Interamericano; José A. Mora, de la OEA; Jorge Sol, del Consejo Económico y Social Interamericano; José Antonio Mayobre embajador de Venezuela, y otros. *América Latina*, comenzaba el memorándum, *se encuentra en estado de crisis. Profundas corrientes están dando origen a cambios en la estructura económica y social. Estos cambios no pueden ni deben ser detenidos, pues tienen su origen en necesidades que no admiten dilación.* Pero deben ser guiadas *con el fin de que puedan alcanzarse soluciones que resulten compatibles con el fortalecimiento de las libertades fundamentales.*

La responsabilidad por tales cambios, insistía el memorándum, *es de América Latina*, pero era indispensable una cooperación internacional, si se quería que se produjeran de manera democrática. Este interés internacional debería estar libre de toda sospecha de imperialismo económico. *Habrá que convencer a las masas latinoamericanas de que la inmensa labor de hacer llegar tecnología moderna a las zonas subdesarrolladas... no persigue otro fin que el de mejorar su suerte.* Tampoco podía suponerse que el libre juego de las fuerzas económicas bastaría para producir el cambio de estructuras necesario. Se hacía necesaria *una vigorosa acción estatal*, y no sería fácil *superar la resistencia de los grupos privados sin conflictos. La política de la cooperación deberá tomar esto en consideración.* El Grupo terminaba su informe en un tono sombrío:

Sabemos que América Latina no puede recorrer los mismos estadios por los que pasó el desarrollo capitalista en el curso de su evolución histórica. Por otra parte, nos inquieta la idea de imitar métodos que persiguen sus objetivos económicos a costa de las libertades humanas fundamentales. América Latina tiene aún tiempo de evitar esto, pero no mucho.

El día 13 de marzo el Cuerpo Diplomático latinoamericano se reunió en la Sala Este de la Casa Blanca. Kennedy tuvo a su cargo la apertura del convite: *La misión que aún tenemos que cumplir consiste en demostrar al mundo entero que la insatisfecha aspiración humana de progreso económico y la justicia social pueden alcanzarla mejor hombres libres trabajando en un marco de instituciones democráticas.* Los Estados Unidos habían cometido errores en el pasado y, por su parte, los latinoamericanos habían ignorado *la urgente necesidad de liberar al pueblo de la miseria, la ignorancia y la desesperación.* Era tiempo ahora de desligarse de los errores pasados y lanzarse a un futuro *lleno de peligros, pero en el que brillara la esperanza. Si los países de América Latina están dispuestos a cumplir con su parte..., creo que los Estados Unidos, por la suya, ayudarían a aportar recursos de una magnitud y amplitud suficientes para hacer de este decidido plan de desarrollo un éxito.* Recalcó que, *para completar la revolución de las Américas... la libertad política debería acompañar al progreso material... ¡Progreso, sí; tiranía, no! Transformaremos una vez más el continente americano en un gran crisol de ideas y esfuerzos revolucionarios, en un tributo al poder de energías creadoras de los hombres y mujeres libres, en un ejemplo para todo el mundo de que la libertad y el progreso van de la mano.*

La financiación tendría un fondo de veinte mil millones de dólares, estaría asegurada por Estados Unidos y las demás naciones del mundo industrializado. Pero para ello hacían falta reformas fiscales y monetarias, hipotecarias y económicas. Se creó una nueva administración, la Agency for International Development (AID). Se trataba, en suma, de mostrar a las repúblicas latinoamericanas que podían esperarlo todo de Estados Unidos si, cuando menos, no cedían a los atractivos de la Revolución Cubana. ¡Se acabó la época del protectorado o de la indiferencia! En lo sucesivo, todo el continente compartiría el mismo ideal de libertad y de progreso económico. En la recepción dada en la Casa Blanca ese 13 de marzo, Kennedy les anunciaba que de inmediato pondría en movimiento *un vasto esfuerzo, en común, sin precedentes por su amplitud y por la nobleza de sus objetivos, para satisfacer las necesidades fundamentales del pueblo americano en lo que concierne al alojamiento, al trabajo, a la tierra, a la salud, a las escuelas [...]; un plan para transformar los años 60 en un decenio histórico de progreso democrático.*

El no progreso de la Alianza

El plan tomó cuerpo formal el 17 de agosto del mismo año en la Conferencia Ministerial del Consejo Interamericano Económico y Social (CIES) de la OEA, en Punta del Este, Uruguay, con la abstención de Cuba, cuya delegación denunció la gran farsa montada. Casualmente se habló de *ayuda* un mes antes de consumarse la invasión mercenaria por bahía de Cochinos y se hacía oficial ciento veinte días después de su primer gran fracaso en tierras latinoamericanas.

Esta preocupación por hacer de la *Alianza para el Progreso* el antídoto contra cualquier manifestación de revolución social al estilo cubano, o que se presumiese no concordante con el *statu quo*, se evidenció insistentemente en los pronunciamientos de diversas figuras dirigentes de Estados Unidos y de América Latina. Baste citar un ejemplo que ilustra elocuentemente esta misión que se asignó a la *Alianza*. El 13 de marzo de 1962, en el discurso que pronunciara en conmemoración de su exposición a diplomáticos latinoamericanos, el presidente Kennedy expresó: *Aquellos que poseen riquezas y poder en las naciones pobres deben aceptar sus propias responsabilidades. Ellos deben dirigir la lucha por aquellas refor-*

mas básicas que son indispensables para preservar la textura de su propia sociedad. Aquellos que hagan imposible la revolución pacífica harán inevitable la revolución violenta.

Veinte países formaron el plan de la Alianza en Punta del Este, todos excepto Cuba, por razones obvias. Esta Alianza proponía un plan de compromisos encaminados a promover el capitalismo, entre ellos: una mejor distribución de los ingresos nacionales, la diversificación de las estructuras económicas, la ampliación de los mercados internos, la aceleración de la industrialización incluidos los bienes de capital, una reforma agraria que sustituyera los latifundios y las granjas de subsistencia por un sistema equitativo de propiedad con créditos y asistencia técnica, la eliminación del analfabetismo, el control de la natalidad, el desarrollo de instituciones políticas y democráticas, un mínimo de seis años de educación para todos los niños en edad escolar y formas para aumentar los mercados de empleos y el mercado de viviendas, todo ello unido a otros programas sociales y cooperativos. En esa ocasión, el presidente Kennedy declaró: *Ahora tenemos que adoptar algunas medidas preventivas... pero aplicaremos palabras pragmáticas a nuestros propios intereses. En estos momentos se nos ha dado la oportunidad.* Kennedy abogaba por un tratamiento más libre, justo y racional de las inversiones extranjeras por parte de las compañías privadas de los Estados Unidos y por trabajar conjuntamente con las economías como un *socio en sociedad*, argumentando que de esta forma, en el futuro, cada una de ellas podría gobernarse de manera autónoma. *Si no podemos ayudar a los muchos que son pobres*, observó, *no podemos salvar a los pocos que son ricos.*

La premisa de la *Alianza para el Progreso* estipulaba que la inversión de capital, educación, reforma agraria y desarrollo democrático constituían los pilares esenciales para la creación de un estado moderno con justicia económica y social.

La iniciativa dio lugar a una corriente de pensamiento reformista kennediano en los Estados Unidos y en América Latina. Esta corriente preveía el cambio de los antiguos vínculos establecidos por Washington con las oligarquías del hemisferio, mediante la aplicación de un capitalismo más aceptable para los pueblos de América Latina, a fin de evitar la confrontación política revolucionaria y radical con ese poder secular. Entre los defensores de esta nueva política del Buen Vecino, dentro del equipo de John F. Kennedy se encontraban los historiadores Ted Sorensen y Arthur Schlessinger, el economista John

Kenneth Galbraith, el asesor de política exterior Richard Goodwin y el experto en asuntos sociales Richard Boone.

El equipo de Kennedy era consciente de que los cambios propuestos obedecían a un proceso determinado de emancipación social en América Latina. En un informe titulado *La Alianza para el Progreso: Símbolo y Sustancia* (Senado de los Estados Unidos, mayo de 1966), Robert Kennedy reflexionaba sobres sus principios fundamentales: *no puede haber democracia, justicia o dignidad individual sin cambios revolucionarios en el sistema económico, social y político de todas y cada una de las naciones latinoamericanas. Nos guste o no, la revolución llegará. Podemos modificar su carácter, pero no podemos alterar su inevitabilidad... No es sólo una afrenta a nuestra coherencia que los latinoamericanos se sientan tan oprimidos y desesperados, sino que además compromete nuestros propios intereses. Si no mostramos alguna preocupación por estos pueblos desposeídos, se levantarán en una revolución hasta estremecer los cimientos de nuestra propia paz y seguridad...* Y añadió: *Estuvimos satisfechos, aceptamos e incluso respaldamos a todos los gobiernos, pidiendo sólo que no perturbaran la calma superficial del hemisferio. Condecoramos con medallas a los dictadores, alabamos a los regímenes reaccionarios y nos identificamos con hombres e instituciones que llevaron la pobreza y el temor a sus tierras. El antiamericanismo floreció, como también creció el comunismo. Nuestro vicepresidente (se refería a Nixon) fue insultado y apedreado en Caracas.*

Que la América Latina era y es un continente en crisis, pocos lo ponían en duda, porque estaba a la vista. Lo nuevo era que su situación había llegado a un punto crítico que no admitía paliativos, sino una solución de fondo. No se trataba de una crisis económica más o menos pasajera, sino de un resquebrajamiento de toda la sociedad en su conjunto, por cuanto uno de los pilares básicos de su economía, el comercio de exportación, sobre todo de materias primas (en la actualidad persiste esa situación), estaba abocado a un deterioro sin precedentes. Algunos datos oficiales resultaban más que reveladores:

Las exportaciones de estos países per cápita se redujeron de 58 dólares en 1930 a 39 dólares en 1960, como expusiera el subdirector de la CEPAL, Alfonso Santa Cruz, en una conferencia de prensa durante una reunión de dicho organismo a mediados de 1960.

Los precios índices de las materias básicas, componentes primordiales de sus exportaciones, bajaban continuamente. Tomando a 1953 como 100, estos precios fueron de 107 en 1951, 96 en 1957 y 85 en 1961. Sobre la misma base, los precios índices de las exportaciones de Estados Unidos hacia la América Latina fueron de 101 en 1951, 107 en 1957 y 110 en 1961. O lo que es lo mismo: el precio índice de las exportaciones latinoamericanas descendió en la década de 1951-1961 en un 21 por 100, en tanto que el precio índice de las exportaciones de Estados Unidos se elevó en un 9 por 100. Según el cálculo de la CEPAL, América Latina perdió 7.270 millones de dólares en los años 1955-1960, comparándolos con el quinquenio 1950-1954.

En segundo lugar, tenemos el estancamiento y el retroceso de la producción agrícola, que en el período de 1945 a 1957 solamente creció a un promedio del 1,5 por 100 anual, alcanzando el nivel de producción agrícola per cápita del período de la preguerra (1934-1938) en 1957. A partir de ese año la situación no mejoró sino que decreció aún más. El director adjunto de la FAO, Hernán Santacruz, informó, en la sesión inaugural de la reunión de la CEPAL en 1962, que en *América Latina existen muchos lugares donde hay aún hambre física, con millones de hectáreas de tierra inexplotadas, las que producen menos alimentos que antes de la* Segunda Guerra Mundial.

En tercer lugar, podemos citar el reducido crecimiento de la producción industrial per cápita, que, después de haber avanzado a un ritmo del 3,2 por 100 en el período de 1945-1957, bajó a escasamente el 1 por 100 en 1963.

Fundamentalmente creció la industria productora de medios de consumo, haciéndolo en proporción menor la industria productora de maquinaria. En 1957, al finalizar un período de intensificación industrial a partir de la Segunda Guerra Mundial, América Latina tenía que importar más del 90 por 100 de la maquinaria y equipos que necesitaba. Pero en sus exportaciones, esos países aún continuaban dependiendo de uno o dos productos.

A estas dificultades crecientes de obtener mediante sus exportaciones los recursos necesarios para su desarrollo industrial, tal como observó el economista Pelegrin Torras, se sumaba el hecho de que las utilidades de esas exportaciones eran absorbidas por los monopolios norteamericanos. Éstos poseían el 78 por 100 de los metales y productos minerales que América Latina exportaba a los Estados Unidos: el 100 por 100 de las exportaciones de bauxita y azufre, el 90 por 100 de las de manganeso, el 89 por 100 de las de petróleo y productos derivados, el 74 por 100 de las de minerales de hierro, el 54 por 100 de las de cobre, plomo y cinc, el 55 por 100 de las de bananas, el 43 por 100 de las de azúcar y el 26 por 100 de las de carne.

Por todos los conceptos, las remesas de utilidades e intereses de las empresas norteamericanas que operaban en América Latina a los Estados Unidos, según datos oficiales del *Survey of Current Business*, ascendieron en el quinquenio de 1957-1961 a 4.183 millones de dólares. Una sangría que se sumaba a la de 1.000 a 1.300 millones de dólares anuales que Estados Unidos extraía a los países latinoamericanos por el deterioro de los precios de intercambió.

Esa descapitalización constante de la región resultaba un handicap para iniciar proyectos *per se* para el desarrollo industrial de sus economías.

Ésa era la causa fundamental de la efervescencia que agitaba al continente, y no la *obra subversiva de la Revolución Cubana*. El remedio a esa crónica enfermedad sólo era posible mediante relaciones comerciales donde no imperase el intercambio desigual, es decir, que las repúblicas al sur del río Bravo pudieran colocar sus productos y recibir a cambio las maquinarias y materias primas para su industria mediante el trueque mutuamente beneficioso. Pero ello no se contemplaba. La *Alianza* planteaba una *revolución sui géneris*, realizada bajo la dirección de la Administración norteamericana, no para poner fin a la dependencia de América Latina, sino para perfeccionar su status neocolonialista.

Por otra parte, no se podía ignorar la fuerza que iba adquiriendo, en los países latinoamericanos de mayor desarrollo industrial, la burguesía conciliadora, que a menudo tiene el poder en sus manos o lo comparte. Esta capa no estaba entregada completamente a intereses foráneos y, en ocasiones, se producían contradicciones con éstos; criticaba más o menos los aspectos más negativos de la política imperialista; quería el desarrollo capitalista y se inclinaba a la conciliación, de donde deriva su nombre. Su ideal se concretó en la *Operación Panamericana*, formulada por el ex presidente brasileño Juscelino Kubistschek, a finales de la década de 1950, cuya filosofía esencial se sustentaba en la colaboración económica con los Estados Unidos.

A esta capa de la burguesía latinoamericana en los países más desarrollados se encaminó la *Alianza para el Progreso*, pues era vital ganar su apoyo, aunque sin renunciar al de los latifundistas; a la capa de la burguesía media, de preferencia industrial, sin nexos con el capital monopolista norteamericano, que tenía una posición más firme en su empeño por implantar un capitalismo nacional; al de la pequeña burguesía, incluidos los círculos obreros reformistas y los grupos campesinos políticamente más atrasados.

Entre sus metas la *Alianza* reconocía la posibilidad de una reforma agraria. Pero de qué reforma se trataba cuando no hacía distingos sobre la tenencia de la tierra e incluía latifundios y minifundios como similares unidades de producción, y a su vez tampoco se ponía en tela de juicio el nefasto papel que, en la mayoría de los casos, jugaban los latifundios foráneos, es decir, norteamericanos. Para argumentar sus requerimientos la *Alianza* ejemplificaba con la reforma agraria realizada por Rómulo Betancourt en Venezuela, en la cual se establecía que las fincas explotadas *eficientemente* eran intocables, aunque se tratara de inmensos latifundios, con cientos de hectáreas en barbecho. Por esa misma razón, la *reforma agraria estimulaba* la transformación capitalista de los latifundios, para hacerlos *eficientes* y eludir así la redistribución de tierras. Otro aspecto era que los beneficios recibidos por los campesinos seguían siendo limitados y temporales; dado que carecían de la necesaria ayuda estatal, poco o nada lograrían frente a la competencia de las grandes fincas propiedad de poderosos terratenientes o de monopolios.

Se trataba, en una palabra, de impulsar el desarrollo capitalista de la agricultura por el llamado camino prusiano, mediante tenues reformas de los métodos de explotación, sin modificar esencialmente el régimen de tenencia de ésta, es decir, sin poner fin a los latifundios improductivos y a la ruina de nuevas masas de campesinos como productores independientes y su transformación en obreros agrícolas.

La reforma agraria a lo cubano era un objetivo inviable, por vía pacífica, para los países latinoamericanos; si no recuérdese que desde su promulgación en mayo de 1959, su gobierno fue víctima de la represión más virulenta que recuerda el continente.

Otra de las variantes sobre las que insistió la *Alianza para el Progreso* fue la fiscal. Creemos suficiente citar un informe de la Secretaría de la OEA de esos años:

En general, las mencionadas reformas fiscales han procurado reducir los niveles de las exenciones, incrementar las tasas y su progresión, dar tratamiento ventajoso al ingreso «ganado» e implantar normas para la depreciación acelerada. Son todas éstas, medidas que cabe considerar como bien encaminadas para aprovechar, si se quiere, lo mucho que se presta el impuesto sobre la renta como vía para distribuir equitativamente la carga fiscal y para estimular la inversión privada.

Los monopolios norteamericanos no acataron del todo el aumento de impuesto, y amenazaron con suspender las inversiones si algún gobierno latinoamericano intentaba aplicarlo. En muchos casos cumplieron su palabra.

A la luz de esta resistencia que la *Alianza para el Progreso* encontró en clases y sectores que habían sido siempre sostenes de los monopolios estadounidenses, se podía aquilatar que la revolución pacífica preconizada por Kennedy no se iba a generar con la conformidad de *aquellos que poseen riquezas y poder en las naciones pobres,* porque eran conscientes de que, en caso de peligrar *la textura de su propia sociedad,* la diplomacia o las fuerzas armadas norteamericanas no les abandonarían. (Las palabras en cursiva pertenecen a Kennedy.)

Otro de los aspectos en que puso mayor énfasis la *Alianza* lo encontramos en el proyecto de la integración económica de América Latina, que recogía una aspiración de la burguesía de la región, tanto la conciliadora como la nacional. Una de las necesidades de los países latinoamericanos para su desarrollo económico era la ampliación de sus limitados mercados internos. Los especialistas en este tema consideraban que ello era posible por muchas vías, las cuales se agrupaban en dos líneas fundamentales: la radical, dirigida contra el latifundismo estéril y la dependencia, y la que proclamaba la expansión del mercado interior por la yuxtaposición de los actuales mercados insuficientes, dejando intacta la estructura feudal y semicolonial. La primera permitiría la incorporación de las masas campesinas, como plenas consumidoras. La segunda producía ventajas limitadas, no resolviéndose el problema esencial, pues no erradicaba el subconsumo del campo.

En el sentido político, la integración económica beneficiaría primordialmente a los monopolios imperialistas, sólidamente establecidos en los países latinoamericanos. Sus sucursales o subsidiarias quedarían dentro de la Asociación Latinoamericana de Libre Comercio (ALALC) y el Mercado Común Centroamericano. Por tanto, las ventajas derivadas de la eliminación de los aranceles que ambas integraciones económicas implicaban y de los mercados más amplios así formados, las disfrutarían plenamente las empresas norteñas, porque ni la ALALC ni el Mercado Común Centroamericano contemplaban medidas para proteger a las industrias nacionales contra la competencia de las compañías estadounidenses o bajo control del capital norteamericano establecidas en sus respectivas zonas. También estaban en posición privilegiada para eliminar a las industrias nacionales de los diversos países latinoamericanos o forzarlas a convertirse en sus apéndices.

Otro de los puntos en que la *Alianza* hizo énfasis fue en la demanda de mayores facilidades para las inversiones privadas, en general, y las norteamericanas, en particular. Podríamos multiplicar las citas pero nos limitaremos al informe presentado al presidente Kennedy a finales de marzo de 1963, por la llamada Comisión Clay, y que en una de sus partes aclaraba:

No importa cuán grande sea la ayuda que provenga del exterior. Nada podrá promover un rápido progreso, si los dirigentes latinoamericanos no movilizan los ahorros internos, si no alientan un caudal masivo de inversiones privadas... Con esa base y con un espíritu más progresista de parte de la iniciativa particular latinoamericana, con inversiones considerables de capital extranjero a base solamente de un trato justo y otros tipos de ayuda que preste la Alianza, la América Latina podrá tener asegurado su desarrollo.

Con respecto al programa titulado *Food for Peace* (*Alimentos para la Paz*), Kennedy no hizo más que apoderarse de una idea que circulaba desde hacía varios años. ¿Razones? Los Estados Unidos disponían de sobrantes agrícolas, podrían entregar sus productos alimenticios a los países que pasaban hambre. Buen negocio y buena acción. George McGovern, más tarde candidato presidencial demócrata, fue el encargado de la coordinación. Tales productos se distribuyeron, preferentemente, entre los obreros que construían carreteras o desarrollaban distintos proyectos en los países subdesarrollados. De esta forma había fondos suplementarios que se desviaban para ser empleados en otros menesteres. El *Peace Corps*, cuerpo de voluntarios de la paz, fue otra experiencia. Chicos y chicas abandonaban Estados Unidos para acudir al Tercer Mundo. Marchaban para enseñar nuevos métodos agrícolas, técnicas industriales o artesanales, lenguas extranjeras y conocimientos que resultaban importantes para el mundo moderno. No tenían maravillosos salarios. Su vida había de ser igual a la que llevaban las poblaciones con las que convivían. Eran voluntarios que, a su manera, atestiguaban la solidaridad del mundo industrializado respecto al Tercer Mundo. Estos contactos pretendían favorecer la distensión con respecto a las relaciones entre los Estados Unidos y la Otra América. Una causa noble y generosa que respondía sinceramente al idealismo de muchos. Pero no para Sargent Shriver, el cuñado del presidente, que se hallaba al frente. Su presencia subrayó el interés de Kennedy por un proyecto piloto alumbrado el 1 de marzo de 1961. A finales de 1962 había 3.222 voluntarios que se hallaban trabajando en doce países de África, del Extremo Oriente, de América Latina, del Próximo Oriente y del Sudoeste de Asia. Un año más tarde suman ya cerca de 7.000, que servían en 46 países.

Los *Peace Corps* y la *Food for Peace* no tardarían en ser convertidos en instrumentos de la «guerra fría». El entusiasmo de marzo de 1961 dejó paso al pragmatismo anticomunista.

Junto a los *Cuerpos de Paz*, la *Alianza* deslizó hacia la América Latina una legión de funcionarios procedentes de Estados Unidos, a quienes los países receptores debían otorgar una serie de privilegios. Veamos los términos del convenio de la *Alianza para el Progreso* firmado por Costa Rica:

> *El gobierno de Costa Rica recibirá una misión especial y el personal correspondiente de Estados Unidos, para que observen y revisen la marcha del programa... Esas personas estarán libres de todo impuesto sobre la renta y el seguro social y de los impuestos sobre la compra, propiedad, uso o disposición de bienes muebles personales, incluyendo automóviles... Esas personas y los miembros de sus familias recibirán el mismo trato privilegiado que otorga el gobierno de Costa Rica al personal diplomático de la Embajada norteamericana aquí, con respecto al pago de derechos de aduana y de importación y exportación sobre sus bienes muebles personales, incluyendo automóviles... Los bienes o fondos que utiliza el gobierno de los Estados Unidos, o cualquier contratista financiado por ese gobierno, estarán libres absolutamente de todos los impuestos, incluyendo los controles cambiarios vigentes en el país* (Art. 4.º).

Como se ve, verdaderos procónsules.

Sin embargo, los republicanos y los demócratas conservadores se mostraron reacios a seguir aprobando lo que consideraban gastos desmedidos sin importantes contrapartidas, más aún si la balanza de pagos mostraba un importante déficit. A Kennedy no le quedó más alternativa que ir al Congreso —septiembre de 1963— y explicar el porqué de la ayuda:

> *Deseo* —les dice— *que los hombres de negocios estadounidenses que se interesaron por el programa comprendan hasta qué punto les ha ayudado a penetrar en mercados para los que no hubiesen tenido ninguna vía de penetración ni ninguna experiencia, y que eran mercados tradicionalmente europeos. [...] El pa-*

sado año, un 11 por 100 de nuestras exportaciones se vieron financiadas con nuestro programa de ayuda. La importancia de esta ayuda para nuestras exportaciones va en aumento a medida que nuestra asistencia se extiende, y hoy se encuentra casi completamente ligada a adquisiciones de productos estadounidenses. (El mensaje estaba claro.)

No obstante toda su propaganda, la *Alianza para el Progreso* ofreció, entre 1961 y 1963, varios fracasos, debido a su propia naturaleza, a sus contradicciones y a la oposición que encontró en los amplios medios sociales de América Latina. Pelegrin Torras hizo un balance muy exhaustivo.

Se propuso aumentar las inversiones privadas norteamericanas en la región, y éstas descendieron de 362 millones de dólares, en 1959, a 260 en 1961, y a 82 en la primera mitad de 1962.

Proclamó la necesidad de que América Latina aportase 80.000 millones de dólares de los 100.000 millones que calculaba se debían invertir en los diez años de duración de la *Alianza*, a partir de 1961, y, paradójicamente, creció la fuga de capitales latinoamericanos: en 1962 se elevó a 653 millones de dólares y en 1963 a 780 millones.

Ofreció una aportación por parte de los Estados Unidos de 2.000 millones de dólares anuales en calidad de préstamos y *donaciones*. Según el informe de la Comisión de los Nueve, solamente de julio de 1961 a junio de 1962 los préstamos estadounidenses a la América Latina, bajo ese concepto, ascendieron a 1.035 millones de dólares. Esta suma no fue hecha efectiva de inmediato, ni siquiera compensaba las pérdidas de América Latina por el cambio no equivalente en su comercio con los Estados Unidos, las cuales fueron de unos 1.500 millones de dólares en 1963.

Conforme al mismo informe, más de la mitad de esos 1.035 millones provenían del EXIMBANK (Banco de Exportación-Importación), organismo creado para financiar exportaciones norteamericanas a la América Latina. Es decir, fueron, en gran parte, subvenciones para los propios monopolios. Según la revista *News Week*, alrededor de 400 millones de dólares de los préstamos autorizados por la *Alianza* en su primer año, se invirtieron en el refinanciamiento de exportaciones o para apuntalar las balanzas de pagos de algunos países latinoamericanos.

En cuanto a las aportaciones de capital de Europa occidental, las cuales alcanzarían unos 700 millones de dólares anuales, según había anticipado Kennedy, sólo fue de dos millones de dólares, correspondientes a bancos italianos, con cargo a una emisión de bonos del Banco Interamericano de Desarrollo. Y si en los últimos meses de ese período se produjeron aportes de capital europeo a algunos países latinoamericanos, éstos no se realizaron en función de la *Alianza para el Progreso*, sino como expresión de los crecientes esfuerzos europeos por reforzar sus posiciones en la América Latina.

Se fijó como objetivo un crecimiento de la producción industrial de por lo menos el 2,5 por 100 anual per cápita, y apenas creció el 1 por 100.

Prometió resolver en diez años los gravísimos problemas de la alimentación, salud, vivienda y educación, y lo que hizo en este terreno se redujo, en general, a realizaciones como las siguientes:

Distribución eventual de ciertas cantidades de leche entre sectores muy reducidos de la infancia de algunos países; recomendación o promoción de algunas actividades —más que todo *educativas*— para el cuidado de la salud; construcción de cloacas, alcantarillados y letrinas en algunos lugares —con el consiguiente negocio para los empresarios norteamericanos—; edificación de determinadas cantidades de casas para venderlas entre escogidos sectores, especialmente de la clase media urbana.

En fin, proclamó como uno de los propósitos a lograr el establecimiento de gobiernos estables, y creció la inestabilidad política: golpes militares en Argentina, Perú, Guatemala; golpe de Estado en Haití; lucha popular armada en Venezuela y Guatemala, etc.

No es de extrañar, pues, que con semejantes resultados se multiplicaran las opiniones pesimistas sobre la *Alianza* dentro de sus propias filas. Así, en la prensa norteamericana menudearon los editoriales reconociendo el fracaso de dicho programa. Todas fueron, en general, al estilo de la vertida en un editorial del *New York Herald Tribune*: *La Alianza para el Progreso no es una alianza y no progresa, es un fracaso... Para los latinoamericanos no tiene mejor aroma por el hecho de haberle cambiado el nombre.*

La sensación de fracaso se palpó en todos los medios. En la reunión del CIES celebrada en México, los *expertos* de la OEA tuvieron que admitir que *la Alianza no ha logrado apoyo popular en América Latina... no ha tenido el impacto psicológico y político que debió haber provocado.* Y una voz latinoamericana como la del ex presidente Juscelino Kubistchek, autor de la *Operación Panamericana* y quien —junto con Lleras Camargo de Colombia— fue nombrado por la OEA para supervisar el desarrollo de la *Alianza*, declaró que ésta va al fracaso, citando como un ejemplo el hecho de que Brasil recibió 900 millones por una mano y perdió 1.400 millones por la otra.

Meses antes, el propio Kennedy se había visto precisado a reconocer que las dificultades que se nos presentan son enormes y hacemos frente a problemas extremadamente serios para llevar a la práctica sus principios.

Aislamiento de Cuba

Después de la fracasada expedición de abril de 1961, Kennedy seguía considerando como objetivo principal el derrocamiento del régimen de Fidel Castro, que había definido la revolución como socialista en el entorno de las víctimas del bombardeo, preludio de la invasión; y ampliaba sus relaciones políticas y económicas con la URSS y el resto de países socialistas. Kennedy emprendió una ofensiva diplomática encaminada a aislar a Cuba de las restantes naciones americanas. Esa actitud se centralizó en una serie de fórmulas que comenzaron a elaborarse y a estudiarse en las altas esferas oficiales y militares de los Estados Unidos, destinadas a conseguir los frustrados propósitos en la bahía de Cochinos. Los acontecimientos fueron corroborando posteriormente la índole y el fondo de esas fórmulas. Amén de la consideración de una nueva agresión con un ejército mercenario, se contemplaba la ejecución de un bloqueo naval, el establecimiento de un embargo económico total, una acción interamericana y la intervención militar directa. En la mente de los estrategas políticos y militares del gobierno norteamericano se grabó la idea de que sólo una intervención militar directa podría aplastar a la Revolución Cubana y vengar la derrota de Playa Girón. El mismo presidente compartía ese criterio.

El 20 de abril de 1961 Kennedy declaró su *decisión de no abandonar a Cuba* y anunció a todo el hemisferio que si otras naciones latinoamericanas no cumplían con su deber, los Estados Unidos cumplirían sus obligaciones bajo los tratados y acuerdos interamericanos. El 4 de mayo Kennedy planeó con los dirigentes de la contrarrevolución el futuro inmediato de Cuba. Su oferta de cooperación y su respaldo total absoluto. Debido a su decisión personal se hizo posible una ayuda financiera permanente a las viudas y huérfanos de los expedicionarios. De la misma manera fue posibilitada la ayuda a las fuerzas clandestinas en Cuba y se planeó el primer programa de reclutamiento de voluntarios cubanos en varias unidades militares de los Estados Unidos para un curso de entrenamiento de breve duración.

Como argumenta J. A. Benítez, *una intervención militar directa, sin embargo, requería una meticulosa preparación. En primer término era necesario acondicionar a la opinión pública norteamericana y continental para una acción de esa naturaleza; era preciso comprometer al mayor número posible de gobiernos latinoamericanos, directamente o a través del aparato de la OEA; era imprescindible crear un clima prebélico, y era esencial desarrollar una serie de coeficientes en el campo económico, en el militar y en el subversivo. El secuestro de aviones comerciales cubanos, las nuevas agresiones económicas, las maniobras diplomáticas, la campaña de prensa desbocada y las violaciones del territorio nacional cubano marcaron la tónica de lo proyectado.*

En junio, la Casa Blanca comenzó las gestiones para detener la importación de melaza de Cuba sobre la base de que ese comercio *no es de interés público.* La Cámara de Representantes aprobó tres meses después un proyecto de ley prohibiendo el *tráfico interestatal de artículos de o para Cuba.* La medida, equivalente a un embargo económico no declarado, estaría en vigor *hasta que el presidente de los Estados Unidos declare que el gobierno de Cuba ya no está dominado por los comunistas.* En diciembre se dispuso la suspensión absoluta de la cuota azucarera de Cuba en el mercado norteamericano para la primera mitad de 1962. El azúcar tampoco era de interés público.

En igual sentido obraron las gestiones que comenzaron a desarrollarse después de abril tendentes a lograr una ruptura colectiva de relaciones diplomáticas, económicas y consulares de los estados americanos con Cuba, y, en cierto modo, a establecer una relación de participación o concurso en la comisión de los planes de agresión contra la Revolución Cubana.

Funcionarios del Departamento de Estado y embajadores se dieron a la tarea de buscar la participación y el concurso de gobiernos americanos en el nuevo plan. Adlai Stevenson hizo un recorrido por todas las capitales sudamericanas con esos propósitos en el mes de julio. El mismo presidente Kennedy hizo un viaje de cuatro días a Colombia y Venezuela en diciembre. Para esa fecha ya pendía sobre América Latina el cebo de la *Alianza para el Progreso.* En agosto de 1961, en la conferencia del Consejo Interamericano Económico y Social (CIES) de la OEA, constitutiva de la *Alianza,* Kennedy dejó establecido que:

Esta reunión es algo más que una discusión de temas económicos o una conferencia técnica sobre el desarrollo: constituye, en verdad, una demostración de la capacidad de las naciones libres para resolver los problemas materiales y humanos del mundo entero.

En octubre, funcionarios del Pentágono y de la Agencia Central de Inteligencia se reunieron en Guatemala con representantes militares de los gobiernos centroamericanos, a fin de constituir un Consejo Centroamericano de Defensa para coordinar las operaciones de las fuerzas armadas de Guatemala, Honduras, Panamá, Nicaragua, El Salvador y Costa Rica. Ese mismo mes, el subsecretario de Estado, Chester Bowles, sostuvo una serie de conferencias con todos los representantes diplomáticos de los Estados Unidos en América Latina. Primero se reunió en Lima con todos los embajadores norteamericanos en América del Sur (del 9 al 11 de octubre); después con los de América Central, en San José, Costa Rica (de 16 al 18 de octubre). No tardaron en verse los resultados. El 18 de octubre, o sea, una semana después de la visita de Bowles a Lima, el gobierno peruano hizo un llamamiento para *una acción colectiva contra Cuba.*

Los Estados Unidos acusaban a Cuba de *intentar subvertir y derrocar a regímenes constitucionales del hemisferio occidental.* Guatemala, Santo Domingo, Colombia, Venezuela, Argentina dieron rienda suelta a la fantasía oficial. La propaganda norteamericana empapó al continente de imágenes anormales y de alucinaciones.

Antes de terminar el año —en diciembre— el Consejo de la OEA se reunió a fin de considerar la solicitud de Colombia sobre una reunión del órgano de consulta para *considerar las amenazas a la paz y a la independencia política de los estados del continente que puedan surgir de la intervención de potencias extracontinentales.* El representante norteamericano respaldó la solicitud colombiana y declaró que su gobierno *ha mantenido desde el primer momento que la amenaza a la que se enfrentan hoy las repúblicas americanas es con toda claridad una cuestión que debe ser considerada apropiadamente de acuerdo con el Tratado de Río de Janeiro.* La declaración final afirmaba, entre otras cuestiones, la incompatibilidad de Cuba, declarada Estado comunista, con el sistema interamericano y la necesidad de tomar las medidas de vigilancia adecuadas para impedir la propagación del comunismo en el hemisferio. De acuerdo con estas resoluciones, Cuba seria oficialmente expulsada de la OEA al mes siguiente.

El 28 de noviembre Kennedy aseguraba que se meditaba el uso de la fuerza militar norteamericana si otra nación americana, tal como la Cuba comunista, trata de derribar a otro gobierno americano.

En el término de seis meses habían cambiado los conceptos esgrimidos por los dirigentes norteamericanos en la etapa previa a la agresión de Playa Girón. Entonces dijeron que *los Estados Unidos y las naciones del hemisferio expresan una profunda determinación de asegurar futuros gobiernos democráticos en Cuba y total y positivo respaldo en sus esfuerzos de ayudar al pueblo cubano a lograr la libertad, la democracia y la justicia social.* Ahora se trataba de implicar al gobierno cubano en hipotéticas campañas de invasión continental.

Los propósitos eran los mismos: tratar de aplastar por la fuerza de las armas a la dirección comunista de la isla. En abril habían cifrado sus esperanzas en un ejército mercenario; ahora la misión fue asignada directamente al Pentágono.

Una conferencia de ministros de Relaciones Exteriores del hemisferio, en enero de 1962, oportunamente propuesta por el Gobierno colombiano, fue la culminación política de meses de esfuerzos y gestiones en la preparación de condiciones para una nueva agresión militar a Cuba. El balneario de Punta del Este fue el escenario escogido para la nueva operación de aislamiento. Su objetivo primordial era lograr una ruptura colectiva de relaciones con Cuba y la exclusión de la OEA. Para su escarnio, triunfaron. La expulsión de Cuba de la OEA se materializó el 12 de febrero. Respecto a esta reunión, existe una anécdota sobre el voto de Haití, que faltaba para alcanzar la mayoría. En esa época, los periódicos de Montevideo informaban que el desayuno disfrutado por el embajador de los Estados Unidos y el ministro de Relaciones Exteriores de Haití fue *el más caro del mundo*, pues el embajador de los Estados Unidos pagó cinco millones de dólares al ministro de Relaciones Exteriores del citado país. Huelgan los comentarios.

La reacción cubana consistió en denunciar ante la ONU las medidas hostiles y proyectos de agresión de los Estados Unidos. Encontró la oposición de las delegaciones de Europa occidental y de las hispanoamericanas, que alegaron ausencia de pruebas en las acusaciones cubanas. Los neutralistas, por su parte, procuraron subrayar las seguridades dadas por Washington de que no se preparaban nuevos ataques, aunque algunos indicaron también que las medidas adoptadas en Punta del Este estaban en contradicción con la Carta de la ONU, de la que la OEA era un organismo regional. Se rechazó, en definitiva, el proyecto de resolución pro cubana presentado por las naciones socialistas, y tampoco tuvo éxito otro intento cubano de que se discutiera el uso, calificado de ilegal, que Estados Unidos hacía de los organismos regionales de la ONU.

La política norteamericana se orientaba, sin duda, hacia una presión económica y diplomática que terminase con el régimen de Fidel Castro, aunque no se excluía una nueva intervención armada, a pesar de que Kennedy, el 13 de septiembre, en conferencia de prensa, afirmase que no era *necesario ni justificado un ataque contra Cuba*. Esta tensión poseía una grave implicación mundial en vista del estrechamiento de las relaciones rusocubanas, que ahora adoptaba, ante el temor cubano a un ataque desde los Estados Unidos, la forma de una intensa ayuda en armamento y en asesores militares y técnicos de la potencia soviética al país antillano. En Washington se contemplaba con creciente inquietud este trasiego, del que daría cuenta el Departamento de Estado el 23 de agosto, al comunicar que no menos de quince buques mercantes procedentes de naciones comunistas se hallaban por aquellas fechas rumbo a Cuba con armas y técnicos militares. En estos momentos, la cuestión cubana provocaba ya amenazadoras declaraciones y contradeclaraciones en Washington y Moscú (4, 11 y 13 de septiembre), en tanto que el problema se agudizaba; la reunión ministerial de la OEA, en Washington, a principios de octubre, había subrayado la *necesidad de reforzar las sanciones económicas contra Cuba ante la intervención chino-soviética, que constituye una tentativa de transformar la isla en una base militar con vistas a la penetración del comunismo en América.*

Octubre fue la culminación de esa política. Bertrand Russell dijo, en la segunda quincena de aquel dramático mes, que todo parece indicar que en el término de una semana todos estaremos muertos para satisfacer a un grupo de norteamericanos dementes. Los temores del filósofo inglés estaban justificados. La crisis estalló como resultado de una serie de actividades norteamericanas encaminadas a lograr, por la fuerza, un objetivo específico. En noviembre de 1961, en enero, marzo o julio de 1962, también pudieran haberse pronunciado esas palabras sin necesidad de ser un visionario. Pero fue común en América Latina no dar crédito a las denuncias cubanas por temor o por complacencia con la gran potencia del Norte. Los Estados Unidos habían diseñado su plan de forma que se le considerase un problema regional, lo que posibilitó que la Doctrina Monroe renaciese en todo su esplendor.

Cada semana a partir de la fracasada invasión de Playa Girón fue una semana hacia la guerra. El presidente cubano, Osvaldo Dorticós, había sido muy preciso en el discurso que pronunció ante la Asamblea General de las Naciones Unidas el 8 de octubre:

Deseamos, en lo más profundo de nuestro corazón, que no se reincida en errores; deseamos sinceramente que el Gobierno de los Estados Unidos no cometa un nuevo error. Si no aprendió la lección de Playa Girón, que por lo menos haga un alto en la soberbia y oiga las voces clamantes de la sensatez internacional. Pero si comete el error, a nuestro pesar y contra nuestros deseos, advertimos hoy a la Organización de Naciones Unidas nuestra decisiva resolución de luchar; si comete el error, advertimos que la agresión a Cuba puede transformarse, muy a pesar nuestro y contra nuestros deseos —como aquí se ha advertido—, *en el inicio de una nueva guerra mundial.*

Para entonces en los Estados Unidos se había llegado a un grado de saturación en la histeria anticubana. *Lo que está en juego* —decía una senadora— *es que la decisión de intervención o no intervención en Cuba es una cuestión no sólo del prestigio norteamericano, sino de la sobrevivencia norteamericana.* El mismo presidente Kennedy, en un discurso que pronunció por teléfono a la convención del Partido Demócrata en Ohio, el 21 de septiembre, dijo:

Castro, reducido a un estado de desesperación, pidió la ayuda soviética y con ello selló su propia destrucción en América del Sur y, en última instancia, en Cuba misma.

Los planes de intervención armada, por supuesto, no descansaban en la existencia de emplazamientos de cohetes en territorio cubano. Para esa fecha aun no habían sido *descubiertos* los proyectiles nucleares. La invasión se fraguaba simplemente porque Cuba era escenario de una revolución socialista.

En su extraordinario libro, J. A. Benítez reseña la voluminosa campaña de histerismo antigobierno cubano de esos días: artículos, editoriales, informaciones especiales, programas extraordinarios de la prensa, la radio y la televisión que rivalizaron con declaraciones —unas veces absurdas y otras ridículas— de senadores, representantes y funcionarios del gobierno. Llegaron a afirmar que el establecimiento en Cuba de una base pesquera, conforme acuerdo con la Unión Soviética, implicaba una amenaza para la seguridad de los Estados Unidos, o sea, se daba *categoría de peligro de guerra al bacalao y los arenques.*

A finales de agosto, el periódico *New York Herald Tribune* decía editorialmente, sin el más leve pudor, que, desde el punto de vista de la ley internacional, los Estados Unidos tienen todo el derecho a desembarcar tropas, tomar posesión de La Habana y ocupar el país.

Detrás de esa *cortina de papel*, lógicamente, no podían faltar las contradicciones. El periódico *Louisville Courier Journal* decía:

Verdaderamente, se requiere una imaginación calenturienta para creer que Cuba está planeando invadir los Estados Unidos. Nada seguramente desanima más a los soviéticos que dar un paso tal que diera a este país la excusa que necesita para invadir a Cuba y poner fin al régimen de Castro. Es más probable que la ayuda soviética y el refuerzo cubano que la acompaña estén destinados a sostener al intranquilo mando de Castro y a proveer un camino de entrenamiento para fuerzas pro comunistas de naciones latinoamericanas que procuran el derrocamiento de sus propios gobiernos. Sólo necesitamos recordar nuestra propia ayuda masiva a Turquía (que se halla más cerca de Rusia que Cuba de Estados Unidos) para hacer presente que tal ayuda militar no es necesariamente un preludio de ataque, y puede inclusive ser básicamente defensiva en su naturaleza.

Y así era en verdad. La Revolución Cubana tenía el derecho y el deber de armarse para su defensa.

Fidel Castro desmenuzó la agresividad norteamericana en un discurso que pronunció el 28 de septiembre:

... al fallar la esperanza de destruir a la Revolución por hambre y por cerco económico, renacían de nuevo los peligros de un ataque armado. Pero como ya el ataque armado no podía ser el ataque de mercenarios, puesto que la capacidad de combate de nuestro pueblo había crecido de tal modo que cualquier invasión de mercenarios sería barrida en cuestión de minutos, el peligro que se acentuaba no era el peligro de invasiones mercenarias, sino el peligro de ataque directo... Ante ese hecho, ¿qué querían los imperialistas? ¿Que nos cruzáramos de brazos? ¿Qué querían los imperialistas: que hiciéramos el papel de mansos corderos? ¿Que permaneciésemos desarmados?... Cualquiera comprende que los hechos y los actos de los imperialistas no se ajustan a ninguna lógica, no se ajustan a ninguna razón, no se ajustan a ningún derecho. Ellos hablan de su seguridad y ¿será posible? ¿Tiene sentido que ese país hable de nuestro país como de un peligro respecto a

su seguridad? ¿No es, aparte de un argumento ridículo, un argumento cobarde? ¿No es una vergüenza que esos señores senadores, gobernantes de un país poderoso que mantiene fuerzas militares en decenas de sitios del mundo y que gasta cincuenta y cinco mil millones de dólares en armas hable de que nuestro país constituye un peligro para su seguridad, y que además amenace con atacar a nuestro país por esa razón, es decir, por el hecho de que nosotros —hablando de nuestra seguridad con mil veces más derecho que ellos— nos armamos?

Los que constituyen un peligro para la seguridad de los Estados Unidos son los señores que están promoviendo el juego de la guerra, los que están promoviendo la histeria contra Cuba y los que quieren empujar al gobierno de ese país a una aventura belicista, porque ésos, ésos sí constituyen un peligro para la seguridad de los Estados Unidos... Sólo quien se propone agredir a un país puede protestar de que ese país se arme para defenderse y tome las medidas necesarias para defenderse. Protestan porque estamos dispuestos a defendernos.

La Crisis de Octubre

En la semana que precedió al amenazador lunes 22 de octubre se concatenaron una serie de hechos que precipitaron la crisis. El domingo 14 de octubre Kennedy declaró en el aeropuerto de Indianápolis que:

Todos nos sentimos preocupados acerca de Cuba y estamos dando numerosos pasos para tratar de aislar a Castro, que eventualmente caerá, según creemos. Castro surgió en 1959 y no hemos logrado desalojarlo.

Un *descubrimiento* hecho el 14 de octubre, o sea, el mismo día y probablemente a la misma hora en que Kennedy hablaba confiado y seguro de los pasos contra la Revolución Cubana, y en que oficiales del Pentágono y funcionarios del Departamento de Estado se reunían en Miami con cabecillas contrarrevolucionarios para ultimar los detalles del plan de agresión, les obligó a replantearse la potencial invasión armada:

... a primera hora de la mañana del 14 de octubre, el Comando Estratégico Aéreo (SAC) hizo su primer vuelo con U-2 sobre Cuba y regresó con fotografías de proyectiles balísticos de alcance me-

dio (MRBM) y los IRBM, de alcance intermedio, en San Cristóbal, en la provincia de Pinar del Río y a cien millas al sudoeste de La Habana.

Hasta entonces todo se calculaba sobre la base de un ataque a una pequeña isla del Caribe. Ahora tenía que contemplarse como un ataque a una pequeña isla del Caribe... con proyectiles nucleares. La impunidad se volatilizó.

Hubo estupor en Washington, angustia, desconcierto, confusión. El *descubrimiento* de cohetes marcó dos acontecimientos concatenados e interdependientes: el desistimiento de la agresión directa y el embrión de la llamada *Crisis de Octubre*.

Wise y Ross, en su libro *El Gobierno invisible*, describieron del siguiente modo las primeras setenta y dos horas del proceso embrionario:

Las fotografías fueron analizadas por los intérpretes de fotografías en Washington durante todo el día siguiente, y a última hora de la tarde los resultados fueron informados al general Carter (...). El general Carroll, director de la CIA, fue la persona a quien se informó después. Entonces Carroll llevó a dos intérpretes civiles de fotografías a comer a casa del general Maxwell Taylor. Se unieron a ellos Carter y Roswell Gilpatrick y U. Alexis Johnson, ambos miembros del Grupo Especial. Cuando los funcionarios se convencieron de que había proyectiles soviéticos en Cuba, McGeorge Bundy fue notificado en su casa. Éste concertó con los intérpretes de fotografías para que le informaran a la mañana siguiente en la Casa Blanca. Poco antes de las nueve de la mañana del 16 de octubre, Bundy le llevó las fotografías al presidente Kennedy, que todavía estaba en pijama en su dormitorio leyendo los periódicos. Inmediatamente Kennedy indicó los funcionaríos que habrían de ser llamados a la Casa Blanca. A las 11:45, el grupo, que habría de ser llamado más tarde Comité Ejecutivo (Excomm) del Consejo de Seguridad Nacional, se reunió en el salón del gabinete para la primera de una serie de conferencias durante las dos semanas siguientes. Estaban presentes Kennedy, su hermano Robert, Lyndon B. Johnson, Rusk, McNamara, Gilpatrick, Bundy, Taylor, Carter, Theodore C. Sorensen, el asesor presidencial; el secretario del Tesoro, Douglas Dillon; el subsecretario de Estado, George Ball, y Edwin M. Martin, secretario auxiliar de Estado para asuntos de América Latina. Adlai Stevenson se unió al grupo esa tarde. McCone fue llamado inmediatamente a su regreso de la costa occidental, y dos miembros del gabinete de Truman fueron llamados más tarde esa misma semana; Dean Acheson, ex secretario de Estado, y

Robert Lovett, ex secretario de Defensa. Kennedy entró en la primera reunión con la impresión de que quedaban dos caminos: destruir los proyectiles por medio de un ataque aéreo o tratar el asunto con Kruschev, por quien se sentía seriamente traicionado. Y tenía sus razones para pensar de esa manera.

¿Qué razones asistieron a Cuba para permitir que en su suelo se emplazaran armas de esa categoría? ¿Era una *ayuda solidaria* de la Unión Soviética o meramente una hábil jugada del primer ministro Nikita Kruschev.

La justificación para una invocación militar fue servida en bandeja de plata a los halcones de la guerra, un tanto adormecidos por la política negociadora que estaba imponiendo el presidente en la mayoría de los frentes de tensión internacional.

Los hechos que tomaron por sorpresa al gobierno se habían producido en los últimos cinco meses. Recordemos previamente que a partir de bahía de Cochinos, el primer ministro ruso deseaba *fortalecer con misiles la capacidad de la isla*, mientras trataba con Kennedy el fin de la carrera armamentística. Esa dualidad tenía dos caras: la pública y la secreta, siendo esta última la aplicada en Cuba. La investigadora Claudia Furiati en *ZR Rifle* recuerda que en un primer momento Fidel Castro no estaba de acuerdo con el emplazamiento de esas armas y dio la callada por respuesta, por cuanto era de la opinión que la Revolución debía confiar en su propia capacidad defensiva y no en posibles ayudas externas. Con la finalidad de convencerle, la dirigencia soviética comisionó al mariscal Biriuzov (nombre clave *Petrov*), quien llega a Cuba, a finales de mayo de 1962, acompañado por Rashilov, secretario del Partido Comunista soviético de Uzbekistán. Según sus informaciones, hechas públicas en 1992, el asunto no se abordó de inmediato. El mariscal temía que Cuba no aceptara, seguimos el libro de Furiati, y primero reflexionó sobre la situación internacional. En un momento de la conversación, preguntó a Fidel Castro si hipotéticamente la instalación de los misiles podría evitar una invasión de los Estados Unidos. El presidente Fidel Castro respondió: *Bueno, si los Estados Unidos saben que ello significaría una guerra con la Unión Soviética, sería la mejor forma de evitarla...*

Los cubanos preguntaron qué tipo de misiles y cuántos, y se les respondió que serían 42 misiles de mediano alcance, de los cuales 36 eran operativos. Pidieron tiempo para analizar la propuesta, y citaron una reunión de la dirección revolucionaria. La respuesta fue la siguiente: *Si ello fuera a consolidar al campo socialista y, al propio tiempo, contribuir a la defensa de Cuba, accederemos a todos los misiles que fueran necesarios.* Después de una acuerdo verbal, comenzaron a cumplirse los acuerdos. La Unión Soviética elaboró un plan y lo presentó a Cuba. No se mencionó nada sobre la cuestión de las armas estratégicas; el acuerdo planteaba que las fuerzas armadas enviarían tropas para reforzar la defensa de Cuba contra la amenaza externa y como contribución a la paz mundial. Todo se desarrollaría de conformidad con las normas del Derecho Internacional.

Durante los primeros días de julio de 1962, Raúl Castro, ministro de las Fuerzas Armadas de Cuba, y Malinovsky, ministro de Defensa soviético, firmaron un protocolo en Moscú.

En setenta y seis días se instalaron los misiles y se tomaron medidas para mantener en secreto la operación. Aunque la operación se mantenía en secreto, era necesario determinadas comunicaciones sobre ella. Algunas llegaron a Kennedy, quien inmediatamente quiso saber la naturaleza de las armas —si eran ofensivas o defensivas—. Kruschev entró en el juego, desviando la conversación. Los cubanos, por su parte, insistieron en publicar el acuerdo militar. Cuando se les preguntó, jamás negaron la naturaleza estratégica de las armas y defendieron su derecho a decidir ellos mismos lo que era necesario para su defensa. Finalmente, Kruschev convenció a Kennedy de que Moscú no iba a enviar armas estratégicas a Cuba. Kruschev, pensando que actuaba inteligentemente, mintió sin considerar que los misiles podrían ser descubiertos. También quería evitar una crisis a Kennedy justo antes de la celebración de las elecciones del Congreso. El avión espía U-2 desenmascaró la treta de Moscú.

Los consejeros del presidente estaban divididos casi en partes iguales respecto a si atacar o no a Cuba durante la crisis de los proyectiles de 1962. Doce hombres estuvieron reunidos durante cinco días para analizar la situación.

Al cabo del lapsus reflexivo impuesto por Kennedy y sus hombres de confianza, comenzaron a manifestarse los primeros síntomas de la crisis: embajadores de los países aliados de los Estados Unidos y de países neutrales fueron citados en el Departamento de Estado; los embajadores latinoamericanos recibieron órdenes de presentarse en el Departamento de Estado; líderes republicanos de la Cámara y el Senado fueron llamados a la Casa Blanca; el Pentágono envió refuerzos de infantería de Marina a la base naval de Guantánamo; la Fuerza Aérea concentró 24 aviones F-106, interceptores a reacción en la base Patrick, cuya principal función era dar apoyo a las operaciones de cohetería de Cabo Cañaveral;

todos los barcos de la base naval de Cayo Hueso se hicieron a la mar; una escuadra de seis barcos anfibios partió de la base naval de Norfolk: de la base Langlev, en Virginia, salió una flotilla de aviones cisterna KB50 con rumbo desconocido; en Cayo Hueso comenzó a funcionar una torre de control de vuelos construida precipitadamente durante la noche anterior.

El Gobierno de los Estados Unidos —curiosamente— recurrió a la ONU, pero no para tratar de zanjar sus divergencias con el gobierno de Cuba, sino para pedir el desmantelamiento y retirada de todos los armamentos que había en Cuba. Hasta entonces ese organismo internacional había hecho caso omiso de las reiteradas denuncias cubanas; sin embargo, ahora, las exigencias norteamericanas sí encontraron eco favorable.

El 22 de octubre de 1962, la humanidad se vio súbitamente con la emoción de que podía morir carbonizada. Hasta qué punto esa incertidumbre respondía a una realidad o a una noción concreta de la muerte, jamás podrá ser establecido con precisión, aunque para los cubanos la actitud sí era muy nítida: era preferible morir con las armas en la mano que inclinarse ante el prepotente enemigo del Norte.

Esa noche, como culminación de una serie de medidas militares y políticas, Kennedy pronunció un discurso que marcó el comienzo de la llamada Crisis de Octubre. Todas las estaciones de televisión y radio de los Estados Unidos se pusieron en cadena para transmitir la alocución. Se habilitaron frecuencias extraordinarias para llevar sus palabras a todo el mundo:

Nuestra política ha sido de paciencia y moderación, como corresponde a una nación pacífica y poderosa, que encabeza una alianza mundial poderosa. Hemos estado decididos a no ser desviados de nuestras preocupaciones principales por los fanáticos o irritantes. Pero se necesita acción ulterior, que está en marcha; y esta actitud puede ser sólo el principio. No arriesgaremos prematura o innecesariamente una guerra mundial nuclear en la cual aún los frutos de la victoria serían cenizas en nuestros labios, pero tampoco vamos a esquivar tal riesgo en cualquier momento en que se haga necesario.

Actuando, por tanto, en defensa de nuestra propia seguridad y la de todo el hemisferio occidental, y con la autoridad que me otorga la Constitución, apoyada por la Resolución del Congreso, he ordenado que se tomen las siguientes medidas inmediatas:

Primero: Para detener este refuerzo ofensivo, está comenzándose una cuarentena estricta contra todo equipo militar de ofensiva em-

barcado con destino a Cuba. Todos los buques de cualquier clase destinados a Cuba, procedentes de cualquier nación o puerto, serán obligados a regresar si se descubre que llevan armamentos de ofensiva. Esta cuarentena se extenderá, si hiciera falta, a otras clases de cargamentos y transportes. Sin embargo, en este momento no estamos negando las necesidades de la vida, como lo intentaron hacer los soviéticos en 1948 con su bloqueo de Berlín.

Segundo: He ordenado que prosiga y se incremente la estricta vigilancia de Cuba y su refuerzo militar. En su comunicado del 5 de octubre los ministros de Relaciones Exteriores de la Organización de los Estados Americanos (OEA) rechazaron el secreto de estas cuestiones en este hemisferio. Si continúan estos preparativos de ofensiva militar, aumentándose con ello la amenaza contra este hemisferio, será justificado tomar medidas adicionales. He ordenado a las fuerzas armadas que se preparen para cualesquiera eventualidades, y confío en que, en el interés tanto del pueblo de Cuba como de los técnicos soviéticos en esos sitios, se comprendan los peligros que entrañan la continuación de esta amenaza para todos los interesados.

Tercero: Es la política de esta nación considerar cualquier proyectil nuclear lanzado desde Cuba contra cualquier país del hemisferio occidental como un ataque por la Unión Soviética contra los Estados Unidos, que exige una reacción (...) contra la Unión Soviética.

Cuarto: Como precaución militar necesaria he reforzado nuestra base en Guantánamo y hoy evacuamos a los familiares de los militares ahí. Hemos dado órdenes a unidades militares adicionales que estén en alerta.

Quinto: Estamos precisando una reunión inmediata del órgano de consulta de la OEA para que considere inmediatamente esta amenaza a la seguridad del hemisferio y que invoque los artículos 6 y 8 del Tratado de Río de Janeiro en apoyo de cualquier acción que sea necesaria. La Carta de las Naciones Unidas permite los convenios de seguridad regional y las naciones de este hemisferio se manifestaron hace tiempo contra la presencia militar de potencias extracontinentales. Nuestros demás aliados en el mundo entero también han sido advertidos.

Sexto: Según la Carta de las Naciones Unidas, estamos solicitando esta noche que se convoque sin tardanza una reunión de emergencia del Consejo de Seguridad para tomar medidas contra esta última amenaza soviética a la paz mundial. Nuestra resolución pedirá el pronto desmantelamiento y retirada de todos los armamen-

tos de ofensiva que hay en Cuba, bajo la supervisión de observadores, para que la cuarentena sea levantada.

Al siguiente día Cuba entera amaneció en pie de guerra en cumplimiento de la *alarma de combate* dispuesta el día anterior. Cientos de miles de hombres ocuparon sus puestos en las trincheras, en los batallones de combate, emplazamientos de artillería y de armas estratégicas y en las concentraciones de tropas. La prensa de los países aliados de los Estados Unidos opinaba que *el mundo va hacia un encuentro decisivo*, y que un choque entre la Unión Soviética y los Estados Unidos podría producirse en las próximas veinticuatro o cuarenta y ocho horas. El gobierno norteamericano presentó un proyecto de resolución en el Consejo de la Organización de Estados Americanos, clamando por el respaldo de los gobiernos latinoamericanos a su llamada *cuarentena*.

En las capitales americanas comenzó a desarrollarse una actividad inusitada: la custodia policíaca en las embajadas norteamericanas fue reforzada, patrullas militares recorrían las calles, las universidades se agitaron, los sindicatos se sacudieron. Un ambiente de tensión se extendió por todos los países hemisféricos. La OTAN anunció la adopción de medidas especiales: el Consejo Permanente de la organización se reunió urgentemente en París. La OEA se plegó al proyecto de resolución de los Estados Unidos por 19 votos a favor, ninguno en contra y una abstención. Los prelados reunidos en el Concilio Ecuménico de Ciudad del Vaticano expresaban su preocupación por la crisis. Los países socialistas integrados en el Pacto de Varsovia decretaron el estado de alerta de sus fuerzas armadas.

La marina norteamericana efectuaba el despliegue masivo previsto para la consecución del bloqueo y encontraba el apoyo explícito de sus aliados europeos y americanos en tan crítica hora. En Moscú se emitió un llamamiento a todos los países del mundo para que condenasen la acción norteamericana, haciendo hincapié en que toda la responsabilidad por la suerte que pudiera correr la humanidad recaería sobre los Estados Unidos, culpables —se afirmaba— de una agresión que podía desencadenar el conflicto atómico. Al mismo tiempo, se reunió el Consejo de Seguridad de la ONU para discutir las tres quejas presentadas simultáneamente sobre el caso por Cuba, Estados Unidos y la Unión Soviética, escuchándose en sus debates violentas y contrapuestas acusaciones.

Como colofón de un día lleno de presagios, de angustias, de conmociones y de acontecimientos políticos y militares, Fidel fijó la posición de Cuba. El primer ministro del Gobierno Revolucionario dijo en parte:

La situación actual es que todo este proceso de lucha ha sido la lucha inútil de un imperio contra un país pequeño, la lucha inútil, estéril, fallida realmente, de un imperio contra un Gobierno Revolucionario, y contra una Revolución que tiene lugar en un país pequeño, subdesarrollado, explotado hasta tan recientemente.

Y, en realidad, ¿por qué se ha agudizado la situación, por qué se ha hecho crítica? Sencillamente, porque los Estados Unidos han fracasado en todos sus intentos realizados hasta ahora contra nosotros. En dos palabras: han sido derrotados (...).

Fueron ellos los que decretaron esa política de agresión contra nosotros, de enemistad hacia nosotros, de ruptura de relaciones con nuestro país; fueron ellos. Si han fracasado, la culpa es de ellos; no es nuestra la culpa.

Fueron ellos los que rechazaron una y diez veces los planteamientos de la Revolución Cubana, las palabras amistosas de la Revolución Cubana, los ofrecimientos de discutir, dichos y reiterados desde el principio hasta la comparecencia del presidente en las Naciones Unidas.

El día 24 trajo consigo la noticia más inmediatamente tranquilizadora —el *cambio de rumbo* de los buques soviéticos—, aunque la crisis siguiera en pie: mensaje personal de Kruschev a Kennedy; devolución por Moscú de una nota norteamericana explicativa de las medidas adoptadas; anuncio, por el Ministerio de Defensa soviético, de que sus fuerzas estaban *en disposición de combate.* Por otra parte, el secretario general de la ONU se dirigió, en mensajes idénticos, a Kennedy y Kruschev, ofreciendo sus buenos oficios en la crisis, en tanto que Washington se mostró receptivo —ante los países neutralistas— a suspender el bloqueo si Moscú interrumpía la construcción de rampas para el lanzamiento de cohetes atómicos en Cuba y ordenaba el regreso de los buques que transportaban esas armas. La acción diplomática se abrió paso, sobre la base de la decisión soviética de no responder con la fuerza al bloqueo.

El 27 de octubre, la dirección del gobierno cubano se enteró, por Radio Moscú, de las condiciones del acuerdo entre Kennedy y Kruschev; entre ellas, la retirada de los misiles estadounidenses estacionados en Turquía y de que Italia también entraba como objeto de los acuerdos. Fue en ese instante cuando Fidel Castro comprendió. También a él le habían traicionado al averiguar el *motivo oculto* de Kruschev cuando propuso la instalación de los misiles en Cuba.

Los mercantes recibieron orden de apartarse de la zona de intercepción norteamericana y un intercambio de cartas entre Kennedy y Kruschev estableció la base de un acuerdo primario, el 28 de octubre, fundado en la promesa norteamericana de que no se atacaría a Cuba y en la orden soviética de que se desmantelasen y trasladasen a Rusia las instalaciones de proyectiles atómicos de la isla. Se consideró una inspección del territorio cubano. Los dirigentes de la isla se opusieron.

Fue entonces el momento para que se desarrollase más ampliamente la acción pacificadora de U Thant, que se trasladó a La Habana el día 30 para lograr la adhesión de Fidel al acuerdo, bajo la premisa de *negociaciones y no inspecciones.* Cuba también lo aceptó, pero expuso las condiciones para llegar a una verdadera paz en un comunicado que se conoció como el de los *Cinco Puntos,* los cuales no fueron considerados, pero algunos de ellos aún tienen plena vigencia:

En relación con el pronunciamiento formulado por el presidente de los Estados Unidos, John F. Kennedy, en carta enviada al primer ministro de la Unión Soviética, Nikita Kruschev, en el sentido que los Estados Unidos aceptarían, después de establecerse adecuados arreglos a través de las Naciones Unidas, eliminar las medidas de bloqueo en vigor y dar garantías contra una invasión a Cuba; y en relación con la decisión enunciada por el primer ministro, Nikita Kruschev, de retirar del territorio cubano las instalaciones de armas de defensa estratégica, el Gobierno Revolucionario de Cuba declara que:

No existirán las garantías de que habla el presidente Kennedy contra una agresión a Cuba, si, además de la eliminación del bloqueo naval que promete, no se adoptan, entre otras, las siguientes medidas:

Primero. Cese del bloqueo económico y de todas las medidas de presión comercial y económica que ejercen los Estados Unidos en todas partes del mundo contra nuestro país.

Segundo: Cese de todas las actividades subversivas, lanzamiento y desembarco de armas y explosivos por aire y mar, organización de invasiones mercenarias, filtración de espías y saboteadores, ac-

ciones todas que se llevan a cabo desde el territorio de los Estados Unidos y de algunos países cómplices.

Tercero: Cese de los ataques piratas que se llevan a cabo desde bases existentes en los Estados Unidos y en Puerto Rico.

Cuarto: Cese de todas las violaciones de nuestro espacio aéreo y naval por aviones y navíos de guerra norteamericanos.

Quinto: Retirada de la Base Naval de Guantánamo y devolución del territorio cubano ocupado por los Estados Unidos.

Fidel Castro Ruz.
Primer ministro del Gobierno
Revolucionario Cubano

De hecho, la adhesión total del dirigente cubano a la nueva situación no se lograría sino tras una trabajosa misión encomendada al viceprimer ministro soviético Mikoyan, quien tuvo que *convencer* a Fidel y a todo el gobierno. Confirmado el desmantelamiento de las bases de lanzamiento por el reconocimiento aéreo, así como el regreso a la Unión Soviética de los proyectiles atómicos, y obtenida también la promesa de una pronta retirada de los bombarderos tipo Ilyuchin, el presidente Kennedy se mostró satisfecho.

El 20 de noviembre anunció la suspensión del bloqueo naval, pero se reafirmó en su postura de mantener las medidas políticas y económicas contra Cuba. Dicho embargo, ilegal, se mantiene desde hace cuarenta y dos años a pesar de contravenir, entre otras cosas, la carta de la ONU.

¿Cuál es la significación de esta grave crisis en el proceso de la pugna mundial? Su importancia parece residir, en primer término, en el hecho de que restableció un equilibrio que venía definiendo la guerra fría, y que tácitamente respetaban ambos contendientes al marcarse unos límites más allá de los cuales se encontraba el choque atómico. Se supuso que la decisión de Moscú de establecer sus proyectiles balísticos en Cuba rebasaba el propósito de asegurar la defensa de la isla, según opinión del historiador J. Salom, y apuntaba directamente a una neutralización de la ventaja norteamericana en la carrera atómica, inclinando decisivamente a su favor la balanza de la guerra fría. Ahora bien, ante la nueva situación creada por aquella decisión, se produjo la iniciativa norteamericana —iniciativa también medida, en un riesgo calculado, para no cerrar toda posibilidad al adversario de eludir la reacción bélica—, y a ella sigue el hecho del retroceso soviético frente a la realidad de que otra cosa significaba la guerra total. La crisis se encuadraba plenamente en la dialéctica de la guerra fría, y que, en términos de ésta, se había producido un reto de Estados Unidos al que no había respondido la Unión Soviética. Pero aún cabe aventurar otro sentido más hondo a la crisis cubana, en cuanto ésta vino a expresar con toda crudeza la fuerza inmensa —determinante— que el peligro termonuclear había alcanzado, y cómo venía a imponerse en los momentos decisivos en que la guerra fría se elevaba a sus máximas tensiones. Posiblemente la conciencia plena de ese peligro quedaría neutralizada si las superpotencias se vieran amenazadas en intereses que considerasen vitales, pero su fuerza estaba vigente por completo en el desenvolvimiento estratégico general, poniéndose ahora de manifiesto el riesgo que entrañaba llevar ese desenvolvimiento a tal grado de tensión.

Muchos aspectos de la Crisis de Octubre permanecieron entre papeles y vivencias hasta 1992, en que la Universidad Brown y otras instituciones estadounidenses organizaron, en ciudad de La Habana, La Conferencia Tripartita sobre la Crisis, en la que estuvieron representados Cuna, la Unión Soviética y los Estados Unidos, por varios de sus participantes directos, así como por prestigiosos investigadores de esos *Ocho Días* que acongojaron al mundo. En los debates se le preguntó a Fidel, según recoge Furiati, por qué se había decidido a aceptar la instalación de misiles. La respuesta fue contundente:

Jamás consideramos la cuestión de los misiles como algo que sería utilizado contra los Estados Unidos sin justificación o como un primer golpe; tampoco hubiéramos aprobado la llegada de los misiles si hubieran sido sólo para nuestra defensa. Éste era un asunto secundario... No eran esenciales. Un pacto militar hubiera significado que una agresión contra Cuba equivaldría a una agresión contra la URSS... Desde el primer momento, observamos que había una estrategia: mejorar la correlación de fuerzas en el campo socialista... Existían deberes políticos, morales e ideológicos... No pensábamos en nuestros problemas y en la posible crítica que seguiría, dañando la imagen de la Revolución en América Latina, transformándonos en una base militar soviética... Existía un costo político: éramos conscientes de que la presencia de misiles crearía mucha tensión.

A la luz de los hechos, observó Castro posteriormente, ahora que conocemos la verdadera correlación de fuerzas en esa etapa, hubiéramos aconsejado prudencia. Nikita fue un bribón; pero no creo que quisiera provocar una guerra; mucho menos una guerra nuclear. Él vivía con la obsesión de la paridad...

En realidad, Kennedy se hizo más fuerte después de la crisis. Emergió como un estadista capaz, un gran individuo que no asumió la posición de los halcones y fue considerado injusto sólo porque sus lineamientos sobre Cuba fueron pasados por alto. Los acuerdos con Kruschev provocaron insinuaciones de que Kennedy era un simpatizante comunista. Según el investigador estadounidense Michael Bechloss, en esa época, George Bush, posteriormente presidente y padre del actual mandatario de igual nombre —jefe del Partido Republicano en Houston, Texas—, le dijo a Kennedy que él debía *tener el coraje para invadir Cuba.*

Capítulo X

EL ÚLTIMO AÑO

La Marcha sobre Washington

En la primavera de 1963, Martin Luther King, al frente de su Conferencia de Dirigentes Cristianos, decidió concentrar la fuerza del movimiento sobre la ciudad de Birmingham, considerada el centro más poderoso del racismo. Su plan consistió en presentar un pliego de demandas a los blancos que la controlaban: desagregación de las cafeterías, baños, probadores y bebederos de las principales tiendas. Acceso a parques y áreas de recreo público; una cuota justa de plazas cualificadas y semicualificadas; el derecho a inscribirse para votar sin obstáculos y la creación de un comité birracial que estudiase soluciones para determinar los derechos de los negros.

El alcalde y el jefe de policía se mofaron de la petición. El 3 de abril comenzaron las manifestaciones. Negros —mujeres, hombres y niños— desfilaban en silencio o cantaban un viejo himno religioso: *We shall overcome (Lo conseguiremos).* Los manifestantes se sentaron en aquellos lugares en que los negros tenían prohibido instalarse; por ejemplo, en algunos restaurantes de ciertos lugares públicos. Esperaban a que la policía les desalojase. En tres semanas fueron arrestados 400 manifestantes; entre ellos, el propio King.

Los enfrentamientos callejeros se prolongaron durante casi tres meses. La policía utilizó indiscriminadamente perros, mangueras contra incendios y garrotes. En algunos momentos más de 3.000 hombres, mujeres y niños estaban en la cárcel. Los negocios se resentían. Perdían mucho dinero. Había temor a salir a la calle. La publicidad en los periódicos, revistas, cadenas de radio y televisión, tanto en el ámbito nacional como mundial, hicieron de la ciudad el centro de los comentarios. Las imágenes terribles: estadounidenses que, ayudados por perros, *cazaban* a otros estadounidenses que luchaban por sus derechos constitucionales, eran vistas por millones de personas dentro y fuera del propio país.

Los comerciantes, a pesar de la negativa del alcalde y del jefe de policía, se organizaron en un comité, el cual de inmediato accedió a negociar el pliego de demandas planteadas por los negros. Fueron aceptadas la mayoría de ellas, aunque no puso fin, ni mucho menos, a los problemas raciales en Birmingham. Baste conocer las palabras del gobernador del Estado, George Wallace, años después candidato a la presidencia de los Estados Unidos, cuando se llegó al acuerdo que pacificó un tanto a la comunidad negra: *Lo que necesitamos para resolver los problemas raciales en Alabama son siete u ocho funerales.* Es obvio de dónde debían salir los muertos. Agitaciones de parecidas magnitudes se dieron en Maryland, Chicago, Filadelfia. Los guetos negros estaban en plena ebullición.

El movimiento negro estaba hastiado de los rodeos del presidente y el Congreso para la aprobación de medidas que protegieran los derechos civiles de esa minoría étnica. Los líderes decidieron presionar a los poderes Ejecutivo y Legislativo mediante una marcha pacífica, por las calles de Washington y con tribunas frente al *Lincoln Memorial,* a mediados de ese verano.

Kennedy no lo creyó oportuno. Temía que la manifestación provocase malestar en el Congreso y creía que la multitud se dejaría arrastrar por su odio. El director del FBI hizo llegar a la Casa Blanca que M. L. King mantenía buenas relaciones con el mundo comunista y que, a pesar de las múltiples advertencias, no aceptó a renunciar a ellas. Los organizadores de la manifestación pidieron al presidente que hablase a los congregados, pero rechazó de plano la idea. Es más, ni siquiera recibió a los peticionarios. No importó. El 28 de agosto 200.000 personas acudieron a la capital federal, se agruparon cerca del Washington Monument y desfilaron, lentamente, hasta el *Lincoln Memorial.* Allí, en las escaleras del Memorial, M. L. King pronunció su mejor discurso.

Hace cien años, un gran estadounidense, cuya simbólica sombra nos cobija hoy, firmó la Proclama de la emancipación. *Este trascendental decreto significó como un gran rayo de luz y de esperanza para millones de esclavos negros, chamuscados en las llamas de una marchita injusticia. Llegó como un precioso amanecer al final de una larga noche de cautiverio. Pero, cien años después, el negro aún no es libre; cien años después, la vida del negro es aún tristemente lacerada por las esposas de la segregación y las cadenas de la discriminación; cien años después, el negro vive en una isla solitaria en medio de un inmenso océano de prosperidad material; cien años después, el negro todavía languidece en las esquinas de la sociedad estadounidense y se encuentra desterrado en su propia tierra. (...)*

También hemos venido a este lugar sagrado, para recordar a Estados Unidos de América la urgencia impetuosa del ahora. Éste no es el momento de tener el lujo de enfriarse o de tomar tranquilizantes de gradualismo. Ahora es el momento de hacer realidad las promesas de democracia. Ahora es el momento de salir del oscuro y desolado valle de la segregación hacia el camino soleado de la justicia racial. Ahora es el momento de hacer de la justicia una realidad para todos los hijos de Dios. Ahora es el momento de sacar a nuestro país de las arenas movedizas de la injusticia racial hacia la roca sólida de la hermandad.

Sería fatal para la nación pasar por alto la urgencia del momento y no darle la importancia a la decisión de los negros. Este verano, ardiente por el legítimo descontento de los negros, no pasará hasta que no haya un otoño vigorizante de libertad e igualdad.

1963 no es un fin, sino el principio. Y quienes tenían la esperanza de que los negros necesitaban desahogarse, y ya se sentirán contentos, tendrán un rudo despertar si el país retorna a lo mismo de siempre. No habrá ni descanso ni tranquilidad en Estados Unidos hasta que a los negros se les garanticen sus derechos de ciudadanía. Los remolinos de la rebelión continuarán sacudiendo los cimientos de nuestra nación hasta que surja el esplendoroso día de la justicia. (...).

Hay quienes preguntan a los partidarios de los derechos civiles: «¿Cuándo quedarán satisfechos?»

Nunca podremos quedar satisfechos mientras nuestros cuerpos, fatigados de tanto viajar, no puedan alojarse en los moteles de las carreteras y en los hoteles de las ciudades. No podremos quedar satisfechos, mientras los negros sólo podamos trasladarnos de un gueto pequeño a un gueto más grande. Nunca podremos quedar satisfechos, mientras un negro de Mississipi no pueda votar y un negro de Nueva York considere que no hay por qué votar. No, no; no estamos satisfechos y no quedaremos satisfechos hasta que «la justicia ruede como el agua y la rectitud como una poderosa corriente». (...).

Hoy les digo a ustedes, amigos míos, que a pesar de las dificultades del momento, yo aún tengo un sueño. Es un sueño profundamente arraigado en el sueño «americano».

Sueño que un día esta nación se levantará y vivirá el verdadero significado de su credo: «Afirmamos que estas verdades son evidentes: que todos los hombres son creados iguales.»

Sueño que un día, en las rojas colinas de Georgia, los hijos de los antiguos esclavos y los hijos de los antiguos dueños de esclavos se puedan sentar juntos a la mesa de la hermandad.

Sueño que un día, incluso el estado de Mississipi, un estado que se sofoca con el calor de la injusticia y de la opresión, se convertirá en un oasis de libertad y justicia.

Sueño que mis cuatro hijos vivirán un día en un país en el cual no serán juzgados por el color de su piel, sino por los rasgos de su personalidad.

¡Hoy tengo un sueño!

Sueño que un día, el estado de Alabama cuyo gobernador escupe frases de interposición entre las razas y anulación de los negros, se convierta en un sitio donde los niños y niñas negras puedan unir sus manos con las de los niños y niñas blancas y caminar unidos, como hermanos y hermanas.

¡Hoy tengo un sueño!

Poco después, el presidente recibió a los responsables de la marcha y les felicitó por haber logrado, con tanto orden, una manifestación tan magnífica y multitudinaria.

Los intentos de acercamiento a Cuba

Entre septiembre y octubre de 1963 tuvo lugar otro acontecimiento importante, tal como se confirmó en la Conferencia Tripartita de La Habana, a solicitud del asesor de Seguridad Nacional del presidente, McGeorge Bundy, el diplomático William Atwood, integrante de la delegación norteamericana acreditado en la ONU, contactó con el embajador cubano en ese organismo, con el fin de conocer cómo reaccionaría su gobierno ante la posibilidad de restablecer las relaciones entre ambos países. ¡Parece increíble!, pero era cierto. Los sectores más reaccionarios, conocida la noticia por algún topo, se sintieron ultrajados. ¿Cómo era posible tender la mano al enemigo comunista?

La prensa estadounidense también se hizo eco. Todo hace indicar que Kennedy mantuvo el interés por este acercamiento. Prueba de ello fue la visita del periodista francés Jean Daniel a Cuba, a finales de octubre, con la finalidad confesa de entrevistarse con Fidel. Antes de emprender viaje, Jean Daniel se lo comunicó a Atwood, éste a McGeorge Bundy y éste a Kennedy, quien de inmediato decidió mantener una charla con el periodista antes de que partiera hacia La Habana. Según las *Memorias* de la Conferencia Tripartita, el propio Sorensen o Schlessinger recuerdan algunas ideas transmitidas por J. F. K. En primer lugar afirmó que *la amenaza de la influencia soviética en el hemisferio —y no la política interna de Castro— era la única razón que justificaba los esfuerzos para aislar y desestabilizar a Cuba.* Se sinceró más aún y reconoció que: *Sabemos perfectamente bien lo que sucedió en Cuba, para infortunio de todos. Al inicio observé el desarrollo de estos hechos con mucha preocupación, pero mis conclusiones van más allá de las conclusiones de los analistas europeos. Creo que no hay otro país, incluidos los de África y otros bajo el dominio colonial, donde haya habido más humillación y explotación que en Cuba, en parte atribuible a las políticas de mi país durante el régimen de Batista. Creo que nosotros contribuimos a crear y edificar el movimiento cubano, a pesar de la forma que asumió. La acumulación de estos errores ha puesto a toda América Latina en peligro. El objetivo de la* Alianza para el Progreso *era revertir esta política errónea. Éste es uno de los mayores problemas, sino el mayor, de la política exterior norteamericana. Puedo asegurarle que entiendo a los cubanos. Apruebo la proclamación que hizo Fidel Castro en la Sierra Maestra cuando pidió justicia y la liberación de Cuba de la corrupción...* Tras una pausa, el presidente continuó: *Pero también es cierto que el problema dejó de ser un problema cubano solamente y se hizo internacional; se convirtió en un problema soviético. Castro traicionó la promesa hecha en Sierra Maestra, convirtiéndose en un país no alineado a la vez que accedía a convertirse en un agente soviético en América Latina... Su obsesión de independencia surgió del nacionalismo no de la doctrina comunista, como señalara el presidente De Gaulle... De todas formas, las naciones latinoamericanas ni progresarán ni alcanzarán la justicia por el camino de la subversión comunista...*

Estas y otras declaraciones fueron publicadas en la revista *The New Republic* el 14 de diciembre de 1963.

En esos momentos, la campaña para reelegir a Kennedy se encontraba a toda marcha, y algunas encuestas de la opinión pública mostraron un descenso en su popularidad. Igualmente, su discurso pronunciado el 1 de noviembre de 1963 en Florida ante una conferencia de la InterAmerican Press Society (IPS) desalentó a los cubanos anticastristas y a los que abogaban por una confrontación con Cuba. *Esa noche, miles de exiliados esperaron en vano una promesa de Kennedy para tomar medidas enérgicas contra el régimen comunista de Fidel Castro...* Escucharon al presidente cuando dijo: *Nosotros, en el hemisferio, tenemos que utilizar todos los recursos a nuestra disposición para impedir el surgimiento de otra Cuba en este hemisferio,* declaración que llevaba la idea intrínseca de que se había aceptado la realidad.

Dallas

Desde mediados del año fatídico, Kennedy tomó la decisión de visitar Texas para captar votos, aunque faltaban algunos meses para la campaña presidencial del nuevo período 1965-1969. El estado sureño representaba el 4,5 por 100 de los votos de los grandes electores (24 sufragios). Perder ese apoyo equivaldría casi a otorgarle al candidato republicano la victoria nacional. Sabía que corría un riesgo, pero había que asumirlo. Los demócratas considerados liberales no resultaban agradables. Kennedy lo sabía y ello era un reto para su espíritu aventurero.

En las vísperas de su viaje —21 de noviembre— le han hecho llegar los periódicos y recuadros publicitarios publicados en la ciudad de Dallas, impregnados de una violencia casi incontrolada: Un comité de *Ciudadanos preocupados por América* ha hecho publicar en el *Dallas Morning News* una verdadera llamada al asesinato: *«Bienvenida al Sr. Kennedy», que no tiene en cuenta la Constitución, que ha liquidado la doctrina de Monroe en provecho del «espíritu de Moscú», que ha preparado, con ayuda de la CIA, el exterminio de los aliados anticomunistas de América, que ha recibido el apoyo del jefe del Partido Comunista estadounidense, que deja que su hermano Robert, un criptocomunista, actúe a su aire...* Por otra parte, una organización de extrema derecha ha distribuido pasquines con la fotografía del presidente, acompañada de esta leyenda: *Buscado por traición*

Nada hacía predecir que ese 22 de noviembre sería su último día, aunque la hostilidad fuese manifiesta. El *Air Force One* aterrizó a las 11:40 en Leve Field, el aeropuerto de Dallas. Tras el programa de los organizadores, la comitiva debía arribar en tres cuartos de hora al Trade Mart, un amplio vestíbulo, con capacidad para 2.500 personas, donde el presidente pronunciaría un discurso. Kennedy exigió que su automóvil se mantuviera descapotado. Debía demostrar confianza, no miedo, a la multitud que le saludaría a su paso.

A las 11,55 de la mañana, la amplia comitiva abandonó el aeropuerto. En primer lugar el coche del jefe de la policía municipal. Detrás el vehículo presidencial: John y Jacqueline Kennedy se colocaron en el asiento trasero; el presidente a la derecha y ella a su izquierda. Delante de ellos, el gobernador, John Connally, y su esposa ocupaban los asientos abatibles. Después una larga caravana. La marcha era lenta, alrededor de unos 18 kilómetros por hora. Los curiosos, simpatizantes y algún que otro opositor se agrupaban a lo largo del recorrido. Poco importaba. Los anfitriones del presidente más bien se sienten aliviados. Temían abucheos o calles vacías. Por el contrario, se percibía una especie de entusiasmo que permitía augurar cuáles serían los resultados de las próximas elecciones.

Son las doce y media cuando la comitiva dejó Houston Street y giró a la izquierda para continuar por Elm Street. Convergente a las dos calles, un viejo edificio, dedicado a almacén para editores de manuales escolares. Era el Texas School Book Depository. Al final de Elm Street, de pocas manzanas de larga, estaba la plaza Dealey, a poca distancia un puente de ferrocarril, cuyo cruce por debajo permitía tomar una autopista que, en pocos minutos, conducía al Trade Mart. La comitiva acababa de entrar en Elm Street y el School Book Depository les quedaba ahora detrás del vehículo presidencial. Se escuchan detonaciones de armas de fuego. Los acontecimientos son vertiginosos: pocos segundos para el tiroteo, dos o tres minutos para que la comitiva acelerara en dirección al Parkland Hospital. El pánico en la Plaza Dealey fue indescriptible. Pocos saben qué ha sucedido. La incertidumbre hace presa en los presentes. John Kennedy yace derrumbado, por el lado izquierdo, sobre las rodillas de su esposa. El gobernador Connally también ha sufrido heridas. Jacqueline, bajo el efecto del choque, intentó salir del vehículo trepando por el maletero. Un agente del servicio secreto se lo impidió. Un periodista de la agencia United Press se percata de lo ocurrido y, desde el teléfono instalado en el coche que viajaba, transmitió la noticia: *Se han efectuado tres disparos contra la comitiva del presidente Kennedy*. Son las 12:34.

El cuerpo casi inerte de Kennedy se trasladó de inmediato a los quirófanos del Parkland Hospital. Los cirujanos observaron que le han herido en el cuello y en el cerebro, que estaba prácticamente deshecho. Le practicaron una traqueotomía para facilitar la respiración. Todo en vano. A la una del mediodía tienen que rendirse a la evidencia: John F. Kennedy ha muerto. Poco a poco la noticia es comunicada a los allegados, a los oficiales, a Washington, al mundo entero. El presunto asesino: Lee Harvey Oswald.

Capítulo XI

EPÍLOGO DE UN SUEÑO INCONCLUSO

Pero ¿fue realmente el hombre que apretó el gatillo? ¿Fueron uno o varios francotiradores? Pero ¿quién o quiénes organizaron el atentado? Mas de cuatro décadas después esos interrogantes siguen sin respuesta.

Se sucedieron los artículos necrológicos. Lo que les conmueve queda muy bien resumido por el *New Yorker*. El presidente Kennedy era, por encima de todo, un hombre de razón y, por su fe en el diálogo entre los hombres de buena voluntad (e incluso entre los de buena voluntad con los de mala voluntad), por sus discursos, por su presencia dominadora, por su familia estrechamente unida, nos ha mostrado cuánta gracia, ingenio, imaginación y valor cabía añadir al papel, que se supone un tanto soso, del hombre de razón. Pero cuando la bala del asesino le ha golpeado, ha parecido trascender incluso ese papel. Por su muerte, parece haber pasado a encarnar la fuerza misma de la Razón, abatida por las fuerzas salvajes e incontrolables del Caos. Las reacciones son todas parecidas. Por tanto, resulta imposible elaborar una opinión equilibrada sobre el hombre, sobre el presidente. John Kennedy es ahora un héroe que escapa de las querellas de su tiempo para aglutinar en él todas las cualidades de América y de la Razón universal.

Sus colaboradores más cercanos, entre ellos Sorensen, Schlessinger, McNamara, han reiterado que J. F. Kennedy pensaba en la reelección y que desde principios de 1963 ya actuaba para ella, pero sin hacerlo público. Sobre todo planificaba cómo ganar electores en compensación de los que posiblemente perdería en determinados estados del Sur, a causa de sus leyes contra la discriminación del negro. Tenía una confianza absoluta en su victoria gracias a las mayorías urbanas, el apoyo a los movimientos a favor de los derechos civiles, su política exterior en la búsqueda de la paz sin que por ello los Estados Unidos fueran débiles ante la expansión comunista. Estaba poseído por un entusiasmo inusitado. Según cuenta Sorensen, el presidente le dijo: *Esta campaña figurará entre las más interesantes y agradables que hayan podido tener lugar durante mucho tiempo. (...) La reelección servirá para detener el crecimiento de la derecha extremista.*

En 1965, Theodore Sorensen y Arthur M. Schlessinger publicaron sus obras. Uno y otro han ocupado, en esferas diferentes, puestos clave junto a Kennedy. Uno y otro admiten, más o menos a regañadientes, que sus testimonios, por honestos que sean, no serán perfectamente objetivos.

En sus treinta y cuatro meses de gobierno no es menos cierto que algo diferente estaba ocurriendo, aunque no de la magnitud que sus apologistas más renombrados (Schlessinger, Sorensen) señalan. Ni mucho menos era una nueva era. Con respecto a los derechos civiles Kennedy presionó al Congreso en la misma proporción que la situación le atenazaba. No dio un paso sin que le empujara la realidad. Sí, favorecía a los negros. Y éstos le lloraron a su muerte, pero... ¿Fue cauto o proporcionaba migajas según conveniencia electoral? Otro aspecto a señalar fueron las relaciones soviético-norteamericanas. Indudablemente éstas pasaron de la tensión total al repliegue bilateral. Ambos jugaron a la guerra nuclear, pero no llegaron al fondo. ¿Para qué iniciarla si el bando victorioso sólo recogería cenizas? Era poco el botín para tan grandes inversiones. La calma llegó. Se convencieron de que eran más lucrativas las guerras locales: ayudando a los amigos con armamento y hombres, si éstos fueran necesarios. La paz fue resultado del convencimiento mutuo. No se debió exclusivamente a Kennedy.

En cuanto a América Latina, cuánta verborrea reformista, de ayuda desinteresada, de solidaridad continental a favor de la democracia se proclamó en tiempos del más joven presidente del Norte. ¿Hasta qué punto podemos delimitar la farsa de la realidad? ¿Fue realmente la *Alianza para el Progreso* un intento sincero de colaborar con el desarrollo de los países al sur del río Bravo? La opinión no es unánime. Hay donde seleccionar. Los resultados numéricos están recogidos en los diversos organismos regionales. Cada uno puede hacer balance, pero una imagen vale más que miles de palabras. América Latina está llena de ellas.

El refuerzo más importante de la potencia militar y defensiva de los Estados Unidos en época de paz fue así mismo obra suya. Su mandato presidió igualmente nuevos y ampliados papeles asignados al gobierno federal en educación superior, remedio a las enfermedades mentales, derechos civiles y conservación de recursos naturales y humanos.

Algunas medidas por él tomadas revistieron caracteres dramáticos, si aceptamos la opinión de Sorensen; tal, por ejemplo, las adoptadas durante la *crisis de los misiles* en Cuba, o con motivo del *Tratado de Prohibición de Pruebas Nucleares*. Otras constituían pequeños e insistentes esfuerzos diarios para mejorar el problema de Berlín, o los del Sudeste asiático, donde no alcanzó un progreso real; o tratando de enfocar la vida de quienes abandonaban antes de tiempo la escuela secundaria, o mejorando el sistema de parques nacionales de los Estados Unidos. Ciertas disposiciones por él adoptadas consistieron, sencillamente, en mantener las *posiciones adquiridas*. Dedicó sus esfuerzos a poner en marcha al país, a darle nuevos objetivos por los que luchar, a enderezar sus rumbos.

Durante los casi mil treinta días de su gobierno se produjeron varios puntos de tensión en la política interna, siendo los más sobresalientes: las medidas para ampliar los derechos civiles y poner fin la segregación racial en el sur; las desavenencias con los grandes *trusts* sobre cuestiones laborales; la creación de la *Alianza para el Progreso*; las dificultades con los intereses del complejo militar industrial; la persecución del crimen organizado y los conflictos con la CIA y los grupos cubanos anticastristas en el exilio. En la mayoría de ellos Kennedy tuvo una capacidad de maniobra encomiable y, casi siempre, con miras a neutralizar cualquier enfrentamiento bélico. No siempre recibió el apoyo necesario por parte del Congreso, pues a menudo eran antagónicos en los propósitos, o en la comprensión de cómo abordarlos.

Hay momentos en que su actitud ante determinado problema resultaba, aparentemente, muy ambigua, a veces cobarde, conservador a ultranza; en otras valiente, progresista y sin tintas medias. Empero, si meditamos un tanto sobre su quehacer, podemos diseñar un tanto su perfil como político. Fue ante todo un hombre imbuido de buenas y malas intenciones, según el prisma que utilicemos para auscultarle. Su principal inquietud, según nuestro criterio, porque al respecto hay donde escoger, fue reformar el capitalismo norteamericano sin violentar las reglas del juego imperantes: mejorar los salarios, la seguridad social, impulsar las exportaciones agrícolas; incrementar las inversiones de capitales en las áreas más atrasadas, a la par que diseñaba modelos en ellas con el fin de maquillar sus estructuras dependientes a los propios Estados Unidos; quebrantar, paso a paso, la arraigada hostilidad de los sudistas racistas hacia una parte de la población, los negros, quienes fueron los primeros en denunciar la ambivalencia de Kennedy, de difícil comprensión y aceptación en esos momentos. Reformas válidas, necesarias, que justificaban un fin: fortalecer a los Estados Unidos internamente y, con esa fuerza más, adentrarse firmemente en la detención del comunismo en nuevas áreas, sobre todo en América Latina, e impedir que esas ideas se afianzaran en el resto del mundo.

Al mismo tiempo que actuaba sobre esa realidad, Kennedy mostró su desacuerdo con la violencia *per se*. Abordaba las tensiones, especialmente con la Unión Soviética, mediante el diálogo, aunque ello nunca le condujo a transigir en cuestiones que consideraba vitales para la seguridad norteamericana. Esa actitud *pacifista* le acarreó graves discrepancias con los halcones de la guerra, ya del Pentágono, del FBI, de la CIA, de su propia Administración, de los grandes consorcios de la industria bélica. No por casualidad, desde 1962 se hizo visible una importante campaña de hostilidad hacia su gobierno y su política por parte de esos sectores descontentos con sus maneras en lo interno y externo. Por criticarle le llamaban hasta *filocomunista*, que a todas luces era una aberración, porque si alguien era un anticomunista definido ése era J. F. K., pero todo medio para desacreditarle, e impedir la continuación de su proyecto en un segundo mandato, era válido. ¿Que había hecho el presidente para granjearse esa virulenta oposición? ¿Atentaban realmente sus reformas contra el capitalismo?

El período inconcluso de Kennedy sólo puede proporcionarnos pinceladas de un proyecto, cuya línea directriz tiene una meta muy definida: preparar a los Estados Unidos para los nuevos tiempos de las armas nucleares, de las investigaciones espaciales, de la consolidación del comunismo en parte de Europa y Asia, del desmoronamiento del sistema colonial y el advenimiento de nuevas repúblicas al concierto internacional de naciones, del empobrecimiento crónico de América Latina y la ebullición social que ello entrañaba, especialmente a la luz del triunfo y consolidación de un gobierno comunista en Cuba; del auge del movimiento negro en aras de conseguir la igualdad con los blancos, no sólo en deberes sino también en derechos. El decenio de 1960, sin ninguna duda, fue portador de un mundo en rebelión.

Su evolución política nos incita a dar fe de que ya no era el Kennedy de 1960. Sin ser un filósofo o un pensador profundo, su pragmatismo le colocó en posición de comprender el curso de los acontecimientos, sin caer en esquemas preconcebidos. Hurgaba en las raíces de la situación y planteaba sus propias soluciones. Su origen de clase, rico y conservador, no fue óbice para trasponer esa frontera ideológica, proporcionada por su propio padre.

Evolucionó hacia el liberalismo, sin que su conversión sea ruidosa o repentina. Kennedy lanzó una mirada crítica sobre la sociedad en la que estaba inmerso. En esta dirección, se comportó como un intelectual comprometido con su época, la cual pretendió cambiar en sentido ascendente.

De ahí que durante su mandato aumentaran las incompatibilidades, provocando que la coexistencia entre el reformador, el *establishment* y los demás círculos de poder que seguían actuando de conformidad con sus propios principios y necesidades, fuera imposible.

Uno de los ejemplos más significativos del período fue la tirantez entre él y el complejo militar industrial, cuya influencia era muy acentuada en muchos sectores de la sociedad estadounidense. Al comienzo de su gobierno heredó la situación de Vietnam. En esos momentos la participación norteamericana, que había sustituido a los franceses, se circunscribía a la presencia de unos cuantos miles de *asesores*, los cuales estaban integrados al ejército de la parte sur, gobernada por Diem, reconocido anticomunista y fiel aliado de los Estados Unidos. Los *asesores*, controlados por la CIA, tenían la misión de evitar que las fuerzas anticolonialistas de ambas zonas consumaran la reunificación. El comunista Ho Chi Minh simbolizaba esa legítima aspiración. Eisenhower, en coordinación con el complejo militar industrial, ya estaba preparado para actuar en mayor escala, pero primero tendría que vencer su *delfín* Richard M. Nixon, al tanto de esos planes. La operación era secreta. La opinión pública norteamericana y mundial mostraba su desacuerdo. Pocos querían la guerra, y mucho menos que soldados norteamericanos interviniesen. Era una guerra civil entre Norte y Sur o, más bien, entre los que deseaban mantener la artificial división del pueblo vietnamita o la reunificación.

Los colaboradores más cercanos a Kennedy aseguran que el presidente, por medio de su asesor militar, el general Maxwell Taylor, se negó a utilizar las fuerzas militares a gran escala como deseaban los oficiales del Pentágono, aunque no se opuso a incrementar modestamente el número de asesores militares. Entonces surgió el problema de Laos. El propio general y el Departamento de Defensa, apuntalados por Kennedy, no accedieron a las exigencias de altos mandos del Ejército de enviar tropas a ese país asiático. Se impuso el criterio presidencial de que los tiempos exigían *guerras de baja intensidad*, es decir, dondequiera que haya una confrontación, enviar asesores no tropas.

En julio de 1962, ante las crecientes demandas de los Estados Unidos y de la opinión pública mundial, Kennedy decidió retirarse de Vietnam. Dio instrucciones a Robert McNamara, secretario de Defensa, para que iniciara un plan de retirada de los asesores (que concluiría a finales de 1965). En mayo de 1963, reveló confidencialmente a algunos senadores antibelicistas que tenía la intención de retirar completamente las fuerzas estadounidenses si era reelegido; aunque públicamente negó tal intención. Le dijo al senador Mansfield que no podría hacerlo antes de las elecciones de 1964, porque en la campaña los republicanos esgrimirían el argumento de que los demócratas habían perdido en Indochina. Ésa es la versión de Sorensen y Schlessinger.

Sin embargo, el historiador Kaspi recoge en su libro que, en 1971, el *New York Times* y luego el *Washington Post* publicaron un informe sobre la participación de Estados Unidos en la guerra del Vietnam, hasta ese momento considerado secreto por el Departamento de Defensa, pero que por obra y gracia de un antiguo funcionario del Pentágono, Daniel Ellsberg, llegaron a manos de las citadas publicaciones. La fuente primaria constaba de más de 7.000 folios, pero se hizo un extracto de unos 700 bajo el título de *Los Papeles del Pentágono.*

Estos documentos acusaban especialmente a Kennedy, quien por propia iniciativa atizó una guerra subversiva en el Vietnam hasta extremos insospechados. Mintió a la opinión pública.

Al parecer lo que no ordenó fue el envío de tropas, pero sí estableció compromisos de ayuda ilimitada para contener el avance de las fuerzas reunificadoras.

¿Qué partido tomar ante esta demostrada injerencia? Que mintiese no es lo sustancial. Se podría justificar sobre el supuesto de que tales actuaciones requieren la mayor discreción por parte del Estado que lo acomete. Lo que llama la atención es la incertidumbre de qué pensar. ¿Era un pacifista que sólo amenazaba con usar la fuerza para buscar la paz? o ¿era un belicista temeroso de que recayera sobre él la responsabilidad de otra guerra mundial?

Las investigaciones sobre su asesinato también descubrieron, por parte de comisiones del Senado y de la Cámara de Representantes, que no le eran ajenas las prácticas deleznables de la CIA en Laos, en Vietnam del Sur, en Vietnam del Norte, en China, en América Latina, en los complots para asesinar a Fidel Castro, en cuanto lugar se entendiera que existía un enemigo de los intereses norteamericanos. Lo conocía todo, pero nunca cuestionó los procedimientos de la organización.

Y por si la acusación no fuera bastante grave, se deduce de *Los Papeles del Pentágono* que la Casa Blanca no ignoraba absolutamente nada de los proyectos del golpe de Estado contra Diem y su posterior asesinato.

En julio, Kennedy suscribió un nuevo acuerdo con Kruschev para prohibir las explosiones nucleares en la atmósfera. En octubre de 1963 firmó la ley 263 del Consejo de Seguridad Nacional, ordenando la retirada de mil de los 16.000 asesores militares estacionados en

Vietnam. Estas medidas no contaron con la aprobación del ala ultraderechista de los Estados Unidos, que respaldaba la confrontación abierta con la Unión Soviética, una mayor utilización de la fuerza militar estadounidense para resolver los problemas en países extranjeros. Qué cara escoger para analizar estos acuerdos, ¿la de doctor Jekyll o la de Mr. Hyde?

Kennedy hizo nacer la esperanza de una evolución de la sociedad estadounidense, pero su cumplimiento sólo obtuvo logros parciales. Poco cambió. Fue, sencillamente, uno de los miembros del *establishment*.

No resulta posible escribir sobre su personalidad sin acritud o admiración, porque en sí está llena de aparentes contradicciones. Los propios historiadores se muestran incapaces de representarlo mediante líneas convergentes. Lo que hoy es verdad, mañana puede ser negado. Las conclusiones, a falta de pruebas, nunca serán definitivas.

Al fin y al cabo Kennedy gobernó 1.036 días. Richard Neustadt establece una cronología presidencial: los dos primeros años sirven de aprendizaje; el cuarto se emplea en la preparación de las elecciones para un nuevo mandato; los años séptimo y octavo dejan al presidente saliente con escaso poder y pocas iniciativas. Quedan los años tercero, quinto y sexto. Kennedy sólo tuvo el tercer año. No es suficiente para poder emitir una opinión irrefutable.

La única definición que nos satisface es que fue un hombre de Estado ambivalente y que dejó una herencia ambigua. En noviembre de 1963, Estados Unidos es más poderoso en el plano militar y económico que en enero de 1961. Ha ganado la carrera de las armas nucleares. Superó la recesión. Sin embargo, este poderío era frágil y la guerra de Vietnam mostró al mundo que no siempre la fuerza vence a la razón. Gracias a los programas de *ayuda* al extranjero, Estados Unidos aparentó ser más dadivoso. Resultado: la intervención diplomática y militar norteamericana recorre el mundo como un fantasma tenebroso, pero tangible. Se debía proteger los *intereses norteamericanos*, la *seguridad nacional* y la vida de sus conciudadanos. Desaparecieron algunas desigualdades sociales, pero las que restaban son aún más lesivas para la dignidad. Kennedy no inauguró un nuevo período de la historia de Estados Unidos, como bien asegura Kaspi. Su propia conducta política dejó una extraña impresión. Se convirtió en ejemplo para la democracia, pero ¿no son antidemocráticos los medios que empleó?

La CIA tramaba sombrías conspiraciones, experimentaba técnicas de lavado de cerebro o usaba productos farmacéuticos; en pocas palabras, se comportaba como un Estado dentro del Estado. Kennedy, aunque desconfiaba de la agencia, no prohibía sus actividades ilegales. El FBI recurría a las escuchas telefónicas bajo las órdenes de Robert Kennedy. Todos los escándalos que sacan a la luz del día las comisiones de investigación del Congreso salpican a Kennedy. ¿Cómo juzgar una política exterior que ha tenido más fracasos que éxitos, más ambivalencia que claridad, con unas apelaciones al idealismo compatibles con la aplicación del peor de los realismos? Cabe preguntarse si, detrás de la fachada del hombre joven, inteligente, cultivado, sonriente y guapo, verdadera encarnación del optimismo de los años 60, no se esconde un hombre ambicioso que no duda, por razones a veces discutibles, en conducir el mundo hasta el borde del remolino nuclear. John Kennedy fascina y desconcierta al mismo tiempo. Incluso cuando uno cree captar las innumerables facetas de su carácter y de su personalidad, escapa todavía a la sujeción del análisis. ¿Quién era verdaderamente? ¿Se sabrá alguna vez la verdad, toda la verdad?, se preguntaba Kaspi.

De acuerdo con los criterios de Sorensen, Kennedy esperaba que su segundo mandato, como el de Theodore Roosevelt, daría más *rendimiento* en legislación de orden interno, doméstico, que el primero, ante la existencia de un Congreso más amigo de su línea política, más responsable, y habiendo menos *distracciones* en la escena internacional. Estimaba que esa nueva oportunidad le permitiría aportar posibilidades de gran alcance para enfrentarse a los modernos problemas de la automatización, transporte, urbanización, oportunidades de educación y cultura y crecimiento económico. Preveía que una máxima estabilización en la carrera de armamentos y una disminución de las tensiones Este-Oeste, le facilitarían dedicar mayor cantidad de inversiones y fondos federales para erradicar determinados problemas internos, particularmente el urbano y el de la vivienda.

Había aprendido mucho en las dos crisis cubanas, en sus viajes y conversaciones con los líderes de naciones diversas, y en sus éxitos y fracasos. Sabía mejor que nunca, aún mejor que un año antes solamente, cómo evitar las trampas, cómo no enemistarse con los alemanes y cómo permanecer, con el país, en la cúspide de la escena política internacional. Esperaba, antes del final de su segundo mandato, estar tratando con los nuevos líderes de Gran Bretaña, Francia, Unión Soviética o China. Tratar con un mundo en el cual ninguna nación o bloque de ellas pudiera mantener una significativa superioridad nuclear, o escapar al control vigilante de la Cámara en su carrera de armamentos. Las nuevas limitaciones consentidas por los países en sus armas, el avance de la ciencia y la cooperación espacial, una nueva consideración en la cuestión de Berlín, el comercio incrementado y más contactos con la Europa oriental, todas ésas, y muchas más, eran cuestiones que figuraban en la agenda de Kennedy como temas posibles dentro del segundo mandato presidencial.

Respetamos a Sorensen, de quien son las palabras anteriores, pero su gran cariño hacia Kennedy hace de su testimonio futurista la primera piedra para esculpir la estatua del presidente asesinado. ¿Cuánto hay de verdad en esos proyectos? El soñador ha muerto antes de emprenderlos.

Viendo las cosas con toda objetividad, será difícil medir a John F. Kennedy con un módulo ordinario, en lo histórico.

Su desaparición física asombró y desoló al país. Su duelo fue más profundo y extendido que el de Lincoln. Después del asesinato, de inmediato tomó forma una leyenda. El hombre muerto fue idealizado y se exageraron sus logros hasta el punto de considerarlo uno de los mejores presidentes. En realidad, los años de Kennedy fueron más ricos en promesas que en resultados prácticos. Además, los críticos se han quejado, con cierta justicia, de que su retórica suscitó esperanzas irreales y que su hábito de crear deliberadamente una atmósfera de crisis estimuló temores que no fueron fáciles de erradicar.

Dallas no resume los mil días de su presidencia, ni los diecisiete años de su vida política, ni los cuarenta y seis de su existencia. Dallas resume la victoria de los grupos sociales que estaban en favor de la discriminación del negro, de los que estaban en favor de la guerra nuclear, de aquellos que presionaron para que el gobierno cubano fuera volatilizado en medio de la crisis de los misiles: de los poderosos complejos de la industria armamentística; fue la victoria, en síntesis, de los grupos cubanos anticastristas en el exilio, de los capos mafiosos defenestrados en Cuba; de los que no comprendían o no querían comprender que era un nuevo mundo para el que se requería savia nueva.

Actualmente lo que más se recuerda del presidente —siempre lo será porque no ha concluido su mandato— es que su experiencia política estaba en una fase de enriquecimiento progresiva, y que los autores intelectuales de su asesinato aún permanecen en el anonimato, tras cuarenta y dos años de investigaciones, teorías, películas y documentales. De qué serviría compendiar la biografía de un hombre de Estado, si al mismo tiempo no lo insertamos en la circunstancia histórica en que moldeó su personalidad, en qué medida ésta influyó o determinó sus actos, y cómo intentó transformarla y para qué. Con sus defectos y cualidades, Kennedy fue producto de un ambiente familiar y social conservador; sin embargo, sus proyectos sobrepasaron esa herencia. Intentó reformar su mundo, pues no quería vivir en él de manera contemplativa. Fue un hombre que estuvo a la altura de las exigencias de su tiempo.

CRONOLOGÍA

Año	J. F. Kennedy y Estados Unidos	América y Europa	Asia y África
1914	Declaración de neutralidad de la Unión en la Guerra Mundial. Matrimonio de los padres de John F. Kennedy (octubre). Terminación del canal de Panamá.	Asesinato del heredero del trono austriaco en Sarajevo. Comienzo de la Primera Guerra Mundial (27-VII).	Declaración de guerra del Japón a Alemania. Capitulación de Togo. Sublevación de los bóers.
1915		Tratados de Rusia e Inglaterra sobre Turquía y Persia. Declaración de guerra de Italia a Austria-Hungría.	Las veintiuna reclamaciones del Japón a China. Capitulación del África alemana del Sudoeste.
1916	Wilson, reelegido presidente contra Hughes. Nota de paz de Wilson a las potencias.	Definitiva autorización del tráfico en el canal de Panamá. Tratados Sykes-Picot entre Francia y Gran Bretaña sobre el Mediterráneo. Fallece el emperador Francisco José.	Fallece Yuan Che Kai. Unión del Congreso Nacional Indio y de la Liga Musulmana. Acuerdo franco-español sobre Marruecos.
1917	29 de mayo: nace John F. Kennedy en Brookline, Boston. Ruptura de relaciones diplomáticas con Alemania (3-II).	Tratado anglo-japonés sobre las posesiones alemanas en Extremo Oriente (II).	Bagdad, ocupada por los ingleses. Fuad I, rey de Egipto.

Año	J. F. Kennedy y Estados Unidos	América y Europa	Asia y África
1918	Programa de los Catorce Puntos de Wilson para la Paz. Viaje de Wilson a Europa.	Paz de Brest-Litowsk entre las potencias centrales y la Rusia Soviética.	Los japoneses desembarcan en Vladivostock. Damasco, ocupada por los ingleses.
1919	Firma del Tratado de Versalles. Determinación de mandatos por el Art. 22 del Acta de la Sociedad de Naciones.		Matanzas de Amritsar en la India. Mahatma Gandhi, jefe del Congreso Nacional Indio. Proclamación de la Constitución India (Government of India Act). Smuts, presidente de la Unión Africana del Sur.
1920	El Tratado de Versalles, rechazado por el Senado. Wilson, derrotado en la elección presidencial (2-XI).	Paz de Trianón entre Hungría y los Aliados. Paz de Sèvres entre Turquía y los Aliados. Revolución en México. Carranza es asesinado (20-mayo). Obregón, presidente de México.	Japón y Australia reciben como mandatos las colonias alemanas del mar del Sur. Inglaterra, Francia Bélgica y la Unión Sudafricana reciben las colonias alemanas de África como mandatos de la Sociedad de Naciones.
1921	Harding, presidente de los Estados Unidos.	Conferencia de París entre los aliados, fijando los pagos alemanes. Hitler, nombrado presidente del Partido Nacionalsocialista.	Monarquía hachemita en Irak. Tratado de paz entre China y Alemania. Gandhi elige como vestimenta el paño en torno a las caderas, símbolo del *swadeshi*.

Año	J. F. Kennedy y Estados Unidos	América y Europa	Asia y África
1922	Acuerdo de Washington sobre la Marina de Guerra entre los Estados Unidos, Inglaterra y el Japón.	Conferencia del Consejo Supremo en Londres; Poincaré pide la ocupación del Rhur. Marcha de Mussolini sobre Roma. Kemal Pacha proclama la República Turca.	Acuerdo de nueve potencias asegurando la independencia de China. Inglaterra levanta el protectorado sobre Egipto.
1923	Fallece el presidente Harding; le sucede Coolidge.	Fundación de la Unión de las Repúblicas Socialistas Soviéticas. Hitler proclama un gobierno nacional alemán en Munich.	Comienza el boicot indio sobre las mercancías inglesas.
1924	Coolidge, elegido presidente de EE.UU.	Fallecimiento de Lenin. Santo Domingo entra en la Sociedad de Naciones.	Constitución en Egipto. Destitución del Sha Ahmed en Persia.
1925	Sentencia arbitral de Coolidge en el pleito Tacna-Arica entre Chile y Perú.	Hindenburg, presidente del III Reich alemán. Hitler publica *Mein Kampf*. Creación del Estado fascista en Italia. Hitler publica «*Mi Lucha*». Firma de los Acuerdos de Locarno.	El diario *Navajivan* inicia por entregas la autobiografía de Gandhi. Muerte de Sun Yat Sen. Chiang Kai-shek se convierte en el líder principal del Guomindang. Insurrección marroquí en el Rif.
1926	Estatificación de las minas en México.		Ibn Saud, rey del Hedjaz.
1927	Caso *Saco y Vanzetti* en Estados Unidos.	Limitación de las libertades sindicales en Gran Bretaña.	Masacre de Shanghai. Chiang Kai-shek termina con el Frente Unido.

Año	J. F. Kennedy y Estados Unidos	América y Europa	Asia y África
		Trotsky, excluido del PCUS.	Tratado de amistad entre Persia y Afganistán.
1928	Disolución del Reichstag. Obregón, presidente de México.	Estalla la guerra entre Bolivia y Perú.	Independencia de Transjordania, reconocida por Inglaterra. Golpe de Estado del rey Fuad en Egipto. Chiang Kai-shek, presidente de la República China.
1929	H. Hoover, presidente de EE.UU. Entrada de Estados Unidos en el Tribunal Internacional de Justicia. *Viernes Negro* de Wall Street y comienzo de la Gran Depresión.	Muerte de Clemenceau. Primer Plan Quinquenal Soviético.	Ultimátum de Gandhi a Inglaterra reclamando el estatuto de Dominio para la India. Armisticio chino-soviético sobre Manchuria.
1930		Fin de la dictadura de Primo de Rivera. R. L. Trujillo, presidente de República Dominicana. Getulio Vargas, presidente de Brasil.	Campaña de desobediencia iniciada por Gandhi. Detención de Gandhi. Inicio de las *Campañas de aniquilación* por Chiang Kai-shek. Comienza la conferencia anglo-india en Londres.
1931	J.F.Kennedy ingresa en Choate, una escuela preparatoria para la universidad situada en Wallingford, Connecticut.	Proclamación de la Segunda República Española y exilio de Alfonso XIII. Ingreso de México en Sociedad de Naciones.	Proclamación de la República soviética china en Kiangsi. Japón invade Manchuria y crea el estado de Manchukuo.

Año	J. F. Kennedy y Estados Unidos	América y Europa	Asia y África
	Moratoria Hoover.	Evacuación definitiva de Alemania por los aliados. Conferencia del Imperio Británico: Reorganización del Imperio por el Estatuto de Westminster.	Inglaterra reconoce la independencia de Irak.
1932	F.D. Roosevelt, elegido presidente de los EE.UU.	Comienza la Guerra del Chaco entre Paraguay y Bolivia.	Comienza la guerra entre Japón y China. Persia anula el contrato con la Anglo Persian Oil Company.
1933	Roosevelt inicia su política del *New Deal*.	Hitler, canciller de Alemania. Incendio del Reichstag. El nacionalsocialismo, partido único.	Acuerdo chino-japonés. Gandhi publica desde febrero la revista *Harijan*. Campaña a favor de los intocables.
1934	EE.UU. reconoce la independencia de Filipinas.	Asesinato de Kirov: comienzo de las purgas y de los procesos de la URSS. Comienza la *Larga Marcha* (octubre).	Japón denuncia el tratado de Washington sobre fuerzas navales. Japón hace público el «*Memorial Tanaka*» sobre Asia Oriental.
1935	J.F.K. viaja a Londres para seguir los cursos de economía de Harold Laski. Ingresa en la Universidad de Princeton.	Pacto franco-soviético. Sanciones de la Sociedad de Naciones contra Italia por haber invadido Abisinia. Decretos de Nuremberg: persecución de los judíos. Fin de la Guerra del Chaco.	Italia comienza la guerra contra Etiopia.

Año	J. F. Kennedy y Estados Unidos	América y Europa	Asia y África
1936	J.F.K. abandona Princeton y se inscribe en la Universidad de Harvard.	Triunfo del Frente Popular en Francia. Inicio de la guerra civil española. Proceso y ejecución de Zinoviev y Kamenev en la URSS. Tratado de Paz entre Bolivia y Paraguay.	*Incidente de Sian*: el secuestro de Chiang Kai-shek lleva a la creación del Frente Unido contra Japón. Toma de Addis Abeba por los italianos. Acuerdo de Londres entre Gran Bretaña y Egipto.
1937	Joseph Kennedy y su familia se instalan en Londres, donde ha sido nombrado embajador.	Dimisión de Baldwin; N. Chamberlain, primer ministro.	Entrada en vigor de la nueva Constitución de la India. Pacto de Saadabab entre las naciones del Próximo Oriente. Huelga general del Neo Destur en Túnez.
1938	J.F.K. pide permiso en Harvard y de nuevo emprende un viaje en el que visita París, Polonia, Letonia, la Unión Soviética, Turquía, Palestina, los Balcanes y Berlín.	Irlanda, estado independiente dentro de la Comunidad Británica. Primeras medidas antijudías en Italia. *Acuerdos de Munich*: Hitler se anexiona los Sudetes.	Mao propone la *Nueva Democracia*.
1939	Se inicia la Segunda Guerra Mundial.	Fin de la guerra civil española. Franco firma el Pacto Antikomintern.	
1940	Kennedy se gradúa en Harvard obteniendo la calificación de sobresaliente. Se publica su tesis doctoral con el título *Why England slept*.	W.Churchill, primer ministro de Gran Bretaña tras la dimisión de Chamberlain. EE.UU. cede barcos de guerra a Gran Bretaña.	Italia ocupa la Somalia británica. Chiang Kai-shek disuelve las organizaciones comunistas. Tailandia ocupa Indochina.

Año	J. F. Kennedy y Estados Unidos	América y Europa	Asia y África
		Pacto Tripartito: Alemania, Italia, Japón. Entrevista de Hendaya entre Franco y Hitler. Asesinato de Trotsky.	
1941	J.F.K. se alista como voluntario en la marina, alcanzando el grado de subteniente. Firma de la *Carta del Atlántico* por Roosevelt y Churchill. Leyes estadounidenses de Préstamo y Arriendo.	Stalin, presidente del Gobierno. Nueva ley sobre los judíos en Francia.	Ataque japonés en Pearl Harbour. Resolución de la *Liga Musulmana* pidiendo un Pakistán independiente.
1942	Kennedy ingresa en la escuela de patrulleros.	Conferencia de Río de Janeiro y ruptura entre los Estados americanos y el Eje. Comienza la batalla de Stalingrado. Alemania se anexiona Luxemburgo.	Ocupación de Manila y Singapur por los japoneses. Desembarco alemán en Túnez. Ofensiva de Montgomery en Egipto.
1943	25 de abril: toma el mando de la patrullera PT 109. Resulta herido en un ataque japonés cerca de las islas Salomón. Conferencia de Casablanca entre Roosevelt y Churchill.	Fin de la Batalla de Stalingrado. Hundimiento del régimen fascista en Italia.	Japón proclama la independencia de Birmania
1944	Muere en combate su hermano mayor, Joe Kennedy. Reelección de Roosevelt.	Gobierno Farell-Perón en Argentina. Conferencia económica de Bretón Woods.	Conferencia colonial de Brazzaville con asistencia de De Gaulle. Desembarco aliado en las islas Marshall.

Año	J. F. Kennedy y Estados Unidos	América y Europa	Asia y África
		Constitución del gobierno provisional de la IV República.	Conferencia de Chungking sobre la paz en el Pacífico.
1945	Muerte de Roosevelt; Truman, presidente. Comienza la Conferencia de San Francisco: elaboración de la Carta de Naciones Unidas.	Fin de la segunda Guerra Mundial en Europa. Conferencia de Yalta entre Roosevelt, Churchill y Stalin. Victoria laborista en Gran Bretaña.	Bombas atómicas sobre Hiroshima y Nagasaki. Rendición de Japón. Proclamación de las independencias de Indonesia (agosto) y Vietnam (septiembre). Fundación de la Liga Árabe.
1946	Es elegido representante en el Congreso por el undécimo distrito de Boston.	Dimisión de De Gaulle. Constitución de la IV República Francesa. Proclamación de la República en Yugoslavia. Perón, elegido presidente de Argentina.	Inicio de la guerra entre comunistas y Guomindang. Establecimiento de una Constitución democrática en Japón.
1947	Doctrina Truman de ayuda a Grecia y Turquía contra el comunismo. Declaración Marshall sobre la imposibilidad de colaboración con el comunismo.	Conferencia de Río de Janeiro y tratado de seguridad colectiva entre los países americanos. Creación de la Kominform por la URSS.	Independencia de India y Pakistán. Independencia de Birmania. Acuerdo entre Irán y Estados Unidos. Plan de partición de Palestina por la ONU.
1948	Kennedy vuelve a ser elegido representante por la misma circunscripción. Declaración «Vandebergh» por EE.UU. Reelección de Truman como presidente.	Conferencia interamericana de Bogotá y creación de la OEA. Firma de la CCE e institución de la OECE. Ruptura de Yugoslavia con Moscú.	Asesinato de Gandhi (30 de enero). Gran Bretaña reconoce la plena soberanía de Irak. Independencia de Ceilán.

Año	J. F. Kennedy y Estados Unidos	América y Europa	Asia y África
			Proclamación del Estado de Israel en Palestina y guerra con los estados árabes. Proclamación de la República Popular de Corea del Norte.
1949	J.F.K. pronuncia un discurso totalmente hostil a la política estadounidense en China. Truman hace público su *Programa de Cuatro Puntos*.	Creación de la OTAN y del Pacto de Varsovia. Separación de Irlanda de la Comunidad Británica. Promulgación de la Constitución Provisional de la RFA. Proclamación de la RDA.	Triunfo de los comunistas en la guerra civil. Proclamación por Mao de la República Popular de China.
1950	Es reelegido representante por tercera vez.		Inicio de la Guerra de Corea. Proclamación de la república de la India.
1951	Kennedy viaja a Italia, Extremo Oriente, Israel, España, Suecia y Yugoslavia. Destitución de Mac Arthur en Corea por Truman. Tratado de paz de S. Francisco con Japón.	Getulio Vargas, de nuevo presidente de Brasil. Constitución en París de la CECA.	Gobierno de Mossadeq en Irán. Asesinato del rey Abdulla de Jordania. Independencia de Libia.
1952	Es elegido senador por el Estado de Massachusetts, derrotando a Henry Cabot Lodge. Tiene la bomba H. Elección de Eisenhower a la presidencia.	Isabel II, reina de Inglaterra. Golpe de Estado de F. Batista en Cuba.	Revolución militar en Egipto y abdicación del rey Faruk. Acuerdo chino-soviético. Hussein, rey de Jordania.

Año	J. F. Kennedy y Estados Unidos	América y Europa	Asia y África
1953	12 de septiembre: Kennedy contrae matrimonio con Jacqueline Lee Bouvier. Propuesta de Eisenhower a la ONU de un plan atómico internacional de paz.	Muerte de Stalin. Manifestaciones y motines en Berlín Oriental. Kruschev, primer secretario del PCUS.	Armisticio de Panmunjon. Fin de la guerra de Corea y división del país. Proclamación de la República Egipcia por el general Naguib. Formación de la Federación de Rhodesia y Nyassa.
1954	Es operado de una antigua dolencia de la columna vertebral, fusionándole dos vértebras. El Senado de Estados Unidos censura al senador Joseph McCarthy.	Caída de J. Arbenz de la presidencia de Guatemala. Suicidio del presidente de Brasil G. Vargas. Conferencia de Ginebra sobre pacificación y ordenación de Indochina.	Derrota francesa en Dien Bien Phu. Creación de la SEATO. Se proclama la Constitución de la R.P. China. Gobierno de Nasser en Egipto. Comienzo de la guerra de Argelia.
1955	De nuevo es intervenido quirúrgicamente con el fin de completar la operación anterior. Se traslada a Florida para recuperarse en casa de sus padres. Mayo: regresa a Washington. EE.UU. declara su apoyo incondicional a Formosa.	Comienza la desestalinización. Insurrección militar en Argentina y caída del presidente Perón.	Conferencia Afroasiática de Bandung. Destitución del emperador Bao Dai y proclamación de la República en Vietnam del Sur.
1956	Publica su segundo libro *Profiles in Courage*. Presenta su candidatura a la vicepresidencia de la nación en el Partido Demócrata, pero se retira	Conferencia Panamericana de Panamá. J. Kubitschek, presidente de Brasil. Proposición de Bulganin a Eisenhower sobre la firma de un	Ataque israelí contra Egipto: Crisis de Suez. Independencia de Marruecos y Túnez. Movimiento de las *Cien Flores*.

Año	J. F. Kennedy y Estados Unidos	América y Europa	Asia y África
	antes de la última votación en el seno de la Convención. Reelección de Eisenhower.	tratado de cooperación y no agresión entre EE.UU. y la URSS. Nacionalización del canal de Suez.	
1957	Se le concede el premio Pulitzer. Nace su hija Caroline. Doctrina Eisenhower contra el comunismo. Muerte del senador MacCarthy.	Tratado de Roma. Constitución de la CEE y del EURATOM. Asesinato de Castillo Armas, presidente de Guatemala. Lanzamiento del primer satélite artificial por la URSS.	Golpe de Estado en Tailandia. Independencia de Ghana; gobierno de Nkrumah. Independencia de la Federación Malaya.
1958	Es reelegido senador por Massachusetts. Lanzamiento del primer satélite artificial estadounidense.	Kruschev, jefe de gobierno de la URSS. Segunda crisis de Berlín: ultimátum de Kruschev. Establecimiento de la V República en Francia por De Gaulle. Caída de Pérez Jiménez en Venezuela. Elección de R. Betancourt como presidente de Venezuela.	Inicio del Gran salto Adelante en China. Creación de la RAU (Egipto y Siria). Golpe de Estado en Irak. Fin de la monarquía hachemita. Primera Conferencia de Estados Africanos Independientes en Acra.
1959	Realiza una gira preelectoral por varios estados de la Unión. Viaje de Eisenhower por varios países europeos y africanos. Viaje oficial de Kruschev. Hawai, estado cincuenta de la Unión.	Triunfo de la revolución castrista en Cuba, con caída de F. Batista. Ley de Reforma Agraria en Cuba. Declaración de Caracas contra los regímenes dictatoriales en América Latina.	Liu Shaoqi asume la presidencia de la R. P. China. El Dalai Lama abandona el Tíbet ante el predominio comunista chino. De Gaulle ofrece la autodeterminación a Argelia.

Año	J. F. Kennedy y Estados Unidos	América y Europa	Asia y África
1960	J. Foster Dallas dimite de secretario de Estado. 2 de enero: Anuncia su presentación a las elecciones presidenciales. Julio: Es elegido candidato oficial a la presidencia por el Partido Demócrata. Noviembre: Realizado el escrutinio de las elecciones, Kennedy se alza con la presidencia de Estados Unidos, por escaso margen sobre Nixon. 25 de noviembre: Nace John, segundo hijo de Kennedy. Viaje de Eisenhower por América Latina.	Primeros acuerdos entre URSS y Cuba. Nacionalización de las empresas yanquis en Cuba. Inauguración oficial de Brasilia. La ONU declara ese año como el *Año Africano.*	Semana de las barricadas en Argel. Creación del F.N.L. –Vietcong– en Vietnam del Sur; guerra civil. Independencia del Congo Belga y secesión de Katanga. Independencia de Nigeria.
1961	Estados Unidos rompe sus relaciones diplomáticas con Cuba. Ceremonia de investidura de Kennedy como nuevo presidente de Estados Unidos. Pone en marcha la *Alianza para el Progreso.* Abril: desembarco de fuerzas anticastristas, entrenadas por la CIA, en la bahía de Cochinos, Cuba. Alan Shepard realiza el primer vuelo orbital estadounidense en la cápsula Mercury.	Construcción del muro de Berlín. Primer vuelo tripulado en la nave espacial *Vostok I.* Primera Conferencia del Movimiento de No Alineación en Belgrado. Asesinato de R. L. Trujillo. J. Quadros, presidente de Brasil.	Asesinato de P. Lumumba en Katanga. Muerte de Mohamed V en Marruecos, Hasan II rey. Golpe de Estado militar en Argelia.

Año	J. F. Kennedy y Estados Unidos	América y Europa	Asia y África
	Kennedy y Kruschev se reúnen en Viena para negociar la crisis de Berlín.		
1962	Comienza en Estados Unidos el programa espacial Apolo. Junio: La «doctrina McNamara», expuesta en Ann Arbor, se convierte en la política oficial de defensa de Estados Unidos. Octubre: Aviones estadounidenses de reconocimiento descubren en Cuba la instalación de rampas de lanzamiento soviéticas para ingenios balísticos. 22 de octubre: Kennedy decide el bloqueo de Cuba. 26 de octubre: Kruschev se muestra dispuesto a negociar y se produce un intercambio de cartas entre él y el presidente Kennedy. 29 de octubre: Finaliza la crisis. Los soviéticos consienten en retirar sus misiles, cohetes y bombarderos de Cuba y Estados Unidos; se compromete a no invadir el territorio de la isla. Comienza la distensión entre las dos potencias.	Golpe de Estado militar en la República Dominicana. Conferencia de la OEA en Punta del Este. Exclusión de Cuba de la OEA. Golpe de Estado militar en Argentina. Dimisión de B. Debré; G. Pompidou, jefe de gobierno francés. Golpe estado en Perú. Independencia de Trinidad y Tobago. Doble vuelo espacial tripulado soviético. Discurso de Kruschev ante el Soviet Supremo sobre la coexistencia pacífica.	Golpe de Estado militar en Birmania. Acuerdos de Evian sobre la independencia de Argelia. Ben Bella, jefe de gobierno argelino. Conflicto chino-indio en el Himalaya.

Año	J. F. Kennedy y Estados Unidos	América y Europa	Asia y África
1963	Agosto: Estados Unidos y la Unión Soviética firman el Tratado de Moscú sobre pruebas nucleares. 22 de noviembre: Kennedy es asesinado en Dallas. 24 de noviembre: Es asesinado Harry Lee Oswald, presunto asesino del presidente.	J. Bosch, presidente de R. Dominicana. Conferencia Interamericana de S. José de Costa Rica. Golpe de estado en Ecuador. Acuerdo de Ginebra sobre comunicación directa entre la Casa Blanca y el Kremlin.	Se produce un golpe de Estado en Saigón, auspiciado por la CIA, en el que es asesinado Ngo Dinh Diem. Cumbre de Addis Abeba: Creación de la Organización de la Unidad Africana.

BIBLIOGRAFÍA

AGUILAR MONTEVERDE, A.: *El Panamericanismo, de la Doctrina Monroe a la Doctrina Johnson.* México, F.C.E., 1981.

BENÍTEZ, J. A.: David-*Goliath. Siglo XX.* La Habana, Ed. Gramma, 1967.

BURNS, J. M.: *The Deadlock of democracy.* Nueva York, 1970.

—*John Kennedy. Perfil de un político de valor.* Barcelona, Ariel, 1960.

DAVIES, J.: *Foreign and others affairs.* Nueva York, 1991.

DRAGUILEV, M.: *El crac del 29.* Moscú, Progreso, 1970.

ESPINOZA GARCÍA, M.: *La política económica de los Estados Unidos hacia América Latina entre 1945 y 1961.* La Habana, Casa de las Américas, 1971.

FAULKNER, H. U.: *Historia económica de los Estados Unidos.* 2 tomos. La Habana, E. Ciencias Sociales, 1989.

FURIATI, C.: *El complot para asesinar a Kennedy y Fidel Castro.* La Habana, Ed. Si-Mar, 1995.

GLINXIN, A; MARTINOV, B. y YAKOLEV, P.: *La evolución de la política de Estados Unidos en América Latina.* Editorial Progreso, 1983.

HOROWITZ, D.: *Desde Yalta a Vietnam.* Princeton, 1980.

JONES, M. A. *Historia de Estados Unidos. 1607-1992.* Madrid, Cátedra, 1995.

KASPI, A.: *John F. Kennedy.* Barcelona, Folio, 2003.

KIRK, B.: *Los Estados Unidos en la América Latina.* México, Cuadernos Americanos; febrero, 1958.

KOSKOFF, D. E.: *Joseph P. Kennedy. Forjador de una dinastía política.* Barcelona, Dopesa, 1975.

MEMORIAS DE LA CONFERENCIA TRIPARTITA. La Habana, 1992.

MORISON, S. E.; COMMAGER, H. S. y LEUCHTENBURG, W. E.: *Breve historia de los Estados Unidos.* México, F.C.E., 1987.

O'CONNOR, E.: *The Last Hurrah.* Wisconsin, 1980.

O'REILLY: *El pueblo negro de Estados Unidos: Raíces históricas de su lucha actual.* La Habana, Ed. De Ciencias Sociales, 1984.

PERLO, V.: *El Imperio de las Altas Finanzas.* Barcelona, Grijalbo, 1984.

RAMÍREZ NOVA, E.: *La política de los Estados Unidos en Indoamérica.* Montevideo, 1973.
RANELAGH, J. O.: *Breve Historia de Irlanda.* México, F. C. E., 1989.
SALOM, J.: *Historia Universal.* Madrid, Espasa Calpe, 1980.
SARTRE, J.: *Huracán sobre el azúcar.* Ediciones R., La Habana, 1960.
SCHLESSINGER, A. M.: *Los Mil Días de Kennedy.* AYMA, 1966.
SINCLAIR, R.: *Las Primarias de 1946.* México, Cuadernos Americanos; Febrero, 1979.
SORENSEN, T. C.: *Kennedy. El hombre y el presidente.* Barcelona, Grijalbo, 1996.
SPYKMANN, J.: *Los Estados Unidos frente al mundo.* Princeton, 1981.
TRÍAS, V.: *El Plan Kennedy y la revolución latinoamericana.* Montevideo, El Sol, 1961.
WILLIAMS, W. A.: *La tragedia de la diplomacia americana.* Buenos Aires, Sarmiento, 1980.
WISE, J. y ROSE, M.: *El Gobierno invisible.* La Habana, Ed. Pueblo y Educación, 1978.

TÍTULOS DE LA COLECCIÓN

JESÚS DE NAZARET

ADOLFO HITLER

ALEJANDRO MAGNO

CHE GUEVARA

J. F. KENNEDY

MARTIN LUTHER KING

GANDHI

NAPOLEÓN BONAPARTE

MAHOMA

WINSTON CHURCHILL

SIMÓN BOLÍVAR

HERNÁN CORTÉS

W. A. MOZART

PABLO R. PICASSO

SIGMUND FREUD

MARCO POLO

MARILYN MONROE

ALBERT EINSTEIN

JULIO CÉSAR

TERESA DE CALCUTA

TÍTULOS DE PRÓXIMA APARICIÓN

JUAN XXIII

VLADÍMIR LENIN

LEONARDO DA VINCI

CARLOMAGNO

MAO ZEDONG

BUDA

JOSIF STALIN

JOHN LENNON

CHARLES CHAPLIN

MARIE CURIE

GROUCHO MARX

ESCRIVÁ DE BALAGUER

ERNEST HEMINGWAY

GRANDES
BIOGRAFÍAS